海軍零戦隊撃墜戦記 1

昭和18年2月-7月、ガダルカナル撤退とポートダーウィンでの勝利

梅本弘

IJN Zero Battle Diary #1
victories and losses for Zero over Solomon from Feb. to July 1943

大日本絵画
Dainippon Kaiga

戦争には負けたが、戦闘では負けていません

昭和17年の8月まで、本書の舞台であるソロモン、ニューギニア方面で活躍した零戦撃墜王として、あまりにも有名な坂井三郎さんは、生前、筆者に「戦争には負けましたが、戦闘では負けていません」とおっしゃったことがある。当時はもうひとつ、言葉の真意がわからず聞き流してしまったが、今にして思い返すと「日本としては戦争に負けたが、海軍戦闘機隊が敵に遅れをとったことはない」と、言いたかったのかもしれない。

またその一方で「空戦の戦果報告というのは、まずそのほとんどが誤認ですね。自分が撃った飛行機が落ちて行くのをのんびり眺めている暇なんてないですから。すぐに別の敵機がどこにいて、どんな態勢にあるのかを確認しないといけない。本当に落ちたかどうかなんて確かめていられません」と、空戦での撃墜戦果報告の難しさを教えてくれた。

昭和15年、中国大陸で初めて実戦を経験した三菱Ａ６Ｍ、海軍零式艦上戦闘機は、当時の世界水準を凌駕する優れた戦闘機であった。日本海軍が零戦を極秘の新兵器として秘匿していたため、新聞など公式の場では終戦近くまで「海軍新型戦闘機」として「零戦」の名前は国民に伏せられていた。

当時、零戦はむしろ外国で「ゼロ」としてよく知られていた。ゼロは零式艦上戦闘機を示す固有名詞ではなく、日本の単座戦闘機全般を指す普通名詞にまでなっていた。

日本人は連合軍のパイロットが「ゼロの名前を聞くと震え上がった」などという逸話を好む。しかし連合軍側の戦記を読むと、連合軍の戦闘機隊は開戦早々から零戦、そしてしばしば混同されている隼を空戦で圧倒していたことになっている。彼らの主張するキルレシオは1対4。つまり連合軍戦闘機の損害1機に対して零戦4機くらいは撃墜しているとされている。「ゼロはくるくる回る厄介な相手で、少々手強くはあったが、結局、それに勝った我々はもっと優秀で強い」と自賛するための引き立て役扱いである。彼らに言わせると、緒戦では、落としても落としてもやってくる日本軍戦闘機の大群に退却を余儀なくされたのである。実際、18年の半ばまで、空戦で戦う戦闘機の数は拮抗するか、日本側の方が多い場合がよくあった。18年以降、連合軍機の方が数的に優勢になると、零戦の損害は加速度的に増え、連合軍が主張するキルレシオは1対10、1対20へと膨れ上がって行く。

もちろん、日本側が主張する戦果と損害のバランスは、まったくその逆である。開戦から戦争中盤まで日本軍戦闘機隊がこうむった実際の損害は、連合軍パイロットが報告し公式記録とされている数の数分の一に過ぎない。その一方、日本軍戦闘機隊が撃墜したと主張する戦果も、連合軍が実際にこうむった損害の数分の一にしか過ぎない。

坂井さんが常々おっしゃっていた「空戦の戦果報告という

のは、まずそのほとんどが誤認ですね」という言葉が思い出される。日本、米軍双方の戦記を読むと、ソロモン戦域で戦っていた日米の戦闘機乗りたちは互いにお手盛りの過大戦果に一喜一憂するとともに、戦友が一人でも未帰還になるとひどく心を痛める。そして「どうして敵はこうも無神経に、こんな大損害に耐えつづけられるのだろうか」と、本心から不思議に思っている。実は、両軍ともそんなに犠牲者は出していないのだということに思いはいたらない。

撃墜戦果報告は双方ともに、戦闘機乗りの意地や楽観で膨れ上がった虚構であった。その一方で、双方に戦友一人一人の死を悼み悲嘆にくれ、対抗策と報復が企てられるという紛れもない真実がある。そこで筆者は双方の虚構部分を整理して、真実の部分だけを繋ぎ合わすことができれば、空戦の実像が見えてくるだろうと考え、本書の執筆を思い立った。

筆者が戦記関係の本を書くようになってはや四半世紀。当初、海外への問い合わせはすべて航空便で、返書を一日千秋の思いで待ったものだ。その後、それはＦＡＸになり、インターネットのメールになった。外国の史料もインターネット経由で容易に入手できる。さらに以前だったら、いちいち目黒の防衛研究所まで行って手続きをしなければ調べられなかった日本海軍航空隊の「飛行機隊戦闘行動調書」がすべてインターネット上で、いつでも自由に閲覧できるようになった。こうして敵味方の矛盾する報告をつき合わせて真実を見つけ出す作業は飛躍的に容易となったのである。

筆者は長い間、日本軍の戦記を読んで来た。当初はもちろん戦記に書いてあることはすべて真実と思い、戦争に負けはしたが、負けつつも大きな戦果をあげている零戦隊の精強さに大きな感銘を受けていた。ところが連合軍の損害記録を調べて戦果報告と照合するなどということをはじめると、無敵零戦隊の輝きが見る見る色褪せてくる。調べれば調べるほど目減りして行く零戦の撃墜報告を前に、底の底まで徹底的に調べたいが、もしその結果、ソロモンの空で散った零戦搭乗員の勇戦敢闘が実は「救いようもない敗北の連続であった」などと判明してしまったらずいぶん憂鬱だとも感じていた。

今回、調査したのは、日米の決戦場であったソロモン戦域で未だ戦局が一進一退していた昭和18年2月から7月までの半年間である。日本が圧勝していた開戦初頭は連合軍側の資料が乏しく、日本の敗勢が色濃くなった後期は日本側の資料が乏しい。ソロモン戦域で日本側が攻勢から守勢に転じたこの時期が、双方の資料がもっとも充実し変化にも富んでいるのである。豊富な資料を得て、調査は順調に進んだ。そして零戦隊が決して負けてはいなかったことがわかった。

この半年の間に空戦で撃墜された零戦は１５１機。零戦が撃墜したことが損害記録から判明した連合軍機は２０５機。零戦やはり坂井さんが言っていたように、戦争には負けたが、零戦は戦闘で負けなかった。それが事実で立証されたのである。

◎目次

「奇跡の撤退」を支えた海軍戦闘機隊の敢闘と実戦果

死にものぐるいで逃げた「空の要塞」4機編隊全滅

昭和18年2月1日、ガダルカナル島撤退「ケ号」作戦の第一次撤収が決行された。

「このB-17を落とした空戦のことは、ありありと覚えてるんですよ」。当時、丙飛4期予科練の飛長、二〇四空《フタマルヨン》（第二〇四海軍航空隊）の零戦搭乗員として、ブーゲンヴィル島の南端にあったブイン基地から邀撃に上がった大原亮治さんは、この戦闘をよく記憶している。「敵は戦爆連合で来たんです。だから二〇四空の12機だけじゃなくて、他の部隊の零戦も上がって戦闘機と戦っている。それでB-17が4機だけ編隊から別れたところを我々で追いかけた。10機くらいまとまって70、80分くらい追いかけたかなァ。B-17はねえ、戦闘機隊と離れたから、死にものぐるいで逃げたんですよ。途中に雲があって、編隊ごと旋回して、その中に逃げた。でも夏雲がぽつんぽつんとあるだけで、あんまり大きくない」大原飛長は雲に逃げ込んだ重爆を「どっかから出てくる。それをやっつけよう」と決意した。

この日、二〇四空と同じブインにいた二五三空《フタゴウサン》の零戦5機は基地の上空哨戒のため井上誠上飛曹の指揮下、6時に離陸した。現在、国立公文書館のアジア歴史資料センターによってインターネット上で公開されている各海軍航空隊の報告書「飛行機隊戦闘行動調書」によれば、二五三空は、ブイン泊地へと進攻してきた米軍機はB-17、9機、P-38、4機。編隊から分離したB-17、4機を狙って、6時30分から戦闘に突入した。同じ頃、五八二空《ゴウヤフタ》の零戦14機も離陸。その30分後に離陸した森崎武予備中尉が率いる二〇四空機12機の1機が大原亮治飛長機だった。7時30分、二五三空の零戦がさらに3機離陸した。

楢原憲政一飛曹率いる五八二空の零戦14機は、行動調書で「B-17、9機を発見、全機共同之を攻撃、分離せる4機を撃墜」と報告している。遅れて離陸した二〇四空は行動調書に「B-17、4機と交戦」とだけ書いている。

またブインの沖にある小島、バラレ島にあったバラレ基地からは、二五二空《フタゴウフタ》の零戦が6時15分にまず4機、同20分に13機、計17機が離陸。行動調書には「B-17、4機攻撃、二〇四空と協同」と記録され、この部隊も撃墜4機を報じている。

この日、米第13航空軍の9機のボーイングB-17四発重爆「空の要塞」が、ガダルカナル島のヘンダーソン飛行場を離陸、三つの編隊に分かれ、ショートランド島、ブーゲンヴィル地区の日本軍艦船の攻撃に向かった。バラレに隣接する少し大きな島、ショートランドには日本海軍の水上機基地があった。

昭和18年１月頃、日本軍の支配下にあったソロモン群島のブーゲンヴィル島北部、日本海軍航空隊のブカ基地を空襲した帰途に撮影されたボーイングB-17四発重爆。眼下には活火山が見える。B-17は「空の要塞」の異名にふさわしく防御力、火力ともに強力で零戦の20ミリ機銃をもってしても撃墜困難な強敵であった。

ブーゲンヴィル島南部にあったブイン基地で撮影された第二〇四海軍航空隊（二〇四空）の零式艦上戦闘機三二型。主翼の両端が角張っているのが特徴である。三二型は、開戦時に活躍した零戦二一型につづいて登場した新型で「二号零戦」と呼ばれていた。当時の海軍の制式色は明るいグレイだったが、地上に置いた時、あまりにも目立つので写真のように現地で緑色の迷彩がほどこされる場合が多かった。

三つのB‐17編隊は爆撃針路に入り、一度は投下を終えて旋回。さらに二度目の爆撃航過に入った時、雲が多かったため、二番目を飛んでいた4機のB‐17が主力から分離してしまった。ここまでの状況は、五八二空の報告とぴったりと一致する。

第44戦闘飛行隊のカーチスP‐40「ウォーホーク」4機と、第339戦闘飛行隊のロッキードP‐38「ライトニング」4機がB‐17を掩護していた。戦闘機は重爆の第2編隊の4機が2回目の爆撃航過に入ったことに気づかず「空の要塞」から離れてしまったのである。米戦闘機も零戦も戦闘機同士の交戦は報告していない。

この4機のB‐17E型の指揮官は、第11爆撃航空群、第42爆撃飛行隊のアール・O・ホールJr.少佐で、彼が乗ったB‐17E型はトノレイ港にいた輸送船を狙って投弾した後、チョイセル島の方角へと転針。その時、15機の零戦に襲われて撃墜され、乗員は全員戦死した。つづく、フランク・L・フーックス大尉のB‐17E型「イーガー・ビーバーズ」は目標に命中弾を見舞った後、対空砲火によってショートランド港か、ブーゲンヴィル島南部に墜落。ハロルド・P・ヘンスリー大尉のB‐17E型「ヨコハマ・エクスプレス」も、目標への命中を報告した後、チョイセル島へ転針。そこで15から25機の零戦に襲われショートランド湾に墜落した。同編隊の4機目、第5爆撃航空群、第72爆撃飛行隊のトーマス大尉機のみが、文字通り穴だらけにされながらもガダルカナル島にたどり着き不時着。無線士と爆撃手が負傷していた。

重爆の爆撃による被害は、神州丸が直撃弾1発を受け小破したのみである。

二〇四空、大原飛長の零戦三二型は、雲に入って行くB‐17を見送り、出てくるところを狙っていた。「その時は、もう3機になっていたかなァ。B‐17は前下方、主翼の付け根辺りに燃料タンクがあって、そこが弱点だからそこを狙えって言われていて。いちかばちか、B‐17の編隊が入って行った雲の出てきそうな辺りに向かって上昇して行ったんです。出てこないから雲に入ってしまわないよう、旋回して避けようかと思った矢先、ちょうどいい場所に出て来た。斜め右前下方から20ミリを撃って、何発撃ったのかはわからんですが、衝突寸前になるまで撃ちつづけた。向こうも撃ってきましたがね、当たらんかったんですよ。すぐ、バーッと火を噴いたんで、やったーっ!! と思いました。残った2機もみんなで追いかけて、それで4機を全部落としたってことになってるんです」。

各航空隊の行動調書を読み合わせてみると、追跡と攻撃には、二〇四空の12機だけでなく、二五三空、二五二空と五八二空の計51機もの零戦が加わっていたことがわかる。各航空隊は揃って「B‐17撃墜4機」と戦果を報告している。一方、米軍の損害報告と一致する実戦果は撃墜3機、不時着1

米陸軍航空隊の偵察機が撮影した日本海軍航空隊のブイン基地。昭和17年の10月に、戦前に造成された農園を拡大整地して作られた飛行場である。写真ではよく見えないが滑走路周辺の密林の中に飛行機を分散退避、秘匿するための誘導路がたこ足のように伸びていた。また搭乗員の宿舎なども爆撃による被害を避けるため密林の中に分散されていた。

写真上は、二〇四空の零戦搭乗員、大原亮治飛長（18年２月当時の階級）。大原飛長は丙飛４期の搭乗員として17年10月、ラバウルに進出。以来、南東方面の第一線で戦い続けていた。写真左、二〇四空の森崎武予備中尉。海軍兵学校出の正規士官ではなく、海軍航空予備学生（飛行科）出身の士官である。森崎予備中尉は第7期の海軍航空予備学生だった。

ラバウル東飛行場で撮影された二〇四空の零戦。手前のT2-153号機は零戦二二型。その隣は三二型である。二二型は三二型の後続力不足を補うために、主翼に燃料タンクを増設した型で、主翼の形も古い二一型のように丸くなっている。

空戦から帰還したソロモン方面のB-17重爆の上で、不発で発見された零戦の20ミリ機銃弾頭を見る米兵。薄汚いつなぎを着用しているので整備兵のようにも見えるが、熱帯にもかかわらず内張りのある飛行靴のような物を履いているので重爆の乗員と思われる。墜落したB-17と零戦の20ミリ機銃弾の消費数を見てゆくと、この重爆1機を落とすのに、20ミリを数百発余りも使っている場合が多いことがわかる。

機。10倍以上もの数の零戦による波状攻撃を受けては、さしもの「空の要塞」ですら1機も逃げ切れなかったのだ。日本海軍はガダルカナルからの撤退「ケ号作戦」の上空掩護のため1月31日からブイン、バラレなどの前線基地に戦闘機隊を集結させていた。米軍重爆は、それとは知らずやって来たため、全滅の憂き目を見たのである。B-17「イーガー・ビーバーズ」は対空砲火で落とされたとされているが、詳しい状況報告資料は発見できなかった。おそらく唯一の生還機、トーマス大尉機による目撃報告であろうが、誤認の可能性もある。

五八二空では有村正則二飛曹機と、笹本孝造飛長機が被弾したのみで、全機が無事に帰還した。二五二空でも被弾3機の損害をこうむったが、未帰還機はなかった。使った弾薬は20ミリ10650発、7・7ミリ1968発。この通り記録されているが、両機銃の携行弾数を考えるとこれはおそらく誤記で実際には、20ミリが1968発、7・7ミリが10650発であろう。二〇四空12機による弾薬消費は20ミリ1950発、7・7ミリ5000発。五八二空14機は20ミリ1520発、7・7ミリ6300発を射耗している。

「追いかけるのもスピード、逃げるのもスピード」二号零戦は速い

二〇四空の前身、第六航空隊がミッドウェー海戦後に再編成された時には全機、零戦三二型であったが、あとから補充されてくる機体は二一型が多く、18年2月当時は混成だった。三二型の九九式20ミリ一号銃三型は百発弾倉に90発程度を装填していた。少なめにしておかないとバネの力で弾を送るドラム弾倉が詰まりがちだったからだ。同様に二一型の一号銃二型の60発弾倉には50から55発、円滑な作動を得るため装弾数は1割程少なくしておくのが普通だった。全機が20ミリ機銃をほぼ全弾撃ったとすれば、二〇四空は10機が三二型、2機が二一型というような構成であったと思われる。

速度の向上を狙い、エンジンをパワーアップし、空気抵抗を減らすため翼端を切り落とした「二号零戦」と呼ばれる新型の零戦三二型は、エンジンの強化で少し機体が重くなり、主翼の面積が減ったため、翼面荷重が増加、運動性が変化した。それを嫌って乗りたがらない搭乗員もいた。しかし大原さんは筆者に「みんなは三二がなんだかんだいうけど、私は三二が大好きでね。なぜかっていうと二一よりスピードつくんですよ。1130馬力はあるし、みんな操縦が重いとか言ってるけど、なーに言ってんだよ。操縦の重い軽いよりもスピードの方が大事。やっぱり飛行機追いかけるのもスピード。逃げるのもスピードですからね。空襲!!って言ったら、みんなもう、誰が何番機なんて関係なくて、とにかく空いてる飛行機に乗るんです。私は三二に飛び乗りましたね。補充で来たのは二一が多かったけど。三二は我々が直接、三菱に行

って鈴鹿の航空隊で受け取って空母（瑞鳳）に積んだんですよ。私なんて空母に一回も乗ったことないんだから、飛行機はデリックで乗せた。で、発艦もしたことないし。そしたら宮野大尉が大丈夫だ。ブレーキを踏んで、エンジンが全速になったらブレーキを放して飛行機を水平にして、すぐに艦首をかわるからって、あんまり細かいことをこちょこちょやるなって言われてね。その通りやったら発艦できて、27機みんな、無事に発艦できたんです」と、三二型について話してくれた。

二五二空と五八二空では、20ミリ機銃に比べて7・7ミリ機銃の射撃数が多い。この空戦に参加した機体は三二型よりも二一型が多かったのであろうか。

「怪我の功名でB-17を撃墜」二〇四空の対四発重爆訓練

さて余談になるが、二〇四空は、かねてから対四発重爆対策を練っていた。大原さんによると「日本軍の双発機は翼幅が25メートルしかないからね。B-17は32メートルあるでしょ。だから最初にぶつかった時は、みんな遠くから撃っては離れて行ったんです。大きいから距離感が狂っちゃう。それを指揮官が見ていてね、遠いぞ、遠いぞって言う訳です。そこでB-17の大きさに慣れさせるために零戦を2機、四発重爆の翼幅と同じになるよう平行に飛ばして、それを標的に攻撃する訓練をしたんですよ」。重爆に対して有効な射撃をするには照準からB-17がはみ出すくらいまで接近しなければならない。

そんなことで、昭和17年の12月1日、二〇四空は対四発重爆訓練を実施。全機が標的機役の2機と、攻撃機の2機の計4機ずつとなって、標的役と攻撃役をかわるがわる務めた。最初の組の攻撃役は、宮野善治郎大尉と大原飛長、標的編隊の500メートルくらい前下方からの反航で、仮想B-17の主翼付け根、燃料タンクに当たる付近を狙って攻撃した。宮野大尉の組につづいて、日高飛曹長が率いる4機が訓練にかかった。まず攻撃役になったのは、大原飛長と同期の杉田庄一飛長と、神田佐治飛長機だった。

杉田飛長は、その後エースに成長し、山本五十六長官機の護衛機に選ばれ、本土防空戦では三四三空で紫電改に乗って戦い、戦後の映画「零戦燃ゆ」の主人公のモデルとなった搭乗員である。

標的役の仮想B-17の前方に回りこもうと旋回中、なんと杉田飛長は本物のB-17を発見した。杉田機は全速力で追撃に入った。杉田飛長と同期の大原さんは、神田飛長も「杉田が飛んで行っちゃったのは知らなかったらしいんですよ」という。このB-17は、ブーゲンヴィル島の南部を写真偵察するため、早朝、ヘンダーソン飛行場を離陸した第43爆撃航空群、第403爆撃飛行隊、ウィリス・E・ジェイコブス大

18年８月頃、ラバウルで撮影された二〇四空の下士官搭乗員たち。前列左から、大原亮治、大正谷宗市、中村佳雄二飛曹。後列の真ん中が杉田庄一二飛曹、右は阪野高雄二飛曹。このうち３名、大原、杉田、阪野各飛長（当時）が２月１日のB-17追撃戦に参加している。大原、中村各飛長は13日の空戦にも参加。14日の空戦には大原、杉田、大正谷の各飛長が参加している。

二〇四空の零戦三二型。風防の後部から突き出しているはずの無線アンテナの支柱がないことに注意。当時の二〇四空の零戦は、役に立たない空中無線機をおろし、空気抵抗になる木製の無線アンテナ支柱をノコギリで切り取ってしまっているので、写真のような機体がよく見られる。詳しくは152ページを参照。

尉のB-17F型「ザ・プラスタード・バスタード」であった。偵察の帰途、B-17の乗員は高度5千メートルで、まず6機の零戦に攻撃され、乗員は撃墜2機を報告している。

B-17の乗員は、さらに7機の零戦を発見。零戦はチョイセル島の北端にいたが、重爆の防禦砲火の射程圏外を旋回していた。かれらが見たのは訓練を終えた宮野大尉の4機と、標的役を務めていた日高飛曹長と人見飛長、そして神田飛長の計7機だったのではないだろうか。

ニュージョージア島の上空に達した時、突然もう1機の零戦が前方に出現、四発の空対空爆弾を投下した。だが、それは効果なく、その零戦は突進をつづけ無線士席付近に衝突した。B-17はまっ二つに切断され、前方部分は炎上。全員が戦死した。後部にいたジョゼフ・E・ハートマン伍長だけが機外に放り出され落下傘降下。現地人に保護され、67日後に生還した。

攻撃に入った杉田機は撃ちながら突進、離脱のタイミングを誤り、接触。垂直尾翼の先端を失ったものの基地に帰り、うまく着陸した。先に着陸していた日高飛曹長はいつまでたっても杉田編隊がやって来ないので腹を立てていたというから、B-17にはまったく気づいていなかったのであろう。日本側の記録と米軍の記録は、空対空爆弾が投下されたという点を除いてはほぼ一致する。杉田機（あるいは杉田機と神田機）が使った弾薬は20ミリ160発、7・7ミリ850発。遠距離から全銃を撃ちっ放しで突進したのであろうか。このB-17撃墜には神田飛長も参加したとしている回想もあるが、もし杉田飛長ひとりで攻撃したのなら、大原さんの記憶と米軍の記録が完全に一致する。

「カクタス」空軍を出し抜いた　ガダルカナル撤退上空掩護作戦

第一次撤収。「米駆逐艦轟沈」しかし五八二空艦爆の掩護には失敗

ブインで、B-17の4機編隊を全滅させた2月1日の朝、同じブーゲンヴィル島の北端にあるブカ基地の上空にもB-17が現れていた。二五三空の阿部健市一飛曹が率いる零戦3機が、基地上空の哨戒中、7時50分にB-17に遭遇、空戦になり、そうとうの損害を与えたと報告しているが、こちらは撃墜には至っていない。何やら活発になりはじめた日本海軍の活動を偵察するための飛来と思われる。交戦した機体の所属や、戦闘の詳細に就いては不明である。

同日の午後、五八二空の零戦21機と、当時、ガダルカナル撤退作戦を支援するためラバウルに派遣されていた空母「瑞鶴」の19機は、五八二空の愛知九九式艦上爆撃機15機を掩護してガダルカナル島ルンガ泊地の米艦隊を攻撃に出た。

五八二空は17年5月31日に艦戦、艦爆の混成航空隊「第二航空隊」として編成され、11月1日付けで第五八二海軍航空隊と改称された。当初の保有機は艦戦16機、艦爆16機という、混成で基地航空隊の中では異色の編成だった。

五八二空艦爆は12時50分、サボ島南岸のツラギ泊地上空に達した。その5分後、シーラク水道（サボ島、ガダルカナル島間）を、ガダルカナルの北岸にあるルンガ泊地に向かっていた米艦隊を発見。九九艦爆、第2中隊第3小隊は先頭の米駆逐艦DD-469「ド・ハーヴェン」（２０５０トン）に２５０キロ爆弾の直撃弾を見舞い、4分間で炎上沈没（戦死１６７名）させ、もう1隻に至近弾を見舞った。

目標を発見、艦爆隊が攻撃のため旋回をはじめた頃、まずG戦（グラマン）十数機が現れた。五八二空、鈴木宇三郎中尉率いる2中隊の零戦6機が編隊を離れ、艦爆への攻撃を阻止するため、ただちに向かって行った。この空戦でグラマン5機撃墜、不確実1機の戦果を報じたが、2小隊の堀田三郎二飛曹機が未帰還となり、大沢芳夫飛長機が被弾して不時着した。

鈴木宇三郎中尉の1中隊が上空掩護をつづける一方、直掩の角田和男飛曹長の3中隊6機も艦爆から離れ、空戦中のグラマン8機との交戦に入って行った。効果不明のうちに森岡辰男二飛曹が未帰還となった。弾薬消費は20ミリ５７０発、7・7ミリ１３９０発だった。空戦は13時15分に終了、零戦18機は15時15分にブインに帰着した。

「瑞鶴」零戦もまず2中隊機がG戦十数機と交戦。1、3中隊もG戦十数機と交戦。20ミリ６００発、7・7ミリ９８００発を射撃。G戦撃墜確実11機、不確実2機を報じた。しかし、15時、バラレに5機、その25分後、ブカに5機、5分後、

第五八二海軍航空隊（五八二空）の零戦二二型。二二型の量産は17年12月からはじまり、ただちに南東方面の第一線部隊に向けて送り出されたが、どこでどう滞っていたのか、実際に前線で使われはじめたのは数ヶ月後からであった。二二型は増設タンクのおかげで航続距離は伸びたが、重量と抵抗が増大したため、三二型の鋭い機動性という持ち味は希薄になっていた。

17年の暮頃にブカ基地で撮影された五八二空の戦闘機搭乗員。二列目中央、藤の椅子に掛けているのが司令の山本栄中佐。その右側は飛行隊長の倉兼義男大尉。最前列、左から平林真一飛長、堀光雄、三人おいて、福森大三二飛曹。三列目、左から五人目は山本留蔵二飛曹。福森二飛曹と平林飛長は１日のB-17追撃に参加。この両名は１日と4日の艦爆掩護にも出動している。

ブインに6機、16時30分、ムンダに1機と帰還はばらばらで、3機が被弾していた。そして田中作次二飛曹機、千葉壮治上飛曹機はとうとう帰って来なかった。ひどい乱戦だったことが偲ばれる。田中、千葉両機も撃墜されたのではなく、帰路を見失い、燃料切れで、着水か不時着して帰れなくなったのかもしれない。

五八二空艦爆の1中隊7機は「ド・ハーヴェン」に25番（250キロ爆弾）3発を命中させ、先に攻撃を終え、超低空でサボ島の左側へと避退。その時、十数機のG戦に襲われた。掩護の零戦はもうどこにもいない。それを見た2中隊はサボ島の右側へ旋回、超低空を全速力で退避、難を逃れた。2中隊では激しい対空砲火で1機が自爆、3機が被弾したが、1中隊では4機もが未帰還になった。

邀撃に飛来したのは、ガダルカナルのヘンダーソン基地から邀撃に上がってきた「カクタス」空軍のVMF-112（第112海兵隊戦闘飛行隊）「ウルフパック」のグラマンF4F-4ワイルドキャット、VMO-251（第251海兵隊観測飛行隊）のF4F-3P、米陸軍航空隊の第347戦闘飛行隊のP-39だった。VMO-251のF4F-3Pは偵察機型のワイルドキャットだったが、同隊のパイロットは戦闘機隊の作戦によく参加している。

米軍がコールサインで「カクタス」と呼ぶ、ガダルカナルを基地にする米海軍、海兵隊、陸軍の飛行隊はまとめて「カクタス・エアフォース」と呼ばれていた。

日本側の撃墜確実戦果16機もの報告に対して、米軍の損害は「ウルフパック」のモラン中尉のF4Fが撃墜されたのみである。中尉は後に救助された。F4Fのパイロットはこの日、艦爆の撃墜2機、零戦の撃墜18機、P-39も撃墜1機の戦果を報じている。

17年8月以来、ソロモン戦域で米軍機と戦いつづけてきた五八二空の零戦と、10月26日の「南太平洋海戦」以来、空戦の機会がなく、緒戦から空戦の場数自体少なかった「瑞鶴」零戦隊の戦いぶりには違いが見える。空戦後、不時着機を除いて全機がまとまって帰り、戦果報告がそれほど過大ではない五八二空に対して、「瑞鶴」零戦隊は戦果報告がひどく過大で、空戦後はまったく散り散りになってしまっている。さらに「瑞鶴」零戦は20ミリに対して、桁外れに多い7・7ミリを撃っている。

とりあえず撃つ7・7ミリ、当てる確信がなければ撃たない20ミリ

飛行機隊戦闘行動調書に記載されている戦果報告と弾薬消費（記載されていない場合もある）を見た上で、連合軍の損害記録と照合してみると、7・7ミリ機銃弾の消費が多く、20ミリ機銃弾の消費が少ない空戦ほど、戦果報告と実戦果の隔たりが多いように感じられる。

ソロモン群島の基地に展開する米海軍のダグラスSBD艦爆「ドーントレス」の列線（右側の２機）。左側には連絡や弾着観測に使われる高翼単葉の軽飛行機が並んでいる。ドーントレスは日本海軍の九九艦爆に相当する艦上急降下爆撃機である。16年３月に登場したSBD-3から、乗員用の装甲と自動防漏タンクが装着されるようになっていた。

18年に、ニューカレドニアの基地で翼を休める米海軍のグラマンTBF艦攻「アベンジャー」。３人乗りで、航空魚雷を搭載して雷撃もできる日本海軍の九七艦攻に相当する艦上攻撃機。初期に活躍したTBF-1は1700馬力エンジンを搭載していたが、18年中頃からは2000馬力エンジンを搭載した強力なTBF-3が前線に現れはじめた。

二〇四空の大原亮治飛長は、この20ミリの射撃について「20ミリはあんまり連続では撃てない。（射撃レバーを）ひと握りすると3分の1くらい弾がなくなっちゃうから。7ミリ7と20ミリの機銃の切り替えは、エンジンのコントロールの把柄（スロットルレバー）の上にあって、余裕のある時は、最初7ミリ7でね、これは（1銃）500発持ってるんだけど、バリバリバリーッて撃って、当たってるなと思ったらダダンッて20ミリを撃つ。ぱっとひと握りするぐらいで射撃するんですよ。20ミリは」という風に説明してくれた。つまり、20ミリは命中の確信がある時にしか撃たない。7・7ミリをたくさん撃って、20ミリをあまり撃っていない空戦は、搭乗員が命中の確信をもって射撃できていない場合が多かったのではないかと考えられる。今後の空戦の記録でも、20ミリと7・7ミリの弾薬消費率のバランスと、報告戦果と実戦果の差異の関係に注目していただければわかる。

この1日の午後、ガダルカナルにいたVMSB-131（第131海兵隊偵察爆撃飛行隊）のTBF艦攻7機は、SBD艦爆や掩護戦闘機とともに出動したが、すぐに戻って来た。サボ島沖で「瑞鶴」、五八二空戦爆編隊と米軍戦闘機の空中戦が起こっていたからだ。2時間後、日本の駆逐艦20隻がニュージョージア島北方、約2百キロ地点を航行中という情報が入り、攻撃のため彼らはまた同じ編成で出撃した。17機のSBD艦爆と、7機のTBF艦攻、第44戦闘飛行隊のP-40、ケネス・テイラー少佐率いる4機などの掩護戦闘機である。TBF艦攻は4機が魚雷を、3機は5百ポンド爆弾を4発ずつ搭載していた。

戦場に着くや否や、第44戦闘機隊の4機は多数の零戦に奇襲され、艦爆の掩護どころではなくなった。そして第67戦闘飛行隊のP-39D型、ロバート・L（判読不能）中尉機が撃墜され、第44戦闘飛行隊のエルマー・ウィードン中尉のP-40が零戦に穴だらけにされて辛うじて帰還。やがて7機撃墜のエースになる彼は20ミリの破片で脚に負傷、機体は全損になった。

駆逐艦を掩護していたのは二五二空の飛行隊長、周防元成大尉が率いる零戦18機だった。

VMSB-131のTBF艦攻も高速で進む駆逐艦隊への攻撃針路をとるとほぼ同時に10機から15機の零戦に襲われた。2機は零戦に追尾され魚雷発射位置に入ることすらできず、ようやく落とした1本も命中しなかった。ディーン大尉機の後部銃塔の射手が零戦1機を発火墜落させたと報告したが、肝心の爆弾は至近弾数発が認められただけだった。一方、ジュリアン曹長機は海に墜落、モルヴィック大尉機は行方不明になった。ダルトン中尉は零戦に攻撃され、20ミリの破片で負傷した。スミス大尉機は零戦の攻撃でいたるところに穴を開けられ、後部射手と無線手が軽傷を負った。マガイア大尉機の尾部には20ミリが1発命中、デューン大尉機はひどく撃たれ、大尉自身は破片で負傷、無線手は胸を銃弾で撃ち抜かれた。デューン大尉機とダルトン中尉機は帰還したが、全損になった。米海軍はこの空戦で、日本機にTBFが4機やられたと記録している。

周防大尉等は16時20分、バングヌ島北方海上で空戦に入り、20ミリ1094発、7・7ミリ3120発を射撃。SBD艦爆2機、P-40、2機、P-39、4機、P-38、1機を確実に撃墜。SBD艦爆とP-40、P-39各1機の撃墜の不確実戦果を報じている。だが西出伊信上飛曹が行方不明となり、山脇信一二飛曹が不時着して軽傷を負った。17時30分、16機がムンダ基地に帰着した。

VMSB-131の乗員はこの日の戦闘報告書で「SBD艦爆の爆弾は命中していたようだが、掩護戦闘機の姿は見えなかった」と報告している。この攻撃で駆逐艦隊の旗艦「巻波」が至近弾を受け航行不能となった。撃墜戦果の報告も第67戦闘飛行隊のジェローム・ソーヤー大尉が零戦の撃墜1機を報じただけだ。米軍は戦闘機同士の空戦も押され気味だったのであろう。

さらにこの日、日本駆逐艦攻撃に加わったVMSB-234（第234海兵隊偵察爆撃飛行隊）はSBD艦爆3機を失った。ウィリアムズ中尉機は攻撃中に行方不明となり、ムーア大尉と偵察員のリードはムンダ上空でSBDから落下傘降下。モス中尉機の偵察員のギルバート・ヘンズは、操縦士のモス中尉が戦死すると後席の操縦装置でしばらく飛んでいたが後席では燃料タンクの切り替えができなかったので、SBDは燃料切れとなりルッセル島付近で落下傘降下した。これらの3機は駆逐艦の対空砲火の餌食になったものと思われる。

実戦果が多かったこの空戦の弾薬消費は「20ミリ1に対して7・7ミリ3」有効な射撃の多かった空戦の弾薬消費バランスの典型である。

やはり難攻不落か「空の要塞」に悪戦苦闘

翌2月2日、8時、五八二空の野口義一中尉率いる山本留蔵二飛曹等、零戦3機はラバウルに単独で飛来したB-17を攻撃。各機、三撃から十撃もの射撃を加えたが白煙を吹かしただけで撃墜はできなかった。

同日の午後、二五二空の零戦11機は「敵機来襲」の警報を受けてバラレを離陸、邀撃に向かった。だが警報が遅かったのか、離陸からわずか5分で「B-17、6機、P-39、4機、P-38、4機」と交戦することになった。この空戦では、20ミリ195発、7・7ミリ7410発を射撃。P-39の撃墜1機を報じたが、中別府隼雄飛長が行方不明になった他、3機の零戦が被弾した。

交戦したのはB-17を掩護して飛来した（P-39ではなく）第44戦闘飛行隊のP-40と、第339戦闘飛行隊のP-38であった。P-40は前日、掩護戦闘機から分離したB-17編隊が全滅した苦い経験から、重爆の編隊から離れず、近づいて来る零戦を追い払い一指も触れさせなかった。その間に零戦の撃墜1機を報じた第44戦闘飛行隊のP-40に乗っていたジョン・ウッド中尉が脚に負傷したのが唯一の損害で、米軍戦闘機は45分間にわたる空戦で計6機の零戦を撃墜したと報じている。重爆を守り抜いたウッド中尉以下のP-40パイロット3名はシルバースター勲章を授けられた。2月1日の大損害が、よほど身にしみていたのだろうという印象の叙勲である。

この日の二五二空の弾薬消費は20ミリに対して、7・7ミリが極端に多い。そして報告された戦果は撃破1機にとどまっている。

翌3日もまた、二五三空の田中泉飛曹長が率いる零戦3機が、6時50分にブカ基地の上空哨戒中にB-17に遭遇、空戦になり、2機が被弾するほど肉薄したが、同航空隊、阿部一飛曹による1日朝の邀撃同様、これも不確実撃墜となった。

単機で飛んで来ても「空の要塞」B-17はやはり手強い。1日朝の空戦のように、零戦数十機で波状攻撃をかけるか、二〇四空の杉田飛長のように体当たりでもしないと、撃墜は困難だった。

「東京急行」をまたも取り逃がす。第二次、第三次撤収も成功

2月4日、ガダルカナルからの第二次撤収が行なわれた。撤退する陸軍将兵を収容するために派遣されたのは軽巡1隻、駆逐艦22隻であった。米軍はガダルカナルへの輸送艦隊を「トウキョウ・エクスプレス」と呼んでいた。この日は、F4F、16機、P-38、4機、P-39、8機の戦闘機計28機に掩護されたSBD艦爆12機、TBF艦攻13機が「東京急行」を狙って発進した。

「東京急行」の上空で警戒中だった「瑞鶴」の零戦16機のうち、まず1中隊の零戦8機が13時50分に友軍の駆逐艦を攻撃中のSBD艦爆8機とP-39を1機発見。ただちに空戦を開始した。つづいて2中隊の零戦8機がSBD艦爆13機とグラマン4機を発見。交戦に入った。ここで零戦は、グラマン1機とSBD艦爆1機の撃墜を報じている。

15時5分、「瑞鶴」零戦隊の1中隊は小隊ごとに分離、カーチス10機と交戦したと行動調書にしるしている。「カーチス」というのは、P-40戦闘機ではなく、この頃、ガダルカナル方面に配備されていたダグラスSBD艦爆「ドーントレス」よりも古い、カーチスSBD艦爆「ヘルダイバー」との混同による報告と思われる。

「瑞鶴」の1中隊は、艦爆6機、戦闘機4機の撃墜を報じた。

18年２月11日に撮影されたガダルカナル島「カクタスエアフォース」のベルP-39「エアラコブラ」戦闘機。写真の機体はプロペラ軸に搭載されていた故障しがちな37ミリ機関砲を、信頼性の高い20ミリ機関砲に換装している。機体中央に設置された液冷エンジンに装甲がなく、高度３千メートル以上になると性能が低下するため零戦の敵ではなかった。

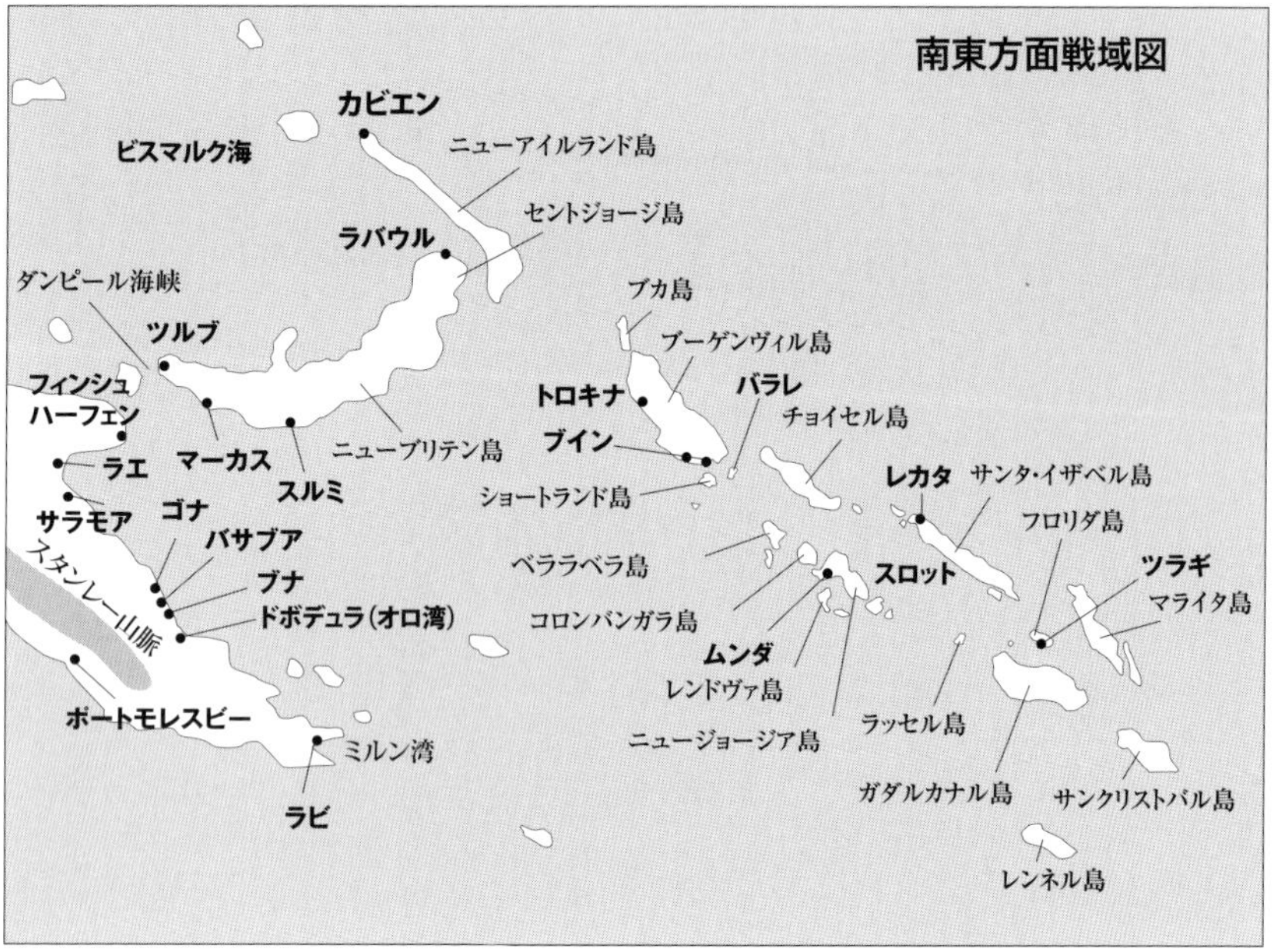

14時7分、さらに艦爆6機、グラマン及びP-39、10機を発見して交戦。第2中隊の第16小隊長、重見勝馬飛曹長が行方不明になった他、零戦3機が被弾、うち1機がムンダ基地に不時着した。16時20分、第1中隊機は小隊ごとにブインに帰着した。

その間にも「瑞鶴」戦闘機隊の零戦9機が発進、米軍艦爆の第2波と交戦。艦爆2機、戦闘機4機を撃墜したと報じている。「瑞鶴」戦闘機隊は総合戦果報告として、戦闘機の撃墜25機、艦爆6機の撃墜を報じている。

15時30分には二〇四空の零戦12機が来援。二〇四空は7機と交戦。4機を撃墜したと報じて、全機が無事に帰着した。

一方、米軍ではP-40が零戦の撃墜3機、P-39が撃墜2機、F4Fが撃墜4機、SBD艦爆の射手が撃墜2機を報じている。第68戦闘飛行隊のマイケル・カーター少尉のP-40F型は、F4Fのパイロットに誤射され、彼は日本艦隊のそばに落下傘降下。捕虜になったか、射殺されたか、いずれかの運命をたどった。一方、間違いなく空戦で落とされたF4Fは1機だけだった。VMSB-234では、対空砲火でラッセル中尉のSBD艦爆が行方不明となり、マーフィー中尉は降爆中にエンジンに直撃弾を受けて着水したが、偵察員とともに救助され、スラッシャー中尉機の偵察員は空戦中、頭部を射たれたが一命をとりとめたと報告している。

駆逐艦の上空掩護には、陸軍、飛行第11戦隊、第1中隊の一式戦「隼」も参加しており、空戦で隼3機と、操縦者3名が失われている。

この日の空戦は大混戦で、米軍が実際に喪失したワイルドキャットは零戦が落としたのか、一式戦が落としたのか、どうにも判定のしようがない。損害の数をみると日本側4機の喪失に対して、米軍は同士討ちや駆逐艦の対空砲による損害を合わせても4機。空戦では負けたが、日本軍戦闘機は駆逐艦を米艦爆から守り抜き、撤退作戦を成功させることができたのである。

7日、三回目、そして最後の撤退部隊収容艦隊がガダルカナルへと向かった。この日は天候が悪く、米軍機の活動は低調だったが、艦隊上空哨戒の第四当直のため14時30分にブインを発進した五八二空の零戦15機は、15時15分、F4F十数機に掩護され駆逐艦隊を襲う米艦爆16機を発見した。

五八二空の零戦は戦爆約30機の米編隊に真っ正面から突進して行った。1中隊、竹中二飛曹が率いる2小隊はF4Fと交戦、撃墜1機を報告。竹中小隊には腕利きの関谷喜芳二飛曹がいた。関谷二飛曹はこの日までに協同撃墜を含めて、すでに6機を落としたエースだった。19年6月の戦死までに撃墜11機を公認される。

第2中隊、武本二飛曹の2小隊は艦爆に向かって行った。武本小隊はSBD艦爆の撃墜確実1機、不確実1機を報告したが、SBD艦爆との交戦で古参の武本正実二飛曹は自爆、2番機の福森大三二飛曹機が被弾してしまった。

VGS-11（第11護衛空母偵察飛行隊）のF4Fは、非常な悪天候の中、零戦撃墜3機を報じている。この日の米軍側の損害記録は見つけられなかったが、翌8日の日付でVGS-11のTBF艦攻が空戦で撃墜されたと記録されている。

米艦爆の集中攻撃で駆逐艦「磯風」が炎上したが、30分で鎮火、沈没は免れた。

こうしてガダルカナルからの撤退「ケ号作戦」は奇跡とまでいわれる大成功を収め、11706名が救出された。

「肉を斬らせて骨を断つ」絶体絶命の大海原で「空の要塞」と一騎打ち

2月7日、B-17が1機、遥か太平洋の孤島、ナウル島に飛来した。

警報を受けて、これを邀撃した零戦は8時43分、ナウル基地を発進した二〇一《フタマルヒト》空の零戦、関源一一飛曹、牟礼弘飛長の2機であった。両機のうち168号機（搭乗員氏名不明）は基地から210度、60海里の地点、高度4千メートルで五撃を加え「左外側エンジンを停止発火させ、さらに内側エンジンから燃料を大量に噴出させた。B-17は大きく傾斜して、次第に高度を失っていった」と報告されているが、零戦168号機は弾薬、燃料ともに乏しくなったため引き返した。

もう1機、162号機は脚故障のため遅れてB-17に追いついた。すでに168号機は避退している。162号機は千メートルまで高度を失っていたB-17に三撃を加えた。しかし同機の燃料も乏しくなり、さらに高度を失いつつあるB-17の最後を見届けることなく帰還。10時10分、両機とも被弾もなく無事にナウル基地に帰着した。

2機の消費弾薬は合計20ミリ15発、7・7ミリ1650発。行動調書に記録された長い空戦の状況から見て、20ミリ機銃弾の消費が少なすぎるように感じられる。20ミリが途中で故障したのだろうか。思い切って20ミリを撃てるほどには接近できず、遠巻きに7・7ミリを発砲しながら、多数の13ミリ機銃で激しく反撃してくる巨大な「空の要塞」を、長時間ためらいがちに攻撃した空戦だったようにも思える。

陸地から百キロ以上も離れ、単機で「空の要塞」と戦い、撃墜はされなくても、被弾して不時着水、あるいは落下傘降下したら、まず助からない。そばに戦友がいればまだしも勇気がでるが、果てしない海上でひとり強敵と戦う、その孤独感と恐ろしさは十分に想像できる。関一飛曹や、牟礼飛長が交戦したB-17は第5、または第11爆撃航空群の所属機と思われるが、損害の詳細はわからなかった。

2日後の9日、ガダルカナルのヘンダーソン基地を発進した第5爆撃航空群のB-17F型（41-24450）「マイラビィンドーブ」、トーマス・クラッセン大尉機は、ふたたび

上の写真はナウル島爆撃から帰還した米陸軍航空隊のコンソリーデーテッドB-24四発重爆「リベレーター」。同じ四発重爆のB-17に比べ、やや強靭性が劣るとも言われているが、それでも零戦による撃墜は非常に困難で、犠牲を伴わずに仕留められることは稀だった。写真左、二〇一空の山下佐平飛曹長。乙飛５期の山下飛曹長は、17年４月から台南空に派遣されて活躍、撃墜13機を公認されている。台南空の本土帰還とともに、二〇一空に復帰していた。

ナウル島を偵察した。同機は8機の零戦に邀撃された。10分間の空戦の後、B-17の機銃は次々に故障。しかし射手は残った機銃で零戦の撃墜2機を報じた。零戦は1時間半にわたって攻撃をつづけ、B-17では乗員の9名全員が負傷し、第1エンジン、第2エンジンが停止していた。

5時55分、ナウル基地を発進した二〇一空の零戦5機は、台南空へ派遣されて活躍したエース山下佐平飛曹長の指揮のもと、基地の北方150海里で6時15分から空戦を開始。だが10分後、1番機の山下飛曹長機が行方不明となった。7日の邀撃戦でもB-17と戦った関一飛曹が1発被弾。同じく7日に戦った牟礼飛長も被弾1発。さらに倉永稔二飛曹が被弾2発、刈谷勇亀飛長が4発被弾するなど残った全機が被弾しつつ、20ミリ450発、7・7ミリ5400発を消費して、6時50分、B-17は海面に突入したと報告している。

零戦1機当たり、20ミリ110発以上、7・7ミリ1100発を撃っている。4機が20ミリだけでなく、7・7ミリまで搭載弾薬のほぼ全部を撃ち尽くしている。中途半端に終わった7日の空戦の経験を生かして、戦死した山下飛曹長が肉薄攻撃で20ミリの有効弾を放ち、部下に手本を示したのかも知れない。小隊長機の仇を討つため、全機が粘りに粘って全弾を撃ち尽くすまで攻撃をやめなかったのだろう。

だが満身創痍となってもB-17は強靭で「マイラビィンドーブ」は、その後、着水するまで約700キロも飛びつづけた。B-17の乗員は救命ボートで16日間漂流した後、ブーゲンヴィル島の北端にあるブカ島に漂着。日本海軍の基地のある島だったが、彼らは友好的な現地人に発見され、さらにカヌーで南下し、ブーゲンヴィル島、日本軍支配地域内に配備されていた連合軍のコーストウォッチャー（沿岸監視員）に助けられた。彼らがカタリナ飛行艇に乗って生還したのは50日後だった。

11日、ラバウルを発進。「C区索敵」の三番線を担当した七〇五空の一式陸攻、長嶺惣弥上飛曹機は7時50分、レンネル島の南方240海里で空母1、駆逐艦10以上を発見した。当時、ソロモン海域にいた唯一の米正規空母「サラトガ」だ。上空哨戒をしていたVF-6のF4Fが3機が長嶺上飛曹の陸攻に襲いかかって来た。長嶺機は25分間にわたる空戦でG戦撃墜1機を報じて、8発も被弾したものの無事に帰還した。撃墜されたのはヒュー・マッキントッシュ少尉のF4Fで、救助もされず行方不明となった。米軍の「空の要塞」とは違って被弾に弱い陸攻が単独で空戦に勝った希有な例である。

「セントバレンタインデーの大虐殺」

「シコルスキー」がやって来た。海軍機の幸運と陸軍機の不運

2月13日、6時15分、バラレ飛行場にP-38が1機飛来した。二五二空の零戦3機がただちに離陸したが高速のP-38は捕捉できず雲の中に逃がしてしまった。約1時間後、またP-38が1機来襲。今度は5機が離陸したが、ふたたび雲の中に逃してしまった。単機でやってきたP-38は戦闘機ではなく、おそらく攻撃に先立って偵察にきたP-38の写真偵察型、第17写真偵察飛行隊のロッキードF-5A型であろう。

8時20分、二五二空、基地上空哨戒、一直（第一当直）の零戦が離陸した。岡林保二飛曹が率いる3機である。およそ1時間後、米陸軍のP-38、4機、海兵隊VMF-124（第124海兵隊戦闘飛行隊）のヴォート・シコルスキーF4U「コルセア」11機に掩護されたPB4Y-1重爆9機がブイン基地に来襲した。PB4Y-1はコンソリーデーテッドB-24四発重爆「リベレーター」の海軍型である。そして、2月12日にガダルカナルの基地に到着したばかりの新鋭戦闘機コルセアが日本軍の前に姿を現したのは、これが初めてである。

日本海軍は、やがて零戦の好敵手となるコルセアを「シコルスキー」と呼ぶようになる。有名な飛行機メーカー、シコルスキー社はコルセアの開発にはなんら関わっていないが、1940年に初飛行したコルセアを作っていたチャンス・ヴォート社は、前年の1939年にシコルスキー社と合併し、社名がヴォート・シコルスキー社となっていた。そこでコルセアは日本で「シコルスキー」と呼ばれるようになったのだ。チャンス・ヴォート社は1954年に独立したので、戦後、コルセアは改めてチャンス・ヴォートF4Uと呼ばれるようになった。

新鋭戦闘機に掩護されたこの戦爆編隊は日本軍の対空見張り所の目を逃れ、9時30分頃に、いきなり現れた。邀撃機を上げる暇もなく、爆撃を終えて退避するまでに接触できたのは、たまたま基地の上空哨戒に飛んでいた岡林二飛曹等だけであった。

米軍は飛んできた零戦はたったの2機で「我々を遠巻きに見物に来たような感じで攻撃はして来なかった」と報告している。二五二空の戦闘行動調書にはB-24、9機、P-38、4機、P-39、6機と交戦と記されている。この日、初めて日本軍にお目見えしたF4UをP-39と間違えている以外は、来襲機の機種、機数を正確に報告しているので、一直の3機がこの海軍重爆の来襲を見ていたのは間違いなさそうだ。どうして攻撃しなかったのか、わずか3機では、あまりの劣勢に手を出しかねていたのか、位置的に攻撃が困難だったのか、詳

しいことはわからない。

一直機が最初の戦爆編隊を見逃してしまってから、さらに1時間後、高角砲がまた一斉に火蓋を切り、発砲音が万雷のように轟きわたった。

呉鎮守府第六特別陸戦隊バラレ派遣隊には、12センチ高角砲3門（バラレ東部地区）、75ミリ高射砲4門（バラレ北西地区）があった。（陸戦隊の戦闘詳報では、12センチを高角砲、75ミリを高射砲と書き分けている。）今度は、手ぐすねをひいて待っていた二五二空は17機を離陸させ、一直の3機と合同し、新たにやって来た戦爆編隊に向かって行った。

10時30分にやって来たのは、米陸軍第307爆撃航空群のB-24重爆6機だった。掩護のP-40、第44戦闘飛行隊の4機は重爆の300メートル上空を飛んでいた。重爆の弱点である正面からの攻撃を防ぐためだった。さらにその上には第339戦闘飛行隊のP-38が4機いた。掩護の戦闘機がこんなに少ないのは、進航中、B-24の掩護を行っていた7機のP-40のうち3機がエンジン故障で引き返してしまったからだ。

対岸のショートランド基地からは、零戦にフロートをつけた水上戦闘機、八〇二《ハチマルフタ》空の二式水戦11機が10時20分に発進して、邀撃に向かった。

二五二空では、空襲当時、基地上空を哨戒中で逸早く空戦に入ったと思われる1小隊の小隊長、岡林二飛曹機と、その3番機である北村飛長機と鈴木飛長機が被弾した他、後から邀撃に上がった3小隊長の高野幸太郎二飛曹機が自爆したが、20ミリ1373発、7・7ミリ9920発を射撃。B-24の撃墜3機、P-39撃墜4機、P-38撃墜3機の戦果を報じた。八〇二空は二五二空から5分ほど遅れて交戦に入っている。

ブイン基地の二〇四空でも、待機小隊の9機が離陸した。「待機小隊」とは緊急発進に備えて出動準備を整えて滑走路脇で待つ「スクランブル小隊」の海軍呼称である。日本陸軍では「警急編隊」と呼ぶ。

待機小隊だった1小隊の3番機、中沢政一飛長は飛行場に向かうB-24に対して、重爆攻撃法として教えられていたとおり、前下方から第一撃を見舞った。するとB-24の編隊は90度変針、爆弾を海中に投棄して逃げ始めた。彼にはそのように見えたが、もともと米重爆が狙っていたのはブインの飛行場ではなくトノレイ港の船舶だった。

米戦爆編隊は目標上空で非常に正確で強力な対空砲火に迎えられた。日本船舶への爆撃針路に入り、高度約4千メートルから36発の千ポンド爆弾を投下。千ポンド爆弾1発が貨物船に命中したと報告している。その時、ジョージ・K・トレイガー中尉のB-24は直撃弾を受けて空で粉々になり、対空火器の命中弾を受けたもう1機のラッセル・W・ローウェ中尉機は炎の尾を曳きながら長々と滑空し海に墜落した。

当時、二〇四空で電信員を務めていた加藤茂二等兵曹は高

空戦で損傷してガダルカナルに帰って来た「カクタスエアフォース」第339戦闘飛行隊のロッキードP-38「ライトニング」戦闘機。18年2月11日の撮影。P-38は高速重武装の重戦闘機で、米陸軍の高位エースが好んだ機体だったが、高速の一撃離脱による編隊空戦という戦術が確立するまでは零戦との格闘戦に巻き込まれて撃ち落とされてしまうことも多かった。

ブイン基地に面したショートランド島には日本海軍の水上機基地があった。手前の複葉水上機は零式観測機。運動性能抜群で、戦闘機と格闘戦も可能との評判だったが、実際に撃墜戦果があったかどうかは不明である。奥に零戦にフロートを装着、水上戦闘機にした二式水上戦闘機が見える。こちらは本格的な戦闘機なので、連合軍記録と合致する戦果も記録している。

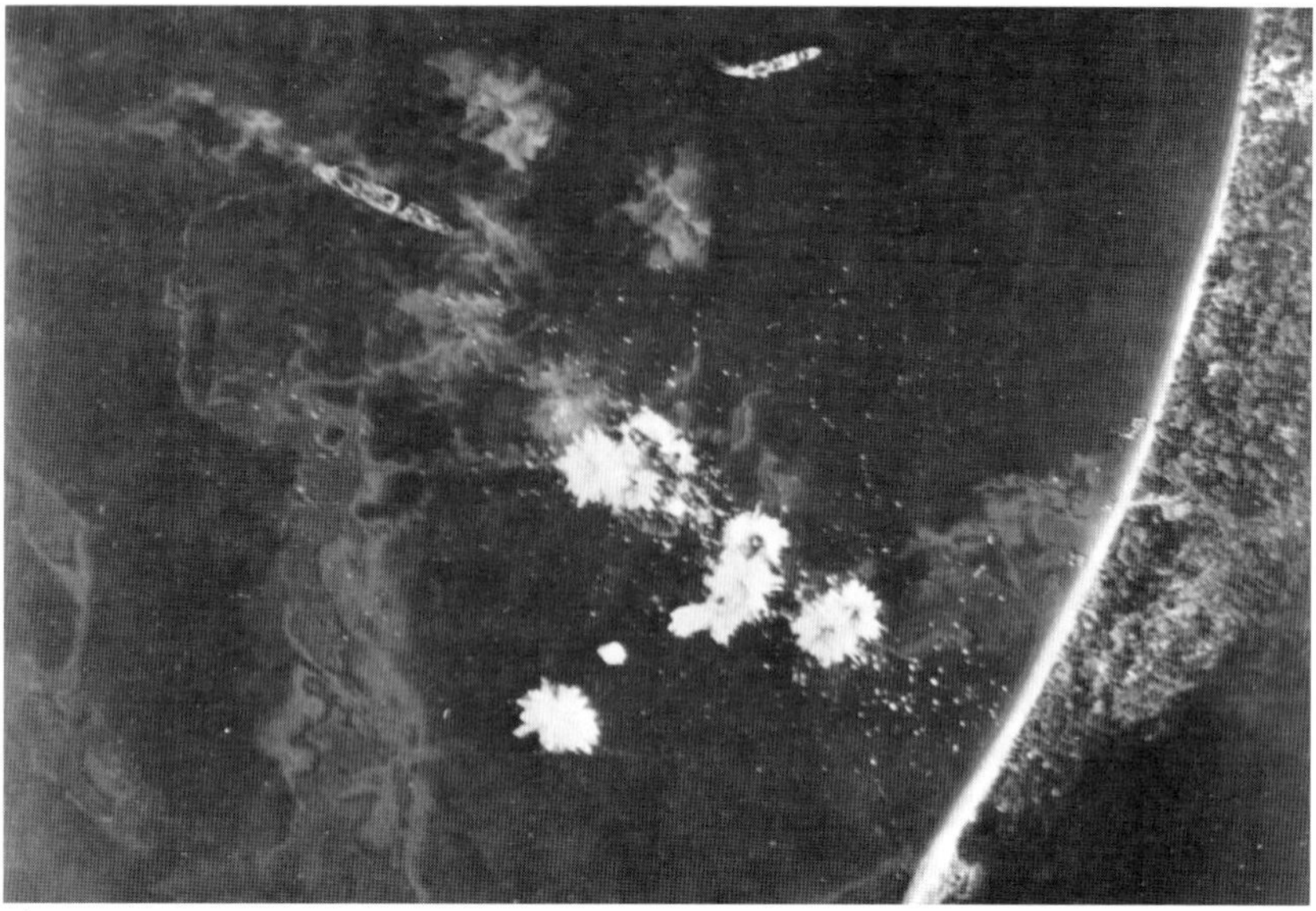

ブイン基地の沖、トノレイ港で米軍機の空爆を受ける日本軍船舶。港と言っても、ブーゲンヴィル島の密林が砂浜に迫り、大発と思われる小さな舟艇が何艘か岸辺に見えるだけで、これといった港湾施設は見当たらないようだ。17年11月18日の撮影。

カーチスP-40「ウォーホーク」。中国、ビルマ方面で日本戦闘機との戦いに慣れ、徹底した一撃離脱、編隊空戦で戦うP-40部隊と違って、南太平洋方面のP-40は零戦に格闘戦を挑んでくる場合も多く、当初は容易に撃墜できた。しかし戦訓によって、零戦との格闘戦を避けるようになると、P-40も簡単には撃ち落とせない強敵に変わっていった。

角砲の射撃を聞き、空戦を見るため椰子林から走り出た。すると頭上でB-24が三つに空中分解して海に落ち、編隊から脱落したもう1機も火の玉となって墜落、立ちのぼる黒煙に地上勤務員が拍手喝采する有様を回想している。

爆撃を終えたB-24が左に旋回。高度4500メートルへと上昇中、編隊の左側にいたB-24、ハロルド・G・マクニーズ中尉機に対空砲火が命中、翼とエンジンから発火した。二〇四空の零戦は損傷して編隊から脱落したB-24に追いすがり、後上方からの攻撃を反復していたが、2小隊の3番機、山本一二三飛長機がB-24の反撃で自爆した他、3機が被弾してしまった。マクニーズ中尉機のビル・アダム射手は零戦の撃墜確実1機、不確実1機を報じている。重爆への攻撃で中沢飛長も右翼に1発被弾していた。

空戦とB-24の追跡は50分間、240キロにわたってつづき、傷ついたマクニーズ中尉のB-24を攻撃する零戦を何度も追い散らしていた第339戦闘飛行隊のP-38、ロバート・リスト少尉は10機もの零戦と戦い、10時30分に行方不明となった。第44戦闘飛行隊のウェストブルック大尉が最後に見た時は右エンジンから発煙しながら零戦に追われていた。だがリスト少尉の献身は無駄ではなかった。傷ついたマクニーズ機はなんとかチョイセル島の北岸まで飛んだ。まず乗員4名が落下傘降下し、機体は30キロほど沖に5名を乗せたまま着水。落下傘は零戦に射撃された。生き残った乗員はゴムボートでサンタイザベル島まで行き、友好的な現地人と、沿岸監視員に収容され5名が生還した。

20ミリ1260発、7・7ミリ4800発を撃った二〇四空の総合戦果は、B-24撃墜3機、P-40撃墜2機、P-38撃墜4機と報じられた。

ショートランドを10時20分に離水した八〇二空の横山岳夫中尉が率いる水戦11機は、10時35分からB-24、6機、P-39、4機、P-38、4機と、交戦に入り、20ミリ880発、7・7ミリ3970発を消費、B-24の撃墜2機（うち1機不確実）、P-38の撃墜2機（うち1機不確実）を報じている。B-24、マクニーズ機を追っていた零戦の中にはフロート付きの機体も混じっていたのであろう。

米軍は高射砲の射撃で2機のB-24を失い、高射砲で傷ついたB-24を零戦に撃墜され、勇敢なリスト少尉機の他に3機のP-38が撃墜されたがパイロットは3名とも救助された。P-40F型も2機が撃墜され、パイロットは両名とも行方不明となったと記録している。

米軍の損害を集計するとB-24が3機、P-38は4機、P-40が2機、計9機。さらにエンジン不調で引き返した2機も途中で着水している。零戦の損害は未帰還2機と被弾6機。米軍が、このような大損害をこうむったのは、昼間堂々と、しかも五月雨式に戦爆編隊を少しずつ進攻させ、その都度、護衛戦闘機の数があまりにも少なかったからだ。そして圧倒的な数の零戦の波状攻撃を受け、袋叩きにされてしまったのである。

にもかかわらず、米軍は翌日もまた同じ失敗を繰り返した。

「山本の敵討ちだ。やれよみんな！」セントバレンタインデーの大虐殺

2月14日のセントバレンタインデー。米軍は例によってF-5A写真偵察機を先行偵察に飛ばした。最初の1機は二五二空、バラレ基地の上空哨戒、第一当直の零戦4機を振り切って帰還した。

ところが念を入れて1時間後にまたやってきたアーダル・A・ノード少尉機は、二五二空が7時11分に離陸させていた第二当直の零戦4機の攻撃を受けて撃墜されてしまった。零戦よりも遥かに高速で、逃げるのが専門の偵察機を、どうやって捕捉したのかわからないが、この1機の撃墜に、20ミリ435発、7・7ミリ1551発もの弾薬が使われているから羽山飛長、鈴木飛長、泉二飛曹、徳原飛長の4人がそうとう撃ちまくったであろうことが想像される。かれらの機体がもし60発ドラム弾倉の二一型だったとすると、20ミリ機銃弾は1機に110発ほど搭載している。4機で440発。5発を残して全機がほぼ全弾を撃ち尽くしたことになる。

バラレ基地、上空哨戒の第三当直である二五二空の零戦4機は9時に離陸した。そして9時50分、米軍の戦爆編隊がやって来た。そのありさまを見て、二五二空の零戦14機が慌ただしく離陸を開始した。ブイン基地では二〇四空が発進にとりかかった。

9時55分にはショートランド基地から、八〇二空の二式水戦11機が横山中尉の指揮で離水した。

二〇四空の大原飛長は「13日に同年兵である山本がやられて、飛練は2年後輩ですけど。そうしたら次の14日にも来たでしょ。山本の敵討ちだ。やれよみんな、って訳で飛行機に駆けてった訳です」。宮野善治郎大尉が率いる二〇四空の零戦13機は10時15分、ブイン基地を離陸した。

「この日も敵は戦爆連合で来た。この時、爆撃機はB-24だったんです。たいていは宮野大尉の三番機で飛んでいたんですけど、この時は、飛行機の調子が悪くて遅れて、すると日高さんもちょうど滑走をはじめたから、それじゃあ、一人じゃなくて一緒に行こうと思ってね。エンジンかけて、すぐタキシングして離陸した。そしたら落下傘が見えた。撃墜されたP-38のパイロットです。先に離陸しておった二五二空が落としたのか、二〇四空が落としたのかはわからんのですが」。

やって来たのは米陸軍航空隊のB-24ではなく、昨日は先に来て難を逃れた米海軍VB-101（第101海軍爆撃飛行隊）のPB4Y-1であった。外見は昨日のB-24重爆とまったく同じである。9機の重爆はショートランド、ブイン沖にいる船舶を狙っていた。第339戦闘飛行隊のP-38、10機

が高空掩護。ＶＭＦ－１２４のＦ４Ｕコルセア12機が近接掩護をしている。

コルセアは13日にも零戦の前に現れたが、お目見えだけで交戦はしなかった。大原さんは、当時、この日にコルセアが来たことは知らなかったというが、二五二空の戦闘行動調書には「Ｂ－24、９機、Ｐ－38、12機、Ｐ－39、８機、Ｆ４Ｕ、12機来襲」と書かれている。ＰＢ４Ｙ－１の爆弾は停泊していた特設輸送艦「日立丸」（６５４０トン）に２発が命中、船員４名が死亡した。

零戦がＰＢ４Ｙ－１重爆を狙って正面から反航で突進してくると、高空掩護のＰ－38は２個の３機編隊と、１個の４機編隊に分かれた。先頭を行くジェイムズ・ギヤー大尉の４機編隊は零戦２機を確実に、さらに1機の不確実撃墜を報じたが、ジョン・Ｒ・マルヴィJr.機が被弾、帰途、ルッセル島のそばに着水、翌日、救出された。

Ｐ－38はさらに３機が失われた。米陸軍のＭＡＣＲ（行方不明空中勤務者報告）には、ジョゼフ・フィンケンシュタイン少尉機が、ドナルド・Ｇ・ホワイト少尉機か、ウェルマン・ハワード・ヒューイ少尉機のどちらかと空中衝突して、両機とも墜落したと記録されている。いずれにしても３名とも帰って来なかった訳だが、ヒューイ少尉は落下傘降下して捕虜になった。彼が大原飛長が見た落下傘の主である。

当時二〇四空で搭乗員を務め、空戦を地上から見ていた島川正明飛長（当時）も自著「サムライ零戦隊」（光人社ＮＦ文庫）で「零戦の１機がＰ－38に追尾され、上昇中である。危ないと思った瞬間に零戦は右に捻り込んだ。小まわりの効かないＰ－38は、そのまま上昇した。だが、その上空で零戦を狙っていたもう１機のＰ－38が、追尾中の味方に気づかず、後上方から襲いかかった。ここで上昇中のＰ－38の背後に、後上方からのＰ－38が激突して、２機とも墜落」と記している。島川飛長はそこで落下傘が開き、米軍少尉が捕虜になったと回想している。日付は特定されていないが、前後の状況からして２月14日の空戦の目撃談らしく思える。そうなると空中衝突したのはヒューイ少尉機ということになる。鮮やかに追尾を振り切った零戦は、操練24期、支那事変の13年に初撃墜を果たした古参中の古参、日高初男飛曹長機だったと言われている。

初陣のコルセアも零戦の撃墜３機を報じているが、ジョージ・Ｌ・リオン中尉は零戦と空中衝突して戦死、ハロルド・Ｒ・スチュアート中尉機は被弾で燃料タンクが穴だらけになった。穴からは燃料が激しく噴出、タンクは10分で空になった。「中尉は小隊長のピアスン中尉に手を振り、着水のため高度６千メートルから降下して行った。零戦が撃ちながら執拗に追尾。スチュアート中尉はうまく着水したが、零戦は彼の黄色い救命ボートを掃射しつづけた」との目撃記録が残されている。

二〇四空の２中隊１小隊の３番機として中沢飛長が離陸し

機首の武装を撤去してカメラを搭載している写真偵察機型のP-38、ロッキードF-5A写真偵察機。F-5Aは、毎日のように日本海軍の基地の偵察に飛来して来たが、高速のP-38よりもさらに速く、邀撃に上がっても零戦では滅多に捕捉できなかった。本書にも同機が撮影した日本軍基地の写真が掲載されている。写真は米陸軍、第９写真偵察飛行隊の機体。

VFM-124（第124海兵隊戦闘飛行隊）ヴォート・シコルスキーF4U「コルセア」。VMF-124は海兵隊で最初にF4Uを配備された部隊であった。２月14日の初交戦では２機を失ったが、その後コルセアは零戦を終始圧倒。米軍は日本軍がコルセアを「ホイッスリング・デス（死の口笛）」と呼んでいたと自賛している。だが日本でそんな話を聞いたことはない。

た時には、空戦はすでに追撃戦に入っていた。中沢機はショートランド島付近でようやく第一撃を行なった。しかし撃墜はできず、遥かセントイザベル島付近まで追跡しつつ攻撃を反復した。中沢機は被弾で一時的にエンジンが停止し、両脚が降りてしまったが、僚機とともに攻撃をつづけ、B-24の墜落を見届けた。彼が目撃したのは、米軍の記録でニュージョージア島の沖に不時着水したとされているPB4Y-1重爆ではないかと思われる。

VB-101のPB4Y-1重爆は2機が未帰還となった。ジェイ・ダーウィン・ベイコン中尉機と、スチュアート・タンブル・クーパー中尉機である。1機は零戦の正面攻撃によって撃墜された。対空砲火で落とされたとしている資料もある。そしてもう1機がニュージョージア島の沖に不時着水。空戦中、PB4Y-1の射手は零戦の撃墜9機を報告している。

米軍による撃墜の戦果報告は14機にものぼるが、実際に失われたのは二五二空の零戦1機のみ。2小隊の2番機、吉田善男二飛曹が戦死した。リオン中尉のコルセアと衝突したのは吉田機だったのかも知れない。二五二空ではさらに3機が被弾、花房上飛曹が負傷した他、松田飛長が離陸時に転覆して負傷している。

二五二空は20ミリ1369発、7・7ミリ5126発を射撃。B-24、1機、P-38、8機、P-39、1機、F4U、2機を確実に撃墜し、二〇四空と協同でB-24、1機、P-38、1機、P-39、2機、F4U、1機を撃墜したと報告している。

二〇四空は20ミリ1350発、7・7ミリ3900発を射撃。まったく損害を受けることなく、B-24撃墜1機、F4U撃墜2機、P-38撃墜4機を報じている。大原飛長は零戦の圧倒的な旋回戦闘能力を信頼していたため、一撃離脱のみのP-38との交戦は、あまり恐ろしくはなかったと回想している。

八〇二空の二式水戦はB-24、6機、P-38、P-39、P-40、約20機と交戦。20ミリ483発、7・7ミリ1085発を使って、B-24の撃墜確実2機、P-40撃墜不確実1機を報じている。

結局、米軍はF-5偵察機を含めて9機を失い、26名が戦死、1名が捕虜になり、墜落機から生還できたのは1名だけだった。この日の空戦は、1929年2月14日にアル・カポネと抗争を繰り返していたギャングの大物バッグス・モラン一家の殺し屋6人と通行人1人が殺された有名な事件に倣って「セントバレンタインデーの大虐殺」と呼ばれている。大きな実戦果を挙げたこの日、参加した各航空隊の零戦とも使った弾薬はおおよそ20ミリ1に対して7・7ミリ3の割合であった。

二〇四空の零戦は12時15分に帰着した。

「着陸したら、捕虜は本部の方にいるらしいよ、って聞いてね。よーし、じゃあ一発くらわしてやるかって、夕方、宿舎からは遠くて、トラックで20分くらいかかるんですけどね。みんなで行ったんです。行ったら、椰子の木に紐か帯でゆるく縛られていてね。森崎予備中尉が英語で話しかけると21歳でミシガン大学の学生だって言うんですよ。私らも同じくらいの歳なんですが、みんな色黒いでしょ。向こうは白いから本当に子供みたいに見えてね。殴る気がなくなっちゃって」。大原さんは「ラバウルに送ると、これやられちゃいますからね」と、斬首の手振りをしてみせた。しかし、こんな最前線には憲兵もいないし、捕虜を収容する場所もないので処置に困って、ずっと椰子の木にゆるくつないでおいたらしいと言う。「夜は宿舎で寝ているとか、海岸で水浴びをしてたのを見たなんて噂を聞いたけど、そのうちいなくなっちゃって」。

二〇四空の中沢飛長は当時の日記に、この捕虜は飛行機でラバウルに送られたと書いている。ヘンリー・サカイダ氏の著書「The Siege of Rabaul」によれば、ウェルマン・ヒューイ少尉はラバウルで処刑された。日付等、詳細は一切不明である。

ラバウルで「我々のセントバレンタインデーの大虐殺」を実施せよ

2月14日、PATSU-1のPBY5A-1カタリナ飛行艇が1機、空戦で撃墜されている。ブイン空襲で未帰還になったパイロットの捜索に来て零戦に撃墜されてしまったのだろうか。詳細はわからない。この日、10機目の損失である。

14日から15日にかけての夜、米第5航空軍司令官のジョージ・ケニー中将は報復のため「我々のセントバレンタインデーの大虐殺」を実施せよ、と命じた。32機のB-17と、4機のB-24がポートモレスビーを離陸。ラバウルに50トンの爆弾と、4千発の焼夷弾を投下する予定だったが、途中で嵐に遭い、目標上空に到達できたのは17機のB-17だけだった。ラバウルの海軍第十一防空隊は25ミリ連装機銃、計445発を射撃したが撃墜は確認できず、爆撃で陸海軍将兵百名余りが死傷、燃料缶3200缶が炎上するという大きな損害を受けた。

15日、9時5分、バラレ上空にふたたびF-5A型写真偵察機が現れた。二五二空の零戦2機が急遽発進したが、高速の偵察機は捕捉できなかった。実は、この日も米軍はブイン攻撃を予定していた。しかし13、14日に大損害を受けたため重爆による昼間爆撃の継続は見送られ、以後しばらく爆撃は夜間のみに切り替えられた。

17日、11時25分、F-5Aを発見してから二五二空の零戦3機が発進したが「雲中に逸す」という結果になった。翌18日、8時20分、また来た。零戦2機が追ったが、またも雲中に逸した。そして28日、6時40分、二五二空の零戦9機、行動調書の記載は「P-38を発見せるも逸す」。14日に零戦がF-5

A型を捕捉できたのは、やはりよほど運がよかったのであろうか。

19日、二五三空、斉藤三郎中尉が率いる零戦10機は6時15分にニューアイルランド島の西北端にあるカビエン基地を発進した。ニューブリテン島の南部沿岸にあるスルミ付近で陸軍の増援を揚陸中だった「五州丸」の上空哨戒中、8時15分にB-24を1機発見した。およそ40分間の空戦で、20ミリ700発、7・7ミリ2500発を放って撃墜した。10時20分、彼らはいったんスルミ基地に着陸した。

二五三空の交戦相手は、3時35分に、ニューギニアのポートモレスビーを離陸。単機偵察飛行に出てニューブリテン島の南部で消息を絶った第90爆撃航空群、第321爆撃飛行隊のハワード・F・カールソン少尉のB-24D型「レイディ・ラック」だった。同機の乗員11名は全員が戦死している。

この日はスルミ基地の第十一防空隊、スルミ派遣隊も25ミリ連装機銃と13ミリ機銃で対空戦闘を実施。指揮官の山本賢夫兵曹長は「8時30分から43分、射撃初期に於いて命中弾多数あり瞬時に黒煙を発す。尚艦船に爆弾3個を投下後、南に遁走せんとせるも、猛烈なる機銃の射撃により南方海上に墜落す（コンソリデーテット）」と報告している。

スルミ基地に戻った斉藤中尉等はゆっくりと休んではいられなかった。着陸間際の10時15分、警報が出たため2機が着陸を取りやめ12時まで警戒したが結局「敵を見ず」。入れ替わるように今度は3機が離陸し、14時まで哨戒したが、ふたたび「敵を見ず」であった。

14時、今度は、飯塚雅夫大尉の指揮のもと、零戦9機がまた単機で来襲したB-24を邀撃した。20ミリ500発、7・7ミリ1000発を射撃、撃墜不確実1機を報じたが、剣持陽一中尉が自爆戦死してしまった。午後の空襲でもスルミ基地の25ミリ連装機銃は激しく射撃「猛射を浴びて火焔を発しつつ南方海上に墜落す（マーチンB-26爆撃機）」と報告している。スルミ派遣隊は二回の空襲で13ミリ、25ミリ機銃弾1432発を射撃した。だが、午後のB-24、またはB-26の損害記録は見つからなかった。

さらに翌20日、二五三空の斉藤三郎中尉と阿部健市一飛曹は、2機でスルミに来襲したB-17、6機に挑戦。しかし、攻撃効果不明のまま、カビエン基地へと帰還した。

23日、米海軍情報部が作成した「海軍、海兵隊機、全損害リスト」によると、MAG-14（第14海兵隊航空群）のSBD艦爆1機と、VMSB-132のSBD艦爆1機が空戦で、同3機が対空砲火で、さらに同3機が捜索飛行中に戦闘以外の原因で、計8機ものSBD艦爆が失われた。だが日本海軍航空隊の行動調書には該当する交戦の記録がない。23日から26日まで天候が悪く航空作戦は不活発だったともいう。

25日、米海軍情報部が作成した同損害リストでは、ソロモン戦域でガダルカナルとエスピリツ・サントを発進したF4

F4が6機、さらにVMSB-132のSBD艦爆が2機と、他の海兵隊偵察爆撃飛行隊のSBD艦爆1機、計9機が空戦で失われたと記録されている。ただ各機とも機体のビューローナンバーだけで、パイロットの氏名が一切なく、少々不自然ではある。この日、ソロモン方面の米戦闘機隊はブインへの戦闘機掃討を実施。さらに夜間には爆撃機と戦闘機がコロンバンガラ島のビラ飛行場への攻撃を行なったと記録されている。

今までの例から言って、実際に9機もが空戦で落とされていれば、日本側による数十機の撃墜戦果報告があるはずだ。ところが二〇四空と五八二空や、母艦航空隊の行動調書には撃墜はおろか、零戦が交戦した記録もない。当時、ブインにいたはずの二五二空、カビエンにいた二五三空では25日の行動調書自体がない。米軍が攻撃したというブインの対岸、ショートランド、ムンダやビラ基地の戦闘詳報にも、25日に空襲があったという記録がない。

その他、ラバウルやブカ、スルミ、マーカス岬など、心当たりの戦闘詳報を全部調べてみたが空襲や対空戦闘の記録はなく、零戦が大きな戦果を挙げたのかも知れない2月25日の空戦を具体的に解明する手がかりはまったく見つからなかった。

「零観の奮戦も及ばず」船団上空掩護の成功と失敗

2月27日、14時、五八二空の野口義一中尉率いる零戦13機は九九艦爆4機とともにブインを発進した。第26号駆潜艇と、第22号掃海艇に護衛され、コロンバンガラ島の防備強化のための重火器として14センチ砲2門、8センチ砲4門、糧食150トン、弾薬燃料を搭載した「桐州丸」(3836トン)の上空直衛に飛んだのである。艦爆は船団を攻撃しようとする米潜水艦への警戒が任務であった。

コロンバンガラ島の北北西40キロを航行する日本軍船団を攻撃するため海兵隊のVMSB-144のSBD艦爆16機が、掩護の戦闘機を伴って出動した。SBD艦爆は荒々しい回避運動をはじめた護衛の小艦艇にまず命中弾を見舞い、大型輸送船も攻撃。艦首付近に直撃弾と至近弾を集中させて炎上させた。米軍パイロットは「爆弾投下直後、複葉の水上機2機とフロート付きの零戦1機が現れた」と報告している。

R方面航空部隊、「神川丸」の零観(零式水上観測機)2機だ。フロート付きの零戦というのは、五八二空の零戦の誤認と思われる。この日、二式水戦は上空哨戒に参加していない。掩護の隙をつかれ、零戦搭乗員は燃える「桐州丸」を見て、血も凍る思いだったであろう。哨戒機のSBD艦爆発見の遅れが、取り返しのつかない結果を招いてしまったのである。

ラバウルに向かって飛ぶB-17。米軍は14日の「セントバレンタインデーの大虐殺」の報復にラバウルへの夜間爆撃を実施した。悪天候のため爆撃は混乱したが、地上では大損害を受けた。５月に新兵器「斜め銃」を装着した二五一空の「月光」が到着するまで、ラバウルに米軍重爆の夜間空襲を邀撃する有効な手段はなかった。

二五三空の阿部健市一飛曹は２月20日、スルミに来襲したB-17と交戦したが、撃墜を報じることはできなかった。昼間、練度の高い搭乗員が乗った零戦でもB-17を撃墜するのは至難であった。乙飛９期の阿部一飛曹は艦爆の実用機教程を終えると同時に戦闘機に転科、17年９月29日の初撃墜以来、18年４月１日の空戦で負傷、内地へ送還されるまでに、撃墜確実５機、不確実５機、協同撃墜５機もの戦果を報じている。

一方、逸早く艦爆を発見していた零観は猛然と襲いかかって行った。ネルスン大尉のＳＢＤ艦爆は零観と激しい射撃戦を演じ、27発も被弾した。如何せん零観の７・７ミリ２挺の火力はあまりにも非力過ぎた。ＳＢＤの後部機銃も７・７ミリ２挺だが、12・７ミリ２門の固定機銃も装備している。防弾装備のない零観はネルスン機の射撃によって発火。燃えながら海に落ちた。搭乗員は落下傘降下、軽傷を負った。また掩護のＰ-40も零観の撃墜１機を報じている。もう１機の零観は被弾して着水したが、第26号駆潜艇が曳航して回収した。搭乗員も二組とも駆潜艇と掃海艇に救助されている。

一歩遅れて空戦に加入した野口中尉率いる零戦は、掩護の戦闘機に阻まれてもはや帰りはじめた艦爆にはほとんど一指も触れられなかった。行動調書には艦爆数機と交戦、撃墜１機と記録されているが、ＳＢＤ艦爆に、ネルスン機の他は被弾機さえなかった。五八二空の零戦は、艦爆以外にも、Ｐ-38、Ｐ-40など、戦闘機30数機と交戦、Ｆ４Ｆの撃墜確実２機、不確実２機の戦果を報告している。この空戦では、第68戦闘飛行隊のジャクスン・ルイス中尉のＰ-40Ｆ型と、第339戦闘飛行隊のＰ-38Ｇ型、フレッド・ブラウン中尉が零戦に撃墜され、両名は戦死している。

この日は、ＶＭＦ-124のコルセア２機も失われ、ジョージ・Ｌ・ゲイトリー中尉と、ウォルター・Ａ・フランクリン中尉が作戦出動中に戦死している。両機とも墜落の原因は不明。もしかすると零戦の戦果かもしれないが、ＶＭＦ-124のこの日の記録が見つからないのではっきりとはわからない。「桐州丸」は夕刻に沈没、乗組員は護衛艦に収容されてショートランドへと帰った。

以後、最前線のコロンバンガラ島への輸送は、以前のガダルカナル島への補給と同様、駆逐艦によって実施することになった。高速の駆逐艦なら安全性は増すが、輸送量と効率は大幅に落ち、14センチ砲のような重火器は送れなくなってしまう。

ガダルカナル失陥後一ヶ月、零戦の戦いを総決算

日本軍がガダルカナルを巡る陸海空戦でついに破れ、完全に撤退した18年２月。この一ヶ月で、米海軍と海兵隊の基地航空隊はソロモン、ビスマルク方面で延べ429機を出撃させた。米軍は母艦航空隊の艦上機を降ろしてガダルカナルの基地航空隊をかなり補強している。

米軍がソロモン方面と呼んでいるのは、日本軍が「ガ島」と呼ぶガダルカナル島から、ブインやバラレ、ブカ基地があったブーゲンヴィル島までのソロモン諸島と、それに挟まれた海域（スロットと呼ばれていた）を指す。一方、ビスマルク方面とはニューギニア北東部沿岸とラバウル、カビエン基地があったニューブリテン島、ニューアイルランド島、日本

軍はその両方を合わせて南東方面と呼んでいる。

米海軍が戦後作成した戦域、作戦別の集計資料によると、このソロモン、ビスマルク方面に出撃した米海軍、海兵隊機のうち延べ25機が空戦を交えた。その際に交戦した相手は、7機の日本爆撃機と、45機の日本戦闘機であった。その結果、海軍と海兵隊機は日本爆撃機5機と、日本戦闘機の撃墜16機を報じている。その一方、対空砲火で10機、日本戦闘機との交戦で21機（米海軍情報部が作成した別の機種、日付別の損害リストからの集計では24機）を失ったと記録している。上記の両リストとも戦後に作成されたもので、戦時中に米海軍、海兵隊の各飛行隊が記した戦時日誌や、アクションリポート（戦闘報告書）の記述と少々噛み合ない部分もある。その場合は戦時中の資料を優先して修正している。

零戦はその間、空戦で11機を失い、搭乗員11名が戦死している。また零戦とともに戦った隼も3機、操縦者3名が失われている。日本海軍の行動調書にも欠損や、稀に誤記が見られる、これも極力、他の資料との対照で修正している。

以上のように、日米とも、海軍が部外秘として公式に作った一次資料ですら最終的に完璧とは言えない。しかし現状ではこれ以上正確に調べようがない。以下、本書に掲載される毎月の集計もすべて同様である。

米海軍情報部作成の損害リストに、筆者がＭＡＣＲ（行方不明空中勤務者報告）や、各部隊史などから見つけた米陸軍機の損害を加えると、2月に零戦が撃墜または不時着、全損にさせた可能性が高い米軍機は合計43（40）機。その内訳は、5機のB-17（1機は高射砲？）、3機のB-24（2機は高射砲？1機は高射機関砲との協同？）、2機のＰＢ４Ｙ、1機のＰＢＹ５、7機のP-38、1機のP-39、3機のP-40、9機のＦ４Ｆ、2機のＦ４Ｕ、5機のＳＢＤ、5機のＴＢＦなどであった。

2月の零戦と隼の損害は14機。さらに零戦がかかわった空戦で失われた艦爆5機（1機は対空砲火？）、零観2機を合計しても21機の損害に対して、日本軍戦闘機は、空戦で連合軍に喪失43機の損害を与えたのである。ガダルカナルが失陥したとはいえ、南東方面の日本戦闘機隊はまだまだ健在であった。

また日本軍と連合軍が対峙する第一線、ソロモン、ニューギニア方面の西側、オーストラリア大陸北部とアラフラ海を含む戦域、南西方面でも、日本海軍航空隊は未だ優勢を保ち、オーストラリア本土への攻撃をつづけていた。零戦の跳梁に手を焼いたオーストラリア政府は英国政府に懇願し、同国の北部への侵入を繰り返す日本海軍機を退治する切り札を手に入れた。

「バトル・オブ・オーストラリア」零戦対スピットファイアの決戦

オーストラリアの「パールハーバー」ポートダーウィン攻撃

一年前の昭和17年2月、日本軍はインドネシア、ジャワ島への進攻作戦を控えていた。そしてジャワ島に対する連合軍の増援を阻止するためには、同方面への連合軍兵力の集結地と思われていたオーストラリア大陸北部のポートダーウィンの航空兵力と、在泊艦船を撃滅する必要があった。そこで、インド洋作戦を控えていた第一航空戦隊、第二航空戦隊を基幹とする機動部隊が同地を攻撃することになった。

2月19日、零戦36機に掩護された艦攻（九七式艦上攻撃機）81機、艦爆（九九式艦上爆撃機）71機がポートダーウィンを襲った。これは完全な奇襲になった。オーストラリア側の資料によれば、日本海軍機は停泊していた大小46隻の船舶のうち、21隻を沈没または損傷させ、カタリナ飛行艇1機と、米第33追撃飛行隊のP-40E型7機を撃墜、2機を損傷させた。さらに在地の航空機26機を破壊、基地施設にも大きな打撃を与えた。日本海軍の損害は零戦1機（対空砲火で不時着、捕虜）、艦爆1機が自爆、1機が不時着（搭乗員救助）したのみだった。海軍は、当時、世界最強を自負していた機動部隊が放った大攻撃隊の目標としては、港湾施設も飛行場も貧弱、船舶も飛行機も少なかったと評価している。

一方、本土を初めて外国軍隊に攻撃されたオーストラリアにとって、この大空襲は大変な衝撃であった。オーストラリアの「パールハーバー」とすら言われた。オーストラリア政府は日本海軍に「貧弱」と一蹴された飛行場を整備し、対空監視哨を増設、レーダーを配備、高射砲部隊を増やしていった。日本軍はその後、独立飛行第70中隊の百式司偵を飛ばし、ポートダーウィンの状況を偵察しつつ、零戦だけの昼間進攻、夜間に爆撃機だけ、あるいは戦爆連合による小規模なダーウィン空襲を、なんと51回も繰り返している。防空のため配備されていた米陸軍航空隊のP-40E型は飛来する零戦隊の邀撃に奮闘していた。戦績は17年3月から8月までに15機のP-40が撃墜され、4機が不時着。同期間中の昼間空襲で失われた三空の零戦は8機、陸攻（一式陸上攻撃機）1機というものであった。

一方、同期間中に確実撃墜だけで零戦38機、陸攻26機もの「誤認」戦果を報告している連合軍側は、自分たちの過大戦果報告に惑わされて、決して防空戦で負けつづけたとは思っていなかったが、零戦隊の手強さは十分に感じていた。

昭和18年を迎えると、オーストラリア空軍は英国から世界一流の名戦闘機スピットファイアを導入。「バトル・オブ・オーストラリア」での防空能力の飛躍的な向上を期待した。

17年11月1日に、二〇二空と改名された三空の零戦二一型。開戦当初の三空は、台南空よりも歴戦の搭乗員が多く、当時は若年搭乗員でも飛行時間は千時間を越えていた。また17年の9月から11月上旬まで一時、ラバウルに派遣され、ガダルカナル方面に出動していた他、終始、比較的戦況が落ち着いていたオーストラリア大陸北部とアラフラ海の島々からなる南西方面の戦場に配備されていたので、ガダルカナル、ニューギニアを巡る激戦で数多くの搭乗員を失った台南空と比べ、ベテラン搭乗員の消耗が少なかった。

13年4月に初撃墜を果たした相生高秀少佐は17年2月から三空の飛行隊長として度重なるダーウィン空襲を指揮。18年3月2日には二〇二空の飛行隊長として、日本陸海軍で初めてスピットファイアと交戦した。この日はオーストラリア空軍がせっかく満を持してスピットファイアで邀撃したのに、零戦はスピットファイアが出て来たことにすら気づかなかった。相生大尉のスピットファイアとの対決はこの一回きりで、3月15日は小林実大尉が指揮官として交戦。5月2日からは鈴木実少佐が二〇二空の零戦を率いてスピットファイアと戦った。

砂漠仕様のスピットファイアVC型とそのパイロットや整備要員は年明けの1月12日から、海路で順次やって来た。スピットがポートダーウィンの防空を担うことは極秘中の極秘で、同機は「マーヴェルエンジンを搭載したカプスタン機」と呼ばれていた。到着した新鋭戦闘機は整備の上、防空戦闘訓練を開始した。そして英空軍1個、オーストラリア空軍2個、計3個飛行隊のスピットファイアがすでに実戦への参加可能と判断された時、日本海軍が第52回目のポートダーウィン空襲に飛来した。やって来た零戦は三空から、二〇二《フタマルフタ》空と部隊の名称は変わっていたが、17年3月以来の同じ仇敵であった。

スピットファイアここにあり。ジャップ戦慄す

「この日、ゼロとハップが混成でやって来た。ハップはゼロそっくりだが、性能はさらに優秀だった」。「ハップ」は、後にA6M3であることがわかった。と「スピットファイア・オーバー・ダーウィン1943」の著者ジム・グラント氏は自著の脚注に書いている。A6M3、すなわち零戦三二型である。「ゼロ」は二一型か、二二型と思われるが、性能に目立った違いがあったと言うのが本当なら、やはり二一型だったのだろう。

　オーストラリア大陸北部、ダーウィン上空で零戦三二型と、スピットファイアVC型が初めて交戦したのは、昭和18年3月2日であった。

　この日、10時30分、二〇二空の零戦21機は、相生高秀少佐の指揮で「DP（ポートダーウィン）航空兵力撃滅」のためチモール島のクーパン基地を発進した。零戦は13時37分、七五三空の陸攻9機と合同。陸攻の任務は零戦の目的地までの誘導と、帰還時の収容だった。12時45分、ポートダーウィンの手前で零戦は分離、突入して行った。陸攻は空戦に巻き込まれないようにいったん反転、戦場から離れて行った。

　二〇二空の行動調書には、13時15分、ダーウィンの海岸線から少し内陸に入ったバチェロール飛行場に突撃。1小隊は双発戦闘機を撃退後、銃撃。2小隊、3小隊は異なる方向より銃撃を決行したと記録されている。

　海軍はバチェロールと報告しているが、実際に襲ったのは隣のクーメイリー飛行場だった。零戦が撃退したと報告しているのは、地形慣熟訓練を終えて基地に帰って来たオーストラリア空軍、第31飛行隊のボーファイターMk.1c（A19-17）ブルー・アームストロング機である。彼は飛行場が6機の零戦に掃射されていることに気付き、次いで3機の零戦に襲われたが、エンジン全開で南方に逃走して難を逃れた。しかし地上にいた同飛行隊のボーファイターMk.1c（A19-31）は銃撃で完全に破壊されてしまった。零戦は撃破7機、炎上3機を報じている。

　12時、オーストラリア空軍、第1戦闘航空団のコールドウ

３月24日、偵察のために飛来した独飛70中隊の百式司偵を邀撃するために、ダーウィンの飛行場から緊急離陸するスピットファイア。この日、司偵は無事に帰ったが、２月6日、３月７日にオーストラリア北部で各１機が未帰還となっている。特に3月7日はオーストラリア空軍も撃墜を報じており、この司偵がスピットファイアに落とされたのは間違いない。

三二型と思われる零戦の前に並ぶ二〇二空の下士官搭乗員たち。二列目、右から二人目の伊藤清二飛曹は３月２日、15日、そして新飛行隊長、鈴木実少佐を迎えて行なわれた５月２日のポートダーウィン攻撃にも参加している。南西方面の海軍基地はオーストラリア空軍爆撃機の散発的な空襲にさらされていたためか、零戦は１機、１機が簡単な掩体に入れられている。

エル中佐は、レーダーの情報を受けて、第54、第457飛行隊から各4機、計8機のスピットファイアMk.VCを率いて緊急離陸した。まず高度4500メートルに達し、レーダーからの情報を聞きながら東に変針。7800メートルまで上昇、奇襲のため理想的な待ち伏せ場所を求めて、8機のスピットファイアはバチェロール、クーメイリー飛行場に向かい南に機首を向けた。

コールドウェル中佐はおよそ900メートル上空から零戦の一番上の編隊を狙って攻撃を開始。8分たらずの空戦で、彼自身が零戦、九七艦攻各1機、ギブズ少佐も零戦1機の撃墜を報じ、ボブ・アシュレイ中尉は九七艦攻の撃破1機を報じた。スピットファイアに損害はなかった。もちろん、この攻撃に九七艦攻は加わっていなかった。主翼の短い零戦三二型と比べて、主翼が長い二一型が大きく見え、単発の引き込み脚攻撃機と見間違えたのだろうか。

零戦隊は「帰途、海岸より10海里の沖合で敵戦闘機P-39、5機、バッファロー4機と20分間、空戦を交えた」と報告。その交戦で20ミリ585発、7・7ミリ2130発を消費。撃墜確実5機、不確実1機の戦果を報じたが、被弾3機（日原弘行飛長、被弾3発。津田五郎二飛曹、被弾2発。他1機）の損害を受けた。

13時35分にふたたび反転して戻って来た陸攻は14時20分から収容を始め、5分後、陸攻2機が零戦10機を収容、まず帰途についた。14時32分、陸攻1機が戦闘機8機を収容。14時50分までに残りの陸攻も帰途に就いた。16時30分、零戦は全機、基地に帰着した。

翌日、オーストラリアでは「スピットファイアここにあり。ジャップ戦慄す」との見出しを掲げ、3月2日は、零戦とスピットファイアがオーストラリアで初めて対決、そして勝った歴史的な日であったと報道された。防諜のため「カプスタン機」と呼ばれ、その存在が内外にひた隠しにされてきたスピットファイアが、とうとう初デビューの日を迎えたのである。ところが日本海軍はスピットファイアが出て来たことにまるで気づいていなかった。同じ液冷のP-39と間違えたのはともかく、優美なスピットファイアを、わざと侮辱しているのでもあるまいが「空飛ぶビヤ樽」バッファローだったと報告している。そして地上でボーファイター1機が完全に破壊された他、空戦では両軍とも「過大戦果報告」の応酬をしただけで、双方損害なしの引き分けになり、この日の勝負は終わった。

5日、オーストラリア首相の「スピットファイアここにあり」の談話がラジオで報道された。おそらく日本海軍は、このラジオ放送を聞いて、ようやくポートダーウィンにスピットファイアが配備されたことを知ったのではないだろうか。

しかし日本海軍の零戦は昭和16年の開戦以来、あちこちでスピットファイアと交戦して、すでに何機も撃墜したと報告

18年４月から８月頃、セレベス島（現、スラウェシ島）ケンダリー基地で撮影された二〇二空の将校団。二列目、中央にいる白い防暑服にヘルメットを着用して坐っているのが司令の岡村基春中佐。その左、二人目が４月から飛行隊長を務めることになった鈴木実少佐。後方の「海軍岡村部隊指揮所」は、現地の暑熱と湿気を避けるため高床式になっている。

三空からラバウルの台南空の指揮下に派遣され、17年９月から11月、ガダルカナル周辺の空戦に参加した零戦二一型。プロペラブレードに結んで風防に掛けてある日よけのカバーは二〇二空の零戦によく見られる装備だが、部隊独自のものだろうか。派遣隊はガダルカナル方面の空戦で、撃墜68機（うち不確実20機）の戦果を報告しているが、搭乗員８名が失われている。

している。もちろん、すべてハリケーンやP-40などとの誤認だが、そんなことは知る由もない当時「スピットファイアにはとっくに勝った」と思っていたので、「ジャップ」はオーストラリア側が考えたほど驚きはしなかったと思う。

まぶしい陽光を浴びて、奴らはドイツ空軍のように飛んで来た

3月15日、当初、オーストラリア空軍のレーダーに映ったプロットは2つだった。これは偵察機と見なされ、邀撃に発進したスピットファイアは英空軍、第54飛行隊の2機だけ。だが20分後、フォアクロイ岬の対空監視哨が日本機の大編隊を見つけると、各飛行隊から12機、5機、8機とスピットファイアが次々に離陸、航空団の全力で邀撃に向かった。

晴れ渡った青空を進む戦爆連合の大編隊を見て、第54飛行隊は日誌に「まったくバトル・オブ・ブリテンを彷彿とさせる光景だった」と記している。しかし、これから起こる空戦は「バトル・オブ・ブリテン」とは違った展開を辿ることになる。

9時15分、二〇二空、小林実大尉が率いる零戦27機が掩護する七五三空の一式陸攻22機が、高度約7千メートル、ダーウィン上空で爆撃針路に入った。間に合ったスピットファイアはたったの3機だった。彼らは高度6千メートル。オーストラリア空軍、第452飛行隊の飛行隊指揮官ソロールド・スミス少佐は今にも投弾しようとしている陸攻の爆撃を阻止するため、9時18分に攻撃命令を下した。3機のスピットファイアは後方から上昇姿勢で日本海軍の大編隊に向かって行く。スミス少佐は第1戦闘航空団の中では数少ない経験豊富で腕の立つパイロットだった。少佐は最後部の零戦を狙って発砲。彼に続く2機は5機の零戦に掩護されている陸攻に向かい、真ん中の1機に発砲した。すると信じられないような急旋回で零戦が彼らに襲いかかってきた。2機は螺旋機動で3百メートル余りも降下し、零戦2機の追撃を振り切った。だがその後、スミス少佐機は彼らの無線報告に答えず行方不明となった。つづいて空戦に加入してきた第54飛行隊のスピットファイア、バート・クーパー軍曹は脱出を試みて戦死。同飛行隊のフランク・バーニー曹長は重傷を負い浜辺に不時着、救出されたが病院で死亡した。第452飛行隊のビル・ロイド中尉は落下傘降下、後に救出された。

9時50分、七五三空の陸攻22機は重油タンクを狙って投弾。212発の60キロ爆弾と44発の焼夷弾は、空のタンク二つと重油を満たしたタンク二つを直撃、巨大な炎が上がり、濃くて太い黒煙が立ち昇った。さらに爆弾は米陸軍本部の建物と鉄道路線を破壊、全市を停電させ、電話も不通となった。

陸攻は襲って来たスピット10数機に応戦、射手は20ミリ1570発、7・7ミリ1030発を放ち、スピットファイアの撃墜1機を報じたが、陸攻8機が被弾（被弾1発が4機、

18年３月15日のダーウィン防空戦で撃墜されたオーストラリア空軍、第452飛行隊のスピットファイアの残骸。同機のパイロット、ビル・ロイド中尉は落下傘降下して無事であった。

スピットファイアでダーウィンの防空任務についていた第１戦闘航空団の指揮官「殺し屋」の異名を持つクライブ・ロバートスン・コールドウェル中佐。コールドウェル中佐は英空軍の第250飛行隊のP-40で昭和16年６月６日、イタリア空軍のカントZ1007爆撃機を撃墜して以来、中東で300回の戦闘出撃を行ない22機の撃墜戦果を重ねている第二次大戦中のオーストラリア空軍のトップエースであった。母国へ戻ってからも日本機の撃墜6.5機を報じている。最後の戦果は18年８月17日、独飛第70中隊の百式司偵である。これは間違いなく落としているが、３月２日の２機は誤認で、他の戦果も確実とはいえない。

3発、4発、6発、7発が各1機)。陸攻とスピットファイアの撃ち合いも、そうとうな激戦であったことがわかる。10時20分、陸攻は空戦を終わり、20分後、ケンダリー基地に向かう零戦1中隊を収容、帰途についた。

英/オーストラリア空軍はスピットファイア4機とパイロット3名を失ったものの、零戦の撃墜確実6機、爆撃機2機と零戦1機の不確実撃墜を報じている。

だが日本側が実際に失ったのは、田尻清治二飛曹の零戦1機。そして9時30分から10時に至る30分間の空戦で、20ミリ機銃弾1280発、7・7ミリ機銃弾3947発を射耗して、P-40、P-43、P-39、スピットファイアなど、撃墜確実10機、不確実5機を報じ、6時45分に離陸したクーパン基地に帰投したのは12時であった。

二〇二空の手練達がスピットファイア退治に使った弾薬の比率は、20ミリ1に対して7・7ミリ3に近い数である。

英空軍の第54飛行隊、オーストラリア空軍の第452、第457飛行隊からなる第1戦闘航空団の指揮官、クライヴ・コールドウェル中佐は中東でP-40に乗って枢軸空軍と戦ったオーストラリアのトップエースであった。だが彼の部下95名のうち、戦闘機に掩護された爆撃機を攻撃したことのあるパイロットは6名だけ。英本土からフランスに「ロデオ」または「サーカス」と呼ばれる戦闘機掃討(平均してドイツ戦闘機の4倍もの損害を出していた)に参加したことがあるパイロットがさらに31名いたが、残り58名はまったく戦闘経験がなく、うち45名は空戦はおろか実戦で飛んだこともなかった。

数少ないベテランの一人、スミス少佐が零戦に勇敢ではあるが無謀な攻撃を試みて戦死してしまったことは航空団にとって大きな痛手であった。

ドイツ戦闘機との空戦しか経験したことのない彼らは、中国大陸で日本戦闘機と戦っていたシェンノートの米義勇航空群から日本機との戦い方の情報は一応得ていた。だが当地に来てみるとマーリンエンジンは本調子でなく、酸素供給装置が不安定で、イスパノ20ミリ機関砲は急旋回すると突っ込みを起こしやすいなどの機械的トラブルを抱え、部下パイロットの練度にも不安があった。しかし部隊をまとめ、優位から攻撃、格闘戦を避ければ零戦には勝てるはずであった。コールドウェル中佐は実際に交戦した経験から「スピットファイアは低速での運動性を除いて、飛行性能では零戦をあらゆる面で凌駕している。たとえ数が劣勢で、劣位から戦っても逆転は可能だ」と確信し、部下の空戦訓練を進めつつ、日本海軍航空隊の再来を待った。

4月1日に二〇二空の飛行隊長となった鈴木実少佐も後に「スピットはすごい飛行機だ。速度、突っ込み、上昇力、どれも零戦なんて問題にならない」と回想している。零戦は初めて「本物のスピットファイア」と交戦し、その高性能を実感、ようやく少々慌てはじめた観もある。鈴木少佐はスピットファイアの威力を警戒し、ダーウィンには、幾多の空戦に鍛えられた部隊の猛者から、さらに選りすぐりの飛行時間千時間以上の者しか連れて行かなかった。

これまで比較的戦況が落ち着いている豪北方面にいた二〇二空は、激戦地に送られた他の部隊ほど古い搭乗員を消耗しておらず、支那事変以来の古豪も珍しくなかった。加えて、連日の厳しい空戦訓練によって、腕にはさらに磨きがかかっていた。

二〇二空の精鋭が再びやって来るのは5月2日である。

B-24邀撃。大空に広がる白い爆煙「タコ爆弾」の恐怖

日本海軍機のポートダーウィンへの連続空襲を受けて、連合軍も手を拱いていたわけではない。B-24の日本海軍基地に対する空襲は18年の1月から始まっていたが、3月に入ってからも活発であった。飛んでくるのはいつも米第90爆撃航空群の第319爆撃飛行隊のB-24、そして邀撃するのは毎回、二〇二空の零戦だった。米重爆の基地はポートダーウィンから内陸に入ったフェントン飛行場だった。

3月8日、ニューギニア西部南岸のバボ基地に飛来した第319爆撃飛行隊のB-24「ヘルザポッピン」ポール・E・ジョンスン中尉機は、零戦3機と交戦。ジョンスン機は正面から猛然と突っ込んで来た零戦との衝突を避けるため急旋回しなければならなかった。この急機動で、別の零戦を狙って撃ちまくっていた射手のシェリダン軍曹は足をすくわれ、自分のB-24の主翼を撃ってしまった。この射撃で左の補助翼が破損、エンジンに1発命中、主脚のタイヤがパンクした。

邀撃したのは大久保理蔵二飛曹以下の零戦3機で、11時55分に2機が空戦を開始。12時15分、空戦終了。消費弾薬は20ミリ230発、7・7ミリ400発で、B-24には「相当の損害を与えたものと思われる」と報告している。だが「ヘルザポッピン」は無事に帰還、損傷は軽く、修理の上、翌日には飛べるようになった。

12日、12時、B-24、オルセン中尉機と、ヒーヴェナー中尉機がアンボン港の船舶を狙って飛来した。アンボン基地から零戦3機が鶴崎好信二飛曹の指揮で発進。高度2400メートルで投弾したB-24は零戦8機に邀撃され2機を撃墜したと報告している。一方、投弾を終えた重爆を追撃、空戦に入った鶴崎二飛曹等は1機撃墜、1機に損害を与えたと報告している。零戦は12時30分、全機が帰着。消費した弾薬は、鶴崎好信二飛曹、20ミリ不明、7・7ミリ不明。米山六弥飛長、20ミリ不明、7・7ミリ550発。江口輝夫飛長、20ミリ不明、7・7ミリ不明、30キロ爆弾2発。B-24の乗員は零戦はみな正面から突進してきた。そして空対空爆弾を投下したと報告している。江口飛長が投下したのはおそらく「3

号爆弾」と呼ばれる空対空爆弾である。
二〇二空では、18年2月21日には南西方面のアンボン基地を発進した零戦がB-24に対して、すでに30キロ爆弾を投下したという記録がある。第319爆撃飛行隊のB-24乗員も、この日、日本軍が新兵器、空に大きな白煙が広がる「白燐爆弾」を使用したと報告しているので「二〇二空の30キロ爆弾」は3号3番に間違いない。ただ、その日も被害はまったくなかった。

この爆弾は飛行場に並べられている飛行機を攻撃するため昭和10年頃から実験されはじめ、十四試の兵器として14年に完成。もともと対地攻撃用の兵器であったが、17年の8月29日には台南空の工藤重敏二飛曹がラバウルで九八陸偵から3号3番を空対空兵器として投下、B-17の撃墜を報じている（連合軍の損害記録は見つからなかった）。おそらく当時の小園司令のアイディアで、これが同爆弾を空対空兵器として使った嚆矢ではないかと思われる。

3号3番は投下後、螺旋式の尾翼で回転をはじめ、その遠心力で時限信管が作動して炸裂。黄燐20グラムを充填した弾子200発を飛散させる。空に壮大な爆発の傘が広がり、白い爆煙がタコの足のように広がって行くので「タコ爆弾」とも呼ばれていた。爆発によって飛散する弾子は厚さ5ミリ、直径20ミリ、長さ30ミリほどの鋼管に黄燐と糸巻き型の鉄片が入っており、50メートルの距離で爆発すれば厚さ3センチの松板を貫通する威力があった。

この12日、B-24の乗員は「運良く爆弾は避けることができた」と報告。やはり巨大なタコ足のような爆煙には、かなり驚き、また恐ろしかったのだろう。B-24は両機とも無事に帰還している。二〇二空はこの後、重爆の邀撃にこの3号爆弾をよく使っている。おそらく基地で緊急発進に備えて待つ、待機小隊の零戦にはあらかじめ3号爆弾を搭載していたに違いない。

13日、おなじみの第319爆撃飛行隊のB-24、チャールズ・ジョーンズ大尉機が、バボ基地を偵察にやってきた。大久保理蔵二飛曹以下の零戦2機は11時40分にB-24の来襲1機を発見、基地を発進。「11時45分、空戦開始。左翼エンジン2基、右翼外側エンジン1基停止、雲中に逸すも撃墜確実と認める。12時20分、空戦終了」。と報告している。弾薬消費は20ミリ200発、7・7ミリ1000発。だが、ジョーンズ機は零戦の撃墜1機を報じて、無事に帰還している。

18日、B-24「ローリン・ロージー」はアンボン基地の偵察にやって来た。アルデン・カーリー中尉機は雲の間に日本機10機を認めたが、港の写真撮影をつづけていた。「10時、B-24、1機来襲。情報により、小泉藤一少尉率いる零戦5機が追撃」と行動調書にはしるされている。

カーリー中尉は、零戦はありとあらゆる方向から攻撃して来た。時には恐ろしいほど接近、空戦は1時間20分もつづき、

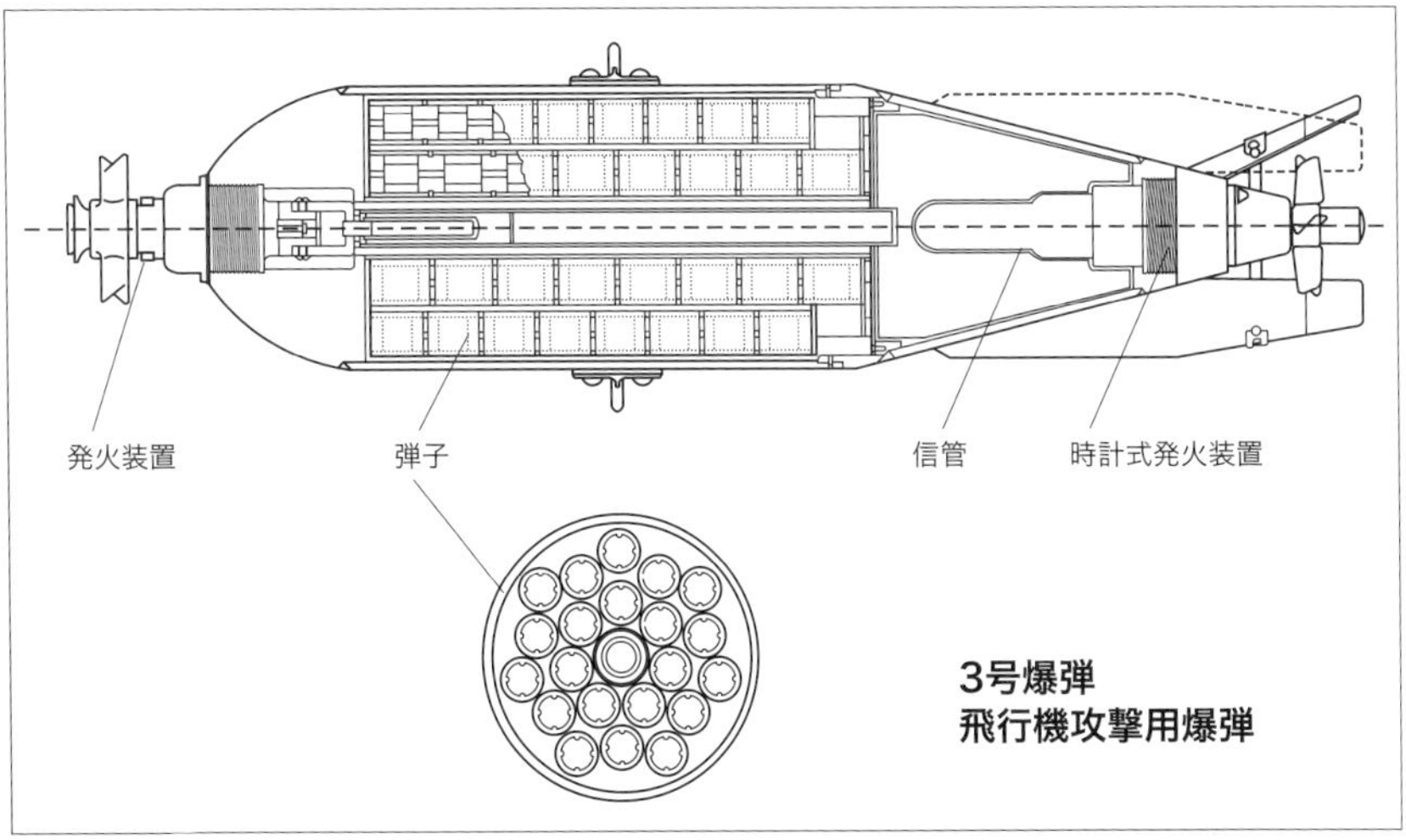

空で炸裂する3号爆弾。写真を見ると「タコ爆弾」のいわれがよくわかる。爆発は派手だが飛散するのは黄リンを入れたごく小さな筒で、数十メートル程度の近距離で爆発して当たらなければ、航空機を大きく傷つけることはできなかったであろう。筆者が調べた限り、18年２月から７月までの期間に間違いなく3号爆弾で落とされたと分かる戦果は皆無だった。

空戦がはじまってすぐにエンジン1基がだめになり、後部銃塔では火災が発生。機銃のうち6挺が射撃不能になった。機首の射手も負傷したが、やがて見つけた雲の中に逃げ込み、ようやく零戦を振り切ることができたと報告している。

B-24の撃墜不確実1機を報じた江口少尉等の弾薬消費は、江口義一少尉、20ミリ120発、7・7ミリ450発。鶴崎好信二飛曹、20ミリ70発、7・7ミリ600発。林常作飛長、20ミリ180発、7・7ミリ380発。米山六弥飛長、20ミリ70発、7・7ミリ550発。江口輝夫飛長、なし。というものであった。弾薬消費からの江口少尉等の猛攻撃が窺える。1発も撃っていない江口飛長は、行動調書に特記されてはいないが、12日の空戦同様、3号爆弾を投下したのかも知れない。

カーリー中尉機はようやくダーウィンまでたどり着き、不時着した。翌日の深夜、カーリー機の報復でもあるまいが、第319爆撃飛行隊の5機のB-24がアンボンを爆撃した。激しい対空砲火を浴びたが、全機、夜明け前に基地に帰って来た。

25日、第319爆撃飛行隊の重爆6機がふたたびアンボンにやってきた。阿倍安登二飛曹以下零戦4機は「B-24、6機来襲」の報を受け17時59分、アンボン基地を発進した。零戦は追撃戦闘で1機の発動機を停止させたと報告。18時45分、全機が帰着。消費弾薬は、阿倍安登二飛曹、20ミリ不明、7・7ミリ400発、鶴崎好信二飛曹、20ミリ不明、7・7ミリ580発、林常作飛長、20ミリ100発、7・7ミリ700発、米山六弥飛長、20ミリ110発、7・7ミリ530発。だが、B-24はほとんど損傷しておらず機上で1名が負傷したのみだった。

30日、バボ基地、本田富春飛長、林八郎上飛が敵機来襲により邀撃、12時10分発進。15分より空戦を開始した。偵察に飛来したのはオランダの東インド植民地の空軍（蘭印空軍）のB-25だった。この蘭印空軍、第18飛行隊のB-25C型、スワン少尉機は零戦2機と交戦。右エンジンの燃料パイプを損傷したが機上射手が零戦の撃墜2機を報告し、片発だけでダーウィンに帰ろうとしたが果たせず、メルヴィル島に不時着した。本田飛長等はB-25撃墜1機を報じたが、零戦は林機が自爆、本田機が被弾によって不時着するという損害をこうむってしまった。

31日、バボにはまた空襲があった。第319爆撃飛行隊のB-24、6機が飛行場にいた陸攻を狙って飛来したのだ。来襲は、もはや夕暮れが迫る18時だったが宮崎繁夫上飛、島津正雄飛長の零戦2機が発進。20分ほどの空戦でB-24撃墜1機を報じた。ヒーヴェナー中尉機が少々傷ついてダーウィンの飛行場に緊急着陸したが、翌日には基地に帰っているので、本当にわずかな損傷だったのだろう。

3月一ヶ月の空戦で二〇二空は、宿敵、第319爆撃飛行隊のB-24と何度も対決。米軍の報告を読んでも、弾薬消費

二〇二空の零戦、簡単な掩体に入れられ、各機風防に日よけのための布が掛けられ、主脚タイヤの前には海軍で「チョーク、chock」と呼ぶ車輪止めが置かれている。一番手前の零戦は二〇二空の機体としてはめずらしく緑色に迷彩されているように見える。各掩体ごとに整備の際に足場として使う空のドラム缶などが用意されている様子がわかっておもしろい。

二〇二空、阿部安登二飛曹。阿部二飛曹は３月２日に３中隊、３小隊の２番機としてダーウィン空襲に飛んで以来、15日と、鈴木少佐指揮の５月２日の攻撃には参加しているが、それ以降、ダーウィン進攻を含め長い間、搭乗割に名前が出てこない。

から見ても勇猛果敢に戦っているのだが、ただの1機も完全に撃墜することはできなかった。一方、重爆との交戦では犠牲者も出なかったが、蘭印空軍のB‐25という意外な伏兵によって自爆1機、不時着1機という損害をこうむっている。

4月は天候が悪く、第319爆撃飛行隊の活動も低調で、初めて空襲にやってきたのは17日になってからだった。その日も天候が悪く、しかも夕刻になっていたため、アンボン上空で日本戦闘機と交戦したと報告はしているものの、視界が悪く交戦したのが何機だったのかもはっきりしない。そのくせ、オルスン大尉機の射手は4機を撃墜したと主張している。二〇二空の行動調書には、この日のアンボン邀撃戦に関する記録はなく、当時、二式水戦でアンボンの防空を担当していた九三四空の行動調書にも記録はない。米軍の報告はまったく宙に浮いた形になってしまっている。

4月に初めて両軍の記録が一致する空襲は24日のケンダリー爆撃である。この日の邀撃戦では、二〇二空の零戦19機が来襲した大型機9機（第319爆撃飛行隊のB‐24）と交戦。三撃から五撃を見舞い、3機に相当な損害を与えたと報告されている。零戦は夕闇で目標が見えなくなるまで猛烈な攻撃を反復した。重爆の射手は、戦闘機が撃ちだす曳光弾を頼りに撃ちかえし、撃墜8機を報じている。二〇二空は、川上求飛長、日原弘行飛長が戦死するという手痛い損害をこうむったが、B‐24は全機が無事に帰還していた。

29日、第319爆撃飛行隊は高度5400メートル、雲の間からアンボンの水上機基地を爆撃した。邀撃戦闘機は発進が遅れ、爆撃を妨げることはできず、重爆が帰りはじめてから空戦になった。5機の零戦は30分にわたって攻撃を繰り返したが、重爆にはほとんど損害はなかった。また重爆の射手も今回は零戦の撃墜を報じることはできなかった。

スピットファイアには圧勝をつづける二〇二空の零戦も、3月、4月の爆撃機邀撃戦では零戦4機と搭乗員3名を失うばかりで、連合軍の記録と照合すると2機を不時着させたのみで、はっきりとした撃墜は1機もなく、その戦いぶりはまったく生彩を欠いていた。

「殺し屋」が率いる「王立素人空軍」

5月2日、ふたたび二〇二空がポートダーウィンに飛来した時、第1戦闘航空団にとっては不運なことに、航空団の数少ないベテランパイロットの大半が短い休暇を兼ねて南部へ補充機の受領に出かけていた。

7時30分にクーパン基地を離陸した二〇二空の零戦27機は、七五三空の一式陸攻25機と編隊を組み、10時50分、ダーウィンを爆撃、帰途についた。スピットファイアVC型33機を率いるコールドウェル中佐は前回の戦訓を肝に銘じ、日本軍編隊より高く、太陽を背に降下攻撃をかけるため、高度9千メートルを目指して上昇をつづけていた。しかしマーリンエンジン不調のため、上昇中にまず2機が脱落、つづいて酸素供給装置の故障でもう2機が引き返していった。

爆撃から40分後、スピットファイアはようやく高度9千メートルに達した。零戦隊の指揮官、鈴木実少佐は三群に別れて上昇してくる約30機のスピットファイアを見つけていた。零戦はただちに増槽を投棄、鈴木少佐は部下を率いて太陽側へと回り込んで行く。

比較的ベテランの多い第54飛行隊が掩護戦闘機と交戦する一方、第457飛行隊が爆撃機を襲う手筈になっていた。第54飛行隊のスピットファイアはほぼ垂直に近い角度で降下突進、速度は空中分解寸前の時速800キロ／時に達し、飛行隊の8機はそれぞれ選んだ獲物の後方へと食らいついて行った。3月15日の空戦で2機を失った第54飛行隊は、零戦と格闘戦を交える怖さが身に染みていたのかも知れない。それにしてもコールドウェル中佐をはじめ、オーストラリア空軍のパイロットは「度はずれた急降下に肝を潰した」と語っている。第452飛行隊のケン・フォックス中尉はコールドウェル中佐機の後方に位置した零戦を追い払った。だが彼自身が別の零戦に撃たれ落下傘降下を余儀なくされた。こうして15分から18分つづいた空戦で、5機のスピットファイアが零戦に撃墜され、グリフォード中尉と、マクナフ中尉、2名のオーストラリア人パイロットが戦死した。

さらにパイロットは全員が生還したが、エンジン故障と、燃料切れによる不時着と落下傘降下で9機ものスピットファイアが失われた。3個飛行隊の空中集合に手間取り（第54飛行隊はいつも5分から7分も遅れて来た）、高度を得るために燃料を大きく消費したうえ、未熟なパイロットが空戦に夢中となって最大出力で燃料を浪費、あるいはエンジンを酷使したため、多数の事故機を出したのであろう。

日本機の撃墜6機を報じてはいても、この日、失われたスピットファイアは計14機にも達し、翌日には、オーストラリアの新聞でさえ「長らく勝利をつづけてきたダーウィン防空戦であったが、昨日は手ひどい逆転を強いられた」と敗北を認めている。

ただ、どうしても日本機との空戦に破れたとは認めたくないらしく、損害14機の内訳を間違いなく日本機に落とされたのは3機、落とされたかも知れない機体2機、故障と事故による損失9機としている。「スピットファイアは悪天候に破れた」と主張。行方不明になり、戦死と認定された2機のパイロットは「自分がどうしてやられたのか報告できなかったから」空戦の犠牲者ではないかも知れないというわけだ。

二〇二空の零戦は、20ミリ2500発、7・7ミリ1350発を射耗、P-40とスピットファイア撃墜確実17機、不確実4機を報じる一方、零戦7機が被弾した。

七五三空の陸攻も、250キロ爆弾36発、60キロ爆弾10 6発を投下。陸攻の偵察員、電信員、搭整員は旋回機銃で戦闘機10機と交戦、20ミリ1020発、7・7ミリ9500発を射撃（撃墜戦果は報じていない）。被弾6機（1発が3機、2発、3発、6発が各1機）、軽傷2名の被害をこうむった。

以上のように、相当な激戦ではあったものの、陸攻、零戦とも全機が帰還している。完璧な勝利である。

この知らせを聞いた米第5航空軍司令官、ジョージ・ケニー中将は「こんなことばかりしているようなら、連中はニューギニア送りにして、我軍のもとで戦争のやり方を勉強する必要がある」と漏らしたと言う。スピットファイアと交代するまで、ポートダーウィンの防空を引き受けていた米陸軍航空隊のP-40は、長らく同じ二〇二空の零戦と戦っていたが、こんな無様な敗北を喫したことは一度もなかった。

オーストラリア国内では、とんでもない降下突進は演じたものの、比較的うまくやった英空軍の第54飛行隊がRAFをもじって「リアル・エアフォース」と呼ばれる一方、RAAF、オーストラリア空軍は「ロイヤル・アマチュア・エアフォース」と揶揄された。独伊の単座戦闘機十数機を撃墜、1941年の12月5日には1日でドイツ軍の急降下爆撃機「シュトゥーカ」の撃墜5機を報告。「殺し屋」の異名を頂戴していた伝説のエース、コールドウェル中佐の面目は丸潰れである。

14時、二〇二空の零戦は全機が無事、クーパン基地に帰着した。ところが、15時25分、ボーファイター3機が超低空でクーパン基地を襲い、地上にいた3機を炎上させた。襲って来たのはリード中佐が率いるオーストラリア空軍、第31飛行隊のボーファイターで、まずリード中佐が掩体からタキシングして出て来たばかりの零戦を射撃、さらにもう1機を撃って両機とも破壊。後続のボーファイターは滑走路にいた爆撃機2機を炎上させた。3機目のボーファイターは機銃の故障で発砲できなかった。襲撃から、わずか1分後、基地上空哨戒、第一当直の野田光臣上飛等の零戦5機が2機を捕捉、20ミリ50発、7・7ミリ70発を放って二撃を加え、30分あまりも追撃したが、とうとう取り逃がしてしまった。その夜、報復の仕上げをするかのように、米軍と蘭印空軍のB-25がクーパン基地を夜間爆撃した。

二〇二空は早速報復を企てた。ボーファイターの基地はステワード飛行場である。

スピットファイア、ようやく一矢を報いる

5月10日、二〇二空は宮口盛夫少尉率いる零戦9機で、ステワード（マイリンギバイ）飛行場を強襲した。この日、警急当番に当たっていたスピットファイア6機は第31飛行隊のボーファイターを捉え、日本機と間違えたレーダーの誤報で出動、友軍とわかって基地に戻り、着陸中だった。だがボー

二〇二空の坂口音次郎飛曹長。たびたびダーウィン攻撃に参加した老練な搭乗員である。5月19日、30日にはボーファイターを邀撃。19日には指揮下の小隊とともに実際にボーファイターを撃墜している。

二〇二空の古参エース、小泉藤一少尉。3月2日、15日のダーウィン攻撃に参加。4月18日のB-24邀撃などに出動した後、5月、内地に転勤した。撃墜総数は13機。

ニューギニア西部を飛ぶオーストラリア空軍のボーファイター。英国製のブリストル・ボーファイター双発戦闘機は乗員2名で、20ミリ機関銃4門、7.7ミリ機関銃6門の強火力で対地攻撃や、夜間の爆撃機邀撃任務に活躍した。後期の型はロケット弾や魚雷まで搭載し、対艦船攻撃にも使われたが、空戦となると零戦など単座戦闘機の敵ではなかった。

ファイターの後から宮口少尉の零戦隊が「送り狼」としてついて来ていたのである。

上空掩護の3機を残して、着陸を終えた時、零戦が現れた。しかしこの日のスピットファイアは不利な態勢から反撃、奮戦、一矢を報いた。低空の格闘戦で第457飛行隊、曹長から進級したばかりのブルース・リトル少尉のスピットファイアが墜落（少尉は軽傷）したが、彼らは零戦の撃墜2機、撃破1機を報じている。一方、地上では、ボーファイター1機（A19-72）が炎上、もう1機を損傷させられた。

この空戦では、実際に零戦1機、酒井国雄一飛曹機が行方不明となった（対空砲火の犠牲になったとも言われている）。さらに宮口機が空中火災を起こして使用不能となった上、山中忠男上飛曹機は被弾、不時着水して沈没（救助）、吉田勝義一飛曹機も被弾するなど、いずれも搭乗員は助かったものの、未帰還機の他に零戦2機が全損となり、この空戦は日本側の敗北に終わった。

13日、二〇二空は零戦9機を以てふたたびステワード飛行場に飛んだ。基地発進から海上を3時間近くも飛んで来たのに、連合軍機の反撃はまったくなく、30分ほど飛行場の上空を飛んで空しく引き上げて来た。

15日、トアール基地に来襲したB-24を二〇二空の10機が邀撃。11時から12時までの1時間の空戦で、まず安田蔵利一飛曹が2機を捕捉、一撃を加えた。次いで後藤庫一一飛曹が1機のB-24を捕捉し、前上方から七撃を加えて撃墜を報じている。さらに吉田勝義一飛曹が1機を捕捉して一撃。津田五郎二飛曹は2機を捕捉して三撃を加えたが、戦果不明に終わった。攻撃した4機の零戦が使った弾薬は20ミリ300発、7・7ミリ1360発であった。後に8機撃墜のエースとなる後藤一飛曹による2月15日の戦果につづく、2機目のB-24撃墜戦果報告である。残念ながら、後藤機の報告は、両戦果とも合致する連合軍の損害記録が見つかっていない。

17日の早朝、オーストラリア空軍のボーファイターがトアール基地を襲撃した。二〇二空では高橋武上飛曹が率いる零戦4機が情報により離陸。ボーファイターを発見、高橋上飛曹と、後藤庫一一飛曹が六撃、20ミリ220発、7・7ミリ1100発を使い、撃墜不確実3機を報じている。だが、この日、未帰還になったボーファイターの記録は見当たらない。

2日後の19日も早朝、ボーファイターがクーパン基地に来襲、飛行場を銃撃した。

バイヴェン中尉率いる第31飛行隊の6機である。ボーファイターは激しい対空砲火を浴びながらも、地上の爆撃機2機を機銃掃射で炎上させたが、あらかじめ離陸して基地上空で待ち伏せていたと思われる零戦に追われて逃げ出した。二〇二空、坂口音次郎飛曹長等の7機だ。20ミリ600発、7・7ミリ2500発を射撃して撃墜確実2機、不確実1機を報

インドネシア東部に浮かぶチモール島の西部、クーパン基地の二〇二空指揮所。屋根に載せられている椰子の葉らしきものはせめてもの対空擬装なのか、防暑用なのかよくわからない。建物の両脇に張られたテント、通信塔や吹き流し、屋根に作られた見張り所など航空基地の様子がよくわかる。

5月10日以来、すべてのダーウィン攻撃に参加した二〇二空の山中忠男上飛曹。山中上飛曹はダーウィンばかりでなく、哨戒、邀撃にたびたび出動。最終的な公認撃墜は9機であった。

公認撃墜8機、二〇二空のエース、後藤庫一一飛曹（右）と、吉田勝義一飛曹。9月7日に初めてダーウィン攻撃に参加した吉田一飛曹も終戦までに10機を撃墜するエースとなった。2人は甲飛6期の同期生だ。

じた。ボーファイターは3機（フリス中尉、タイラー中尉、アームストロング軍曹）が未帰還になった。2機はクーパン南方の丘に突っ込み、1機は対空砲火で撃墜されたと記録されている。

その2時間後、クーパン基地にはB-24が来襲。ボーファイターの邀撃に飛び、引き続き基地上空の哨戒を行なっていた坂口飛曹長率いる零戦6機が30分間にわたって20ミリ650発、7・7ミリ2000発を使って各機、数撃を加え、B-24、アイゼンバーグ機の射手2名を負傷させたが、結局は取り逃がしてしまった。B-24の射手も零戦の撃墜3機を報じているが、零戦は全機無事だった。

この日、坂口飛曹長等はさらに2回も情報によって舞い上がり、基地上空の哨戒に当たったが、もう空戦はなかった。

28日、二〇二空、石川友年飛曹長指揮の零戦7機が、陸攻8機を掩護して再びステワード飛行場を攻撃した。今回は第457飛行隊のスピットファイア6機が同高度から戦爆編隊を迎え撃った。彼らは爆撃機撃墜3機、撃破2機を報じたものの、空戦でブルース・ビール中尉機、ハリー・ブレイク中尉機の2機が行方不明になり、ロッド・ジェンキンス曹長機は20ミリ機銃弾の命中で損傷、帰還後、エンジンは交換せざるをえなくなった。

零戦は20ミリ機銃240発、7・7ミリ機銃1212発を放ち、スピットファイア撃墜確実1機、不確実1機を報じ、2機が被弾した。

陸攻は、60キロ爆弾96発を投下。スピットファイア、ホーカーハリケーン約20機と交戦、20ミリ353発、7・7ミリ2250発を射撃、撃墜確実4機、不確実1機もの戦果を報じている。異例の大きな戦果報告である。零戦の弾薬消費が少なめで、かつ撃墜戦果報告も確実、不確実各1機なので、未帰還になったスピットファイアの少なくとも1機は陸攻の射手が落としたのかも知れない。しかし七五三空は、自爆1機、行方不明1機（戦死、行方不明計16名）、不時着大破1機（搭乗員無事）、被弾3機、軽傷、重傷各1名もの大損害をこうむっていた。

被弾機のうち当たった弾が1発、10発というのは7・7ミリのみと思われる。しかし7・7ミリ4発を被弾した他、胴体尾部に受けた30ミリ径の破孔を中心に約50の小孔が開いていたという荻野中尉機の詳細な損傷報告が注目される。明らかにイスパノ20ミリ機銃弾が命中、炸裂した跡である。

これまでのダーウィン空襲で、この日の分の3機も加えて17機の陸攻が被弾している。しかし20ミリが当たったことが確認できる報告があったのは、この荻野機が初めてである。20ミリ被弾に関しては、いちいち行動調書に記載していないだけかも知れないが、20ミリが間違いなく当たったこの日、陸攻は初めて2機を喪失、1機大破の大損害を受けた。「王立素人空軍」のパイロット達もようやく実戦に慣れ、陸攻に十分接近して20ミリ機銃を確実に命中させられるようになってきたのかもしれない。スピットファイアが、肉薄して来たからこそ、陸攻の機上射手も4機もの撃墜を確信、報告できるくらい、しっかりとした反撃ができたのではないだろうか。

二〇二空、初めて四発重爆を撃墜

5月30日、対空監視哨からの情報によりトアール基地から坂口飛曹長が率いる零戦2機が発進。そこにボーファイター4機が来襲した。そこでさらに零戦3機が離陸し、空戦になった。坂口飛曹長はボーファイターを追尾して六撃を加え、吉光正夫二飛曹も追尾して二撃、西導二飛曹は四撃を加え、20ミリ200発、7・7ミリ1600発を射撃したが、戦果不明に終わった。

6月1日、ケンダリー基地を10時に発進した津田五郎二飛曹は敵機を発見したが、雲の中に見失い11時に帰って来た。入れ替わるように離陸した曽我辰己二飛曹は1機のB-24を捕捉。九撃を加え、外側の発動機から黒煙を噴出、停止させて、海面20メートルを追跡したが雲の中に見失ってしまった。このB-24は、この日、初めてダーウィンのフェントン基地から飛来した新鋭部隊「フライング・サーカス」第380爆撃航空群の所属機で、散々に撃たれたが、なんとか基地までたどり着いた。しかし結局、胴体着陸するはめに陥った。

6日、12時、零戦6機がクーパン基地を発進。5分後、B-24、4機に対して攻撃を開始した。飛行場の爆撃を終えたB-24は105度方向に逃走している。仇敵、第319爆撃飛行隊の重爆である。

零戦6機は海上50海里付近まで追跡して、攻撃。1小隊の1番機、野田光臣上飛曹、2番機、寺井良雄一飛曹、2小隊の2番機、江口輝雄二飛曹は、B-24の発動機その他に対して多大の損害を与えた。B-24の第1小隊1番機は右発動機2基を停止させた。同2番機は右外側発動機1基が停止。第2小隊1番機も右外側1基が停止したと報告されている。零戦は2機が被弾した。使った弾薬は20ミリ350発、7・7ミリ1550発と、30キロ爆弾2発。この日の搭乗割には江口二飛曹の名前がある。彼はまた3号爆弾を投下したのかもしれない。第319飛行隊のB-24の射手は零戦の撃墜3機を報告して、全機が帰還している。

11日、B-24、12機がクーパン基地に来襲した。11時10分、野田光臣上飛曹が率いる零戦6機が発進。2分後、B-24を発見した。重爆は210度方向より進入、市街および飛行場付近に投弾しようとしていた。零戦は投弾前に攻撃を開始、爆撃の照準を狂わせた上、この日はB-24が逃げ込む雲がなかったのか、零戦は海上を百海里、一時間半以上にもわたって執拗に追撃した。攻撃には30キロ爆弾9発、20ミリ101

0発、7・7ミリ2450発を消費。B-24の撃墜確実3機、不確実1機、その他4機に相当の損害を与えたと報告している。

この日、第380爆撃航空群、第531爆撃飛行隊のB-24D型(42-40500)「ケアレス」はチモール島のクーパンで戦闘機との交戦で不時着水して爆発、乗員全員が戦死したと記録されている。18年の1月にB-24の空襲がはじまって以来、二〇二空の零戦が間違いなく撃墜した最初のB-24である。この日は少なくとも5機、あるいは6機全部が3号爆弾を搭載して邀撃に上がった。9発もの3号爆弾が次々に炸裂する光景は凄まじいものであったに違いない。また20ミリ機銃も1機あたり平均168発以上、全機が百発弾倉の零戦三二型だったとしても搭載弾薬の大半を撃ち尽くしている。3号爆弾というと必ず登場する江口二飛曹はこの空戦にも参加している。

翌12日にはラングールにB-24、3機が来襲した。萬原豊信一飛曹以下、零戦5機が邀撃。45分間にわたって攻撃。B-24の1番機には九撃を加えて発動機2基を停止させ、2番機にも一撃、3番機には十一撃を加えて黒煙を噴出させたが、1機の墜落も確認できないまま、雲の中に取り逃がしてしまった。第319爆撃飛行隊は悪天候の中、零戦5機と交戦し、1機撃墜を報告。帰ってみたら、機体に弾痕がいくつか見つかったと記録している。宿敵、第319爆撃飛行隊のB-24はどうしても落とせなかった。

「気をつけろ! 太陽の中にジャップ」零戦、ふたたび猛威をふるう

6月20日は、陸軍機がダーウィンを空襲。エンジン不調で単機帰還中だった一式戦1機が行方不明になり、百式重爆1機が撃墜された。スピットファイアは空戦で1機が行方不明になり、3機が不時着、うち1機が全損となった。

23日、第528爆撃飛行隊と第319爆撃飛行隊のB-24、17機が白昼、セレベス島のマカッサルを空襲。「投弾中、第319爆撃飛行隊のロイ・W・オルセン大尉機の後方から九七戦が現れて右翼に体当たり、両機とも水平錐揉み状態で海に落ちた」と米軍は記録している。このオルセン機が18年1月から幾度となく二〇二空と戦って来た第319爆撃飛行隊が、空戦で失った唯一のB-24となった。

ここで重爆を邀撃したとすれば、当時、マカッサルに分遣隊を出していた二〇二空の零戦のはずであるが、行動調書には何の記載もない。米軍の報告のとおり、陸軍の九七戦、または海軍の九八陸偵など、単発の固定脚機が体当たりしたのかもしれない。

28日、今度はまた海軍機がダーウィン上空に出現した。七五三空の陸攻9機を掩護する二〇二空の零戦は27機だった。レーダーからの情報で42機のスピットファイアが緊急発進

米陸軍第90爆撃航空群「ザ・ジョリー・ロジャース」のB-24D型「ベッツィー」。D型は日本軍と、ドイツ軍戦闘機の前方からの攻撃に対抗するため機首の武装を強化している。垂直尾翼のドクロが部隊エンブレム。二〇二空の仇敵、第319爆撃飛行隊は、この第90爆撃航空群の傘下部隊である。

18年６月20日のダーウィン空襲で海岸に胴体着陸したスピットファイア。同機のパイロット、ハージス中尉は日本機２機を撃墜した後、エンジン故障でここに不時着したと記録されている。この機体は全損になった。

した。第452飛行隊は爆撃機を狙え、第457と、第54飛行隊は戦闘機と戦えと命じられた。だが、日本軍編隊の速度はいつもより少々速く、しかも第1戦闘航空団に攻撃命令が出た時、日本軍編隊が突然、右に旋回、機首を下げて増速したため、スピットファイアは混乱した。

コールドウェル中佐が直率していた第54飛行隊が攻撃に移ろうとした時、後上方、太陽の中に零戦が発見された。攻撃を中断してコールドウェル中佐以下が接近してみると「太陽を背にしていた零戦」は、エンジン不調のため編隊から遅れていた4機のスピットファイアだった。もはや、ふたたび日本の戦爆編隊への攻撃位置に戻るのは不可能とされ、第54飛行隊はそのまま帰還した。

第457飛行隊が掩護戦闘機との空戦をはじめてから、戦闘に加入する手はずになっていた第452飛行隊も、第457の攻撃を待つうち、攻撃位置にも入れず帰還してしまった。陸攻は高度約5千メートルで、すでに西に向かう帰還針路に入っている。取り残された第457飛行隊のドン・マクラーレン少佐は、彼の飛行隊だけで、当初決められていた掩護戦闘機ではなく、陸攻に対する攻撃命令を下した。

10時40分、陸攻は250キロ爆弾18発、60キロ爆弾45発を投下。10時43分から50分まで、スピットファイア10機、第457飛行隊機と交戦。20ミリ400発、7・7ミリ5325発を射撃、撃墜確実1機、不確実2機の戦果を報じているが、9機、全機が被弾、うち1機はラウテンに不時着して大破するという、短時間だが激しい射撃戦を演じた。第457飛行隊のジョン・ニュートン大尉機は陸攻の反撃で損傷している。

陸攻隊がスピットファイアと戦い始めて7分、10時50分には二〇二空、4中隊2小隊と、3中隊1小隊の零戦が救援に飛来。スピットファイア10機との空戦に入った。零戦は、撃墜確実1機、不確実2機を報じているが、スピットファイアの損害は、先のニュートン機を含めて被弾2機のみで墜落機はない（エンジン故障でもう1機が不時着、全損）。零戦が撃墜確実1機と報じているのは、尾部に被弾して背面錐揉みに入ってしまったトミー・クラーク中尉機と思われる。彼はレッドアウト状態に陥ったが、墜落だけは免れていた。スピットファイアは零戦の撃墜確実4機、爆撃機の撃墜不確実2機の戦果を報じている。

零戦の損害は3機が被弾、1名（大久保理蔵二飛曹と思われる）が重傷を負っている。交戦したのは4中隊の2小隊と、3中隊の1小隊だけで、弾薬消費も20ミリが170発、7・7ミリが730発と少ない。この日の空戦は、双方1機の墜落機もなく終わったのである。

オーストラリア側は掩護の零戦が27機もいたことを知らず、42機ものスピットファイアを邀撃に上げて、少数の戦闘機に守られたわずかな爆撃機を攻撃したのに撃墜確実4機、不確実2機というささやかな撃墜戦果（実際には1機も落ちていない）しか上げられなかったのは、ひとえにマーリンエンジンの不調が原因であるとしている。マーリンは２４０時間ごとに完全なオーバーホールが必要で、第1戦闘航空団のスピットファイアは多かれ少なかれ、このオーバーホールが必要な時期に来ていたが、予備のエンジンがまったく不足していて、それが果たせずにいたのである。

しかし、その2日後、この日の空戦はオーストラリア側にとっては、むしろ幸運な戦いであったことを思い知らされることになる。

30日、B-24リベレーターの基地であるブロックス・クリーク（フェントン）飛行場攻撃が実施された。邀撃に上がった第1戦闘航空団のスピットファイアは38機。コールドウェル中佐は、第54飛行隊の13機に正面から爆撃機を襲えと命じ、第４５２飛行隊の12機には掩護戦闘機の攻撃を命じ、機会があったら爆撃機も狙えとしていた。彼が直率していた第４５７飛行隊の13機は、第54飛行隊の攻撃から30秒後、第４５２飛行隊が掩護戦闘機を襲うと同時に、左前方から七五三空の陸攻22機に向かって突進することになっていた。

コールドウェル中佐は部下に細かな指示を出していた。攻撃は爆撃機の左前方45度の角度から行なう。攻撃する編隊は４機または6機が横一列になって突進。次の攻撃編隊とは４５０メートル程度の間隔を空ける。そして射撃後は右側に抜け、太陽を背に次の攻撃に備えること。

ところが第54飛行隊の攻撃後、30秒待って掩護戦闘機を攻撃することになっていた第４５２飛行隊が命令を誤解し、すでに飛行場を狙って爆撃針路に入っていた陸攻を、第54飛行隊と同時に攻撃してしまったため、スピットファイアの3個飛行隊が陸攻編隊の左前方にかたまり、何機ものスピットが同じ爆撃機を狙うような結果になってしまった。

七五三空の陸攻隊は、11時40分、左前方から次々に突進して来るスピットファイアの攻撃にも動ぜず、およそ10分間にわたって射撃戦を展開。9機もが被弾したが、20ミリ１７５０発、7・7ミリ１０９５発を射撃して撃墜3機を報じている。11時57分、ブロックス・クリーク飛行場に、２５０キロ爆弾24発、60キロ１９２発を投下。爆弾は地上の第３８０爆撃航空群などのリベレーター4機と、カーチス・ファルコン1機、牽引車5台の他、予備エンジン12基を含む大量の補給品を粉砕した。

二〇二空の零戦隊27機は、寄りかたまっていたスピットの群れを攻撃して混乱させ、陸攻をそれ以上攻撃させなかった。乱戦の中で、第54飛行隊のジミー・ウェルスマン少尉と、第４５２飛行隊のジャック・ラマートン中尉が戦死した他、ホルムズ、ランディ両軍曹と、ダンカン曹長（エンジン故障）が落下傘降下、被弾したホーカー軍曹と、クロス曹長機は不時着して全損。11時40分から12時10分までつづいた戦闘機同士の空戦で、全部で7機ものスピットファイアが失われた。

スピットファイアは爆撃機の撃墜確実4機、同不確実4機、撃破5機。戦闘機の撃墜確実3機、撃破1機を報じているが、日本側に損害はなかった。

零戦隊には被弾機すらなく、20ミリ950発、7・7ミリ5440発を射耗、撃墜確実13機、不確実3機を報じ（うち1機は陸攻との共同撃墜）、弾薬消費からも激しい空戦が想像できる。

損害比は26機対5機、零戦の圧倒的勝利

7月6日、二〇二空の零戦隊27機は、七五三空の陸攻22機を掩護して、ふたたびブロックス・クリーク飛行場を攻撃した。

3月以来、経験を重ねたコールドウェル麾下の各飛行隊はほぼ4分で全機が離陸、空中集合も手早く終え、レーダーの誘導に従って邀撃地点へと上昇していった。33機のスピットファイアは日本編隊よりもおよそ2千メートル高い優位から攻撃を開始した。

陸攻は3機ずつ浅い角度のV字編隊を組み、掩護戦闘機はゼロとハップの混成で、9機が前衛、別の9機は後上方、そのさらに後ろに9機がいた。コールドウェルは第452飛行隊に掩護戦闘機との交戦を命じ、第54飛行隊には爆撃機に対するヘッド・オン（正面からの反航戦）を指示した。掩護戦闘機への攻撃から20秒後、爆撃機への攻撃が開始された。第452飛行隊を率いていたマーキン大尉は爆撃機に短い斉射を見舞った後、下方へ離脱したが過速に陥り、不時着を余儀なくされた。

例によって第457飛行隊を直率していたコールドウェル中佐は、しばらく様子を見た後、飛行隊に爆撃機を狙う戦闘への加入を命じた。だがブルー小隊は零戦に追い回され、ハミルトン中尉、ロビンスン中尉、マクダネル少尉の3名が行方不明となった。第54飛行隊も、交戦前に1機がグリコール漏れで不時着した他、空戦でさらにスピットファイア2機を失ったが、パイロットは救助された。

計7機のスピットファイアと3名のパイロットが失われたこの空戦で「殺し屋」の部下達は爆撃機の撃墜確実10機、戦闘機2機の他、爆撃機撃破3機、戦闘機1機もの戦果を報じている。

零戦は20ミリ790発、7・7ミリ3870発を射撃。撃墜確実11機、不確実3機を報告。損害は2機が被弾したのみであった。

七五三空は250キロ爆弾22発、60キロ爆弾197発を投下、リベレーター1機が破壊され、12万3千リットルあまりの航空燃料が炎上、滑走路は穴だらけとなった。11時10分から空戦に入った陸攻は、20ミリ1720発、7・7ミリ1390発を消費。撃墜3機を報じているが、11時15分、被弾

18年７月25日、オーストラリア、ダーウィンの飛行場からの離陸を前にエンジンを始動、滑走路へのタキシングを開始しようとしている英空軍、第54飛行隊のスピットファイア、ノーウッド中尉機。そばに立って見つめているのは機付きのスタッドリー軍曹。

二○二空の伊藤清二飛曹（当時）とその愛機。彼は３月２日以来、９月７日まで行なわれたダーウィン空襲には毎回必ず参加している。二○二空のトップエースである伊藤二飛曹は17年４月４日の初撃墜以来、18年11月までに撃墜破32機（撃墜17機以上）を公認され二○二空司令、内田中佐の名前で「善行表彰」された。

アンボンを爆撃する第13航空軍、おそらく第380爆撃航空群所属のB-24。インドネシアのバンダ海のセーラム島南部にある小島、アンボンにあったアンボン基地には二〇二空の分遣隊がおり、重爆の邀撃に出動していた。二〇二空の担当戦域は、セレベス島から西部ニューギニア、チモール島、オーストラリア北部と、非常に広く、各地に分遣隊を派遣して防空に務めていた。

した陸攻1機が編隊から落伍、そのまま行方不明になり、もう1機がベアコ東方10キロの海岸に不時着して大破した。

8日、第380爆撃航空群のB-24、6機がクーパン基地に来襲した。大塚専蔵大尉率いる二〇二空の零戦9機が邀撃。3号爆弾5発を投下した他、十九撃を加え、1機の左外側発動機を停止させ、他の2機には相当の損害を与えたと報告しているが、零戦2機が被弾、撃墜戦果は報じられなかった。B-24の射手は零戦3機を撃墜したと報告、重爆は全機が帰還した。

10日、ラングール基地上空哨戒のため16時30分に発進した松山季治二飛曹機は、17時20分に第531爆撃飛行隊のB-24を1機発見。単機で攻撃し、六撃を加え右発動機2基から黒煙を噴出させたが雲の中に逃げ込まれてしまった。松山二飛曹は「状況から見て、不時着は概ね確実、我が機に被害なし」と報告している。B-24は無事に帰っているようだ。

21日、7時40分、来襲敵機邀撃のためセレベス島のマカッサル基地から、古参の山中忠男上飛曹と、新人の小高登貫上飛が発進。二〇二空のマカッサル分遣隊の全力出動である。滅多に敵の来ない僻遠の基地に派遣されていた零戦は2機だけだった。

勇躍舞い上がった彼らは「四発重爆1機を発見、相当の損害を与えたが雲の中に取り逃がした」と報告している。該当の「四発重爆」はフェントン基地から長駆偵察に飛来した第380爆撃航空群のB-24で、小高上飛等の攻撃で被弾損傷はしたかも知れないが基地に帰っている。

8月14日、二〇二空の零戦は、3週間ぶりにB-24を1機捕捉した。6時30分にクーパン基地を発進した山下忠雄二飛曹機、泉田幸七二飛曹機はB-24に対して七撃を見舞い、白煙を噴出させたが、例によって雲の中に逃げられてしまった。使った弾薬は山下二飛曹が20ミリ45発、7・7ミリ1250発。泉田二飛曹は7・7ミリ1250発と30キロ爆弾2発であった。

翌15日、ニューギニア西部南岸、ミミカ上空への進撃哨戒中、12時20分に粟信夫中尉と列機の西田廣二飛曹がB-25、1機を発見して追撃。粟中尉は雲の中に逃げ込んだB-25を見失ってしまったが、西田二飛曹は追撃をつづけ、20ミリ100発、7・7ミリ400発を射撃し、撃墜を報じた。このB-25の損害記録は見つからなかった。

16日、8時30分、情報により鈴木実少佐以下零戦7機が邀撃に発進。まず2小隊、高橋武上飛曹以下4機がB-24を1機捕捉、十四撃を加えて撃墜。この攻撃で高橋上飛曹は行方不明になった。小隊の林喜作二飛曹は7・7ミリ100発、吉光正夫二飛曹は20ミリ90発、7・7ミリ600発。西導二飛曹は20ミリ90発、7・7ミリ800発を射撃。この小隊が落としたのかどうかはっきりとは記録されていないが、この空戦で爆弾3発(3号爆弾と思われる)が使用されている。7・7ミリしか撃っていない林機は3号爆弾を投下していたので20ミリを射撃する機会を逸したのだろうか。

1小隊、1番機の鈴木少佐は、いつものように空中指揮に徹していたのか自分では1発も撃っていない。行動調書に1小隊の2、3番機は遅れて進入してきたB-24、1機を捕まえ、協同して十七撃。右外側発動機を停止させたが、撃墜するにはいたらなかったと記録されている。2番機の野田光臣上飛曹は20ミリ90発、7・7ミリ400発。3番機、後藤庫一一飛曹は20ミリ90発、7・7ミリ160発を射撃している。

19日、ラングール基地上空哨戒中、川上泉一上飛はB-24、2機を発見。これを撃退。その他、詳しいことは不明だ。スピットファイアには無類の強さを発揮していた二〇二空の零戦だったが、B-24邀撃ではいっこうに振るわず、これら重爆との戦いで搭乗員3名を失っているにもかかわらず、間違いなく撃墜したB-24は6月11日の1機のみであった。

零戦に対しては連戦連敗を喫していたスピットファイアであったが、その高速で、ダーウィンへの海軍作戦の先行偵察に協力するとともに、同方面への戦略偵察に従事していた独飛第70中隊の百式司偵二型は次々に捕捉、撃墜していた。

9月7日、司偵によるダーウィン方面強行偵察を掩護するため、二〇二空の零戦36機が投入された。零戦隊は9時10分、高度7千5百メートル前後で同方面に進入。同時に攪乱のため司偵1機がダーウィンの手前、百キロ付近でレーダーに偽の機影を感知させる錫箔を散布して引き返した。

第1戦闘航空団のスピットファイアは48機が邀撃のため離陸。7500から8100メートルまで上昇していた。9時25分、沖合約30キロ地点で零戦36機対スピットファイア48機による猛烈な空戦が始まった。

鈴木実少佐は零戦隊を鮮やかに優位へと誘導し、未だ上昇中の第54飛行隊は千5百メートル、第452飛行隊は約千メートルの低位から交戦を開始した。第452飛行隊はすぐ散り散りになって逃げ回った。指揮官のロン・マクダーナルド少佐は後方にハップが食らいついてくるのを見た。左への急旋回で振り切ろうとした刹那、操縦席の中で20ミリが炸裂。落下傘降下を強いられた。第54飛行隊のビル・ハインズ中尉は戦死、ポール・タリー中尉も落下傘で降下した。

掩護してきた司偵が高速で南下して行くのを見た零戦隊は反転、帰途についた。編隊を組み、ダーウィンからかなり離れたところで、執拗に追尾してきていたスピットファイアが後下方の死角から鈴木実少佐の二番機、寺井良雄一飛曹機を撃墜。鈴木少佐と三番機、瀬沼武重二飛曹がすぐに反転して追跡したが、下手人のスピットファイアには逃げられてしまった。この日の行動調書では消費弾薬が記録されていないが、珍しく、以下のような個人戦果を記録している。


津田五郎二飛曹、SP(スピットファイア)撃墜1機。林武二飛曹、SP撃墜1機。野田光臣二飛曹、SP撃墜1機。島津正雄二飛曹は被弾7発。宮口盛夫中尉、SP1機を不確実撃墜して被弾2発。後藤庫一一飛曹、SP撃墜4機(1機不確実)して被弾5発。長谷川信市二飛曹、SP撃墜1機。阿川甲子良二飛曹、ボーファイター不確実撃墜1機。米山六弥二飛曹、SP撃墜1機、P-40撃墜2機。金丸健男上飛曹、SP撃墜1機。石田貞吾飛長もSP撃墜3機、被弾1発。

9月の戦死までに撃墜8機を公認されることになる後藤庫一一飛曹は、一人でスピットファイア3機撃墜、1機不確実もの戦果を報じている。彼の戦果8機に誤認が含まれているにせよ、撃墜の戦果報告を周囲の搭乗員や指揮官に納得させるだけの腕の冴えを空戦で見せていたことは間違いないはずだ。3機を落とした石田貞吾飛長もやがて9機撃墜のエースに成長してゆく。

以上、8回にわたったダーウィンでの零戦とスピットファイアの空戦の戦績は、スピットファイアの損失26機(戦死13名)に対して零戦の損失は5機(戦死3名)という、日本海軍の圧倒的な勝利であった。零戦に直接撃たれたのではないが(陸軍機の戦果と)空戦中の事故機をも含めたスピットファイアの損害は44機、戦死は15名にものぼっている。

当初は未熟であったスピットファイア部隊も、半年に及ぶ実戦と訓練で相当に鍛えられ、機械的なトラブルも改善さ

９月７日の空襲に直掩隊52小隊の小隊長として参加したエース、金丸健男飛曹長。この日はスピットファイア撃墜１機を報じている。金丸飛曹長はその後、ラバウル防空戦に参加したのち内地に帰還。公認撃墜数は12機であった。

９月７日の空襲に直掩隊52小隊、金丸飛曹長の３番機として参加したエース、石田貞吾飛長。この日は１発被弾したものの、初めての撃墜戦果として、スピットファイア撃墜３機を報じている。公認撃墜総数は９機。写真は332空時代。

二〇二空の坂口音次郎飛曹長、直掩隊51小隊の小隊長として９月７日のダーウィン空襲に参加しているが、個人戦果はなく、被弾もなかった。

ケンダリー基地の二〇二空の幹部。左から二人目がダーウィン戦大勝利の立役者、飛行隊長の鈴木実少佐である。鈴木少佐が指揮をしたダーウィン空襲で失われた零戦は９月７日の１機だけである。

二〇二空の下士官搭乗員。前列左、伊藤清二飛曹、中央は山中忠男上飛曹。18年夏または初秋、バボかラングールで撮影。白い防暑衣に飛行帽と飛行靴。南方に展開する典型的な海軍搭乗員の出で立ちだ。背景には粗末な宿舎、木の葉で葺いた見張り櫓やドラム缶風呂のような物など、背景には色の黒い現地人の姿も見える。南海の最前線基地の生活が垣間見える写真である。

オーストラリア空軍、第452飛行隊のスピットファイアとパイロットたち。ポートダーウィンでの防空戦を終えて、モロタイ島への移動を前に悪天候によって西部ニューギニアで待機を強いられていた当時の撮影。長い海上飛行に備えて全員が救命胴衣を着用している。

れていったはずだが、百戦錬磨の二〇二空の敵ではなかった。中東の砂漠でP-40「キティホーク」を駆って数多くの独伊機を屠ったコールドウェル中佐自身も、母国の防衛戦ではまったく生彩を欠き、戦果は少なく、しかも日本側の損害記録と照らし合わせると、そのほとんどが誤認戦果であった。コールドウェル中佐はスピットファイアの20ミリ機銃の不調に嫌気がさしたのか、ポートダーウィン戦の後、自分のスピットファイアの武装を、砂漠のP-40で慣れ親しんだ米軍の12・7ミリ、ブローニング機銃に換装してしまった。

その後、二〇二空は戦力を抽出され、部隊が2つに分割、再編成された上、戦闘による損耗も加わって、ふたたびダーウィン戦時のように、まとまった強力な精鋭として暴威を振るうこともなく19年7月10日に解隊された。

「ダンピール海峡の悲劇」
海上で陸軍機に破れた日本海軍の屈辱

「素晴らしく美しい熱帯の朝だった」断雲の中に発見された船団

ポートダーウィンで零戦とスピットファイアが初交戦した18年3月2日、ニューギニアでは苦戦に陥っていたラエでの戦況を立て直すため大規模な増援部隊を乗せた船団を巡る日本海軍と連合軍航空部隊の攻防が始まっていた。

2日朝、ラエに向かう陸軍五十一師団を乗せた船団、輸送船8隻と護衛の駆逐艦8隻はニューブリテン島の西端、グロセスター岬の北東にさしかかっていた。この重要な船団の掩護「八十一号作戦」は陸海軍の戦闘機が交代で上空哨戒を担当することになっていた。

2日の上空哨戒は昼までが海軍、午後は陸軍の担当であった。暁暗のカビエンを発進した二五三空の零戦は、まず第一直の9機が7時半から8時35分まで来襲した米軍機と交戦。B-17の撃墜確実1機、B-24撃墜確実1機、P-38撃墜確実1機、不確実1機を報じたが、小林市平飛長機が未帰還となり、野田徳晴二飛曹機がスルミ基地付近に不時着水して救助された他、3機が被弾するという損害をこうむった。

8時に来襲、一群の零戦と戦った第43爆撃航空群のB-17F型、ディフェンダーファー中尉機は急降下で退避を試みた。速度は450キロに達し、風圧で昇降舵の羽布が破れ、水平飛行が困難になったが、なんとか基地まで飛んだ。攻撃を受けたB-17のこの機動を見た零戦の搭乗員が撃墜確実を報告したのかも知れない。

9時に飛来したB-17、ハークロウ大尉機の射手は零戦の撃墜2機を報じている。

2時間後、さらにカビエン基地を発進してきた二五三空の二直9機もこの空戦に加わり、B-17と交戦、1機に燃料を噴出させた。計18機の零戦がこの空戦で使った弾薬は20ミリ1080発、7・7ミリ10800発であった。この空戦で、ホルセイ大尉のB-17は零戦に追跡され油圧管が破裂、乗員5名が負傷、機上で火災が発生した。機体は燃えながら海に向かって降下していた。零戦は撃墜を確信したことだろう。だが乗員は火傷を負いながらも消火、基地にたどり着いた。

この日は第43爆撃航空群のB-17、28機が2波に別れて船団を攻撃。最初のB-17、8機は輸送船の撃沈1隻、零戦の撃墜3機の戦果を報告している。この攻撃には第90爆撃航空群のB-24、2機も参加した。第49戦闘航空群のP-38が上空掩護に飛んだが悪天候のため爆撃機と合同できず、第39戦闘飛行隊のP-38の一部だけが空戦に参加している。この攻撃で「旭盛丸」が沈没した。

零戦が20ミリに対して10倍もの量の7・7ミリ機銃を撃ち

ポートモレスビーの掩体に入っているB-17。厳重に防弾され、防御火力も強力な重爆だったが、正面の火力と防弾は脆弱だった。日本陸軍の戦闘機は正面上方から降下加速をつけて操縦席かエンジンを狙った。一方、海軍の零戦は斜め前下方から主翼の付け根にあった燃料タンクと配管を狙って攻撃した。米軍はこの弱点を解消するため、後に機首の武装を強化した。

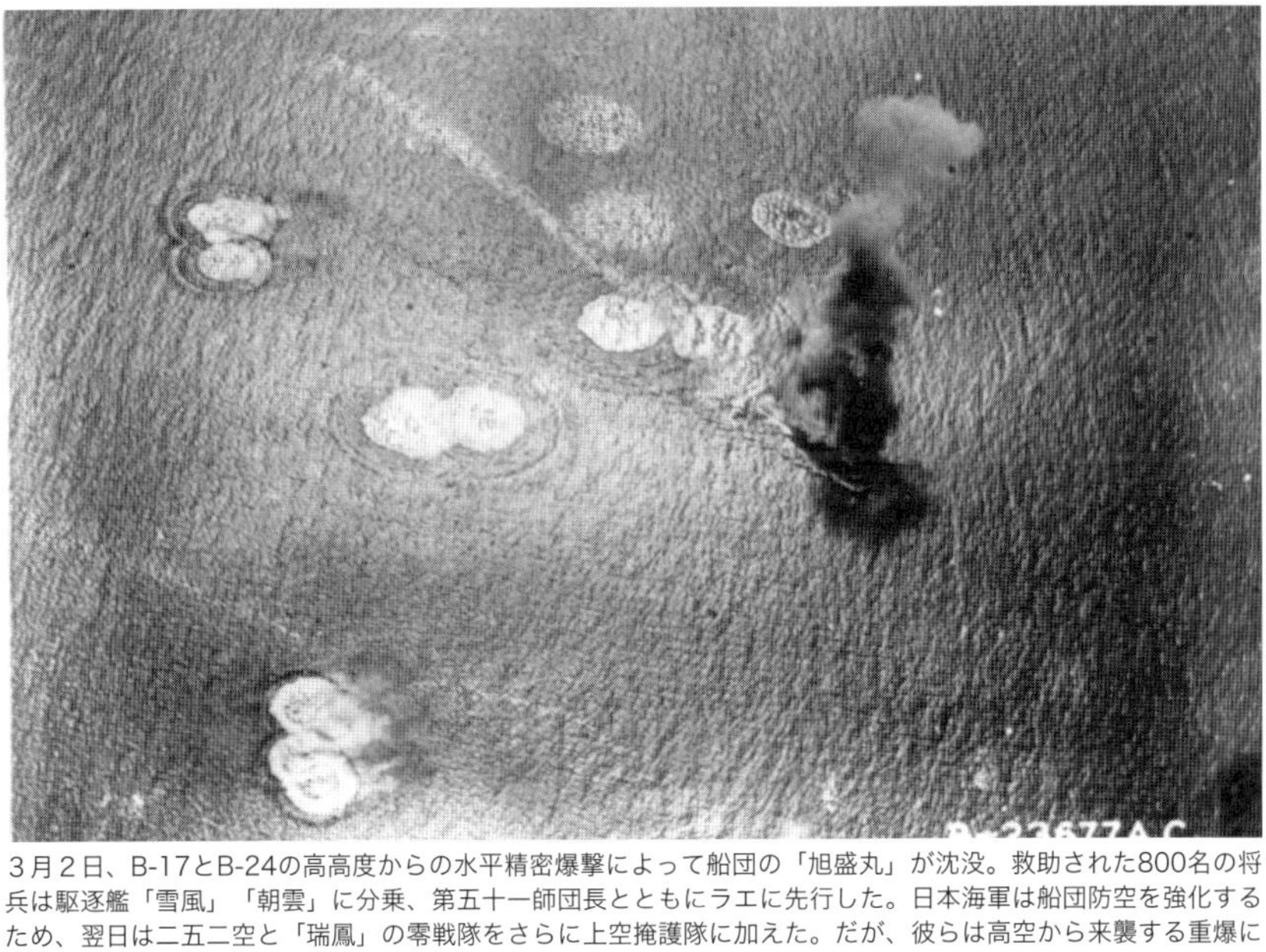

３月２日、B-17とB-24の高高度からの水平精密爆撃によって船団の「旭盛丸」が沈没。救助された800名の将兵は駆逐艦「雪風」「朝雲」に分乗、第五十一師団長とともにラエに先行した。日本海軍は船団防空を強化するため、翌日は二五二空と「瑞鳳」の零戦隊をさらに上空掩護隊に加えた。だが、彼らは高空から来襲する重爆にばかり気をとられていた。

まくったこの日、米陸軍に墜落機はなかった。7・7ミリの消費が多いのは、零戦は米戦闘機との交戦が少なく、米爆撃機の船団への照準を妨害するような牽制射撃に専心したからであろうか。

この日、船団航行地点に近いスルミ基地に派遣されていた二五三空の零戦3機は、B-24が1機来襲したという警報で14時30分に発進。同40分から15時まで戦ったが、吉田龍雄上飛曹機が不時着大破する損害を受けたのみで、B-24は雲の中に逃がしてしまった。

「人間でなく、獣と戦っている」
落下傘を撃つ零戦、漂流者を撃つ重爆

翌3月3日、前日の空襲で船団に被害が出たことから、第十一航空艦隊は掩護戦闘機の兵力強化を指示、二五二空と空母「瑞鳳」の零戦も掩護に加わることになった。

飛来した第65爆撃飛行隊のB-17指揮官ハロルド・ヘイスティングス少佐は「素晴らしく美しい熱帯の朝だった」と回想している。断雲が散る快晴の空の下、船団はダンピール海峡を抜け、ニューギニア、フィンシュハーフェンの東方海域まで進んでいた。7時50分、オーストラリア空軍のブリストル・ボーフォート双発雷撃機7機が航空魚雷による攻撃に失敗した後、米軍重爆がまた来襲した。まずB-17の水平爆撃で輸送船1隻が撃沈されてしまった。

当時、船団上空には、飯塚雅夫大尉率いる二五三空の零戦14機と、宮野大尉率いる二〇四空の零戦12機、佐藤大尉の「瑞鳳」の零戦18機、近藤中尉の二五二空の零戦8機、計52機がいた。

零戦が重慶で初空戦を経験した15年9月13日以来の古参「瑞鳳」の岩井勉上飛曹は船団が爆撃の水柱に包まれるのを見て来襲を察知。B-17の第二波が3機、2機、2機、2機、2機の単縦陣、零戦と同高度、6千メートルで爆撃針路に入って来るのを発見した。第43爆撃航空群のB-17、13機である。「瑞鳳」機は編隊を解き、先頭の3機に対して前下方から反復攻撃を行なった。

イースター中尉のB-17が爆撃針路に入った時、零戦に撃たれ、無線手、機関士、射手の一人が負傷。そして投下後、イースター中尉の頭部と胸を銃弾が撃ち抜き、副操縦士が操縦を引き継ぎ、穴だらけにされた機体で飛びつづけた。ハルカット大尉のB-17でも機関士が負傷、さらに大尉自身も頭部を撃たれ、副操縦士が操縦して爆撃は止め、ただちに針路を基地に向けた。クロフォード大尉のB-17も零戦に繰り返し撃たれ、酸素と油圧システム、爆撃照準器が壊れ、床には風防の破片が散らばり、下部銃塔が作動しなくなった。尾部銃座も射撃できなくなり、大尉自身と、射手2名、爆撃手が負傷していた。だが以上3機のB-17は基地まで帰って来た。

B-17では機長、爆撃手など機首の乗員に負傷が多い。岩

３月3日、失敗に終わったオーストラリア空軍による雷撃が終わると、船団の上空６千メートルに、高高度水平爆撃を行うB-17が現れた。当日、数多くの零戦が上空哨戒を行なっていたが、雲が多かったため、「瑞鳳」の岩井勉上飛曹は、写真のようにB-17が船団を狙って投下した爆弾の水柱で空襲を知った。

「瑞鳳」の岩井勉上飛曹。彼が率いる小隊は重爆に対して正面攻撃を反復。かなりの命中弾を見舞ったが、B-17は容易には墜落しなかった。

この日、二五三空の零戦14機を率いて船団の上空掩護をしていた飯塚雅夫大尉。ハワイ作戦以来の古参で、最終公認戦果８機のエースである。

井上飛曹の回想にもあるように零戦が正面から攻撃を繰り返したからだ。やはり日本海軍も、陸軍やドイツ空軍同様、米重爆に対しては正面攻撃を唯一の有効な戦法としていたのだ。しかし、互いに高速で接近する正面攻撃は非常に危険な戦法だった。

「瑞鳳」の岩井上飛曹は、攻撃を繰り返すうち、ついに1機が空中で大爆発したと回想している。牧正直飛長が先頭の3機編隊の1機、第43爆撃航空群のB-17F型、ウッドロウ・W・ムーア中尉の「カ・プフィオ・ウェラ/ダブル・トラブル」に体当たりしたのだ。「カ・プフィオ・ウェラ」とはハワイ語で「ひどい災難」という意味だ。

米軍は、操縦席付近がB-17に当たった牧機は一瞬で火だるまとなり墜落。当てられたムーア中尉機は爆弾を投棄した後、高度を失って行ったが、高度約3千メートルで尾部がねじ切れ、海に墜落したと記録している。牧機は意図的に体当たりしたというよりも、正面攻撃後の離脱のタイミングを誤りB-17と空中接触したのではないだろうか。日本陸軍やドイツ空軍の戦闘機も、正面攻撃ではしばしば離脱のタイミングを誤り、接触、または衝突している。

第43爆撃航空群のB-17の爆撃手として、この空戦に参加したゴードン・マヌエル少尉は「やられたB-17からは6名が落下傘降下したが、零戦が降下して来て、傷ついたウサギのように無力な彼ら全員を射殺してしまった。俺たちが人間ではなく、獣と戦っていることがよくわかった」と回想している。同じくウィリス・ブラディ大尉は「B-17は日本軍船団の真ん中に落ちた。その後、そこは我が軍の飛行機が徹底的に機銃掃射したから(生存者がいても、漂流する日本兵と一緒に撃たれて)誰一人生き残れなかっただろう」と述べている。

「瑞鳳」の零戦はさらに壇上滝夫上飛曹機を失った上、被弾機は8機を数えた。この損害からも「瑞鳳」の零戦が、B-17から撃ちだされる防御火器の火ぶすまの中に何度も突入して行った猛烈な敢闘が窺える。同航空隊はB-17の撃墜確実2機、不確実1機、その他、3機のB-17に多量の燃料を噴出させる損害を与え、さらにP-38、1機を撃墜したと報告している。

彼らがB-17と戦う間、二〇四空の零戦は掩護のP-38との空戦に巻き込まれていた。第9、第39戦闘飛行隊などのP-38、28機だ。二〇四空は指揮官の宮野大尉が単独で撃墜1機、中沢政一飛長が協同で3機、中根政明飛長が単独で1機、杉山英一二飛曹が単独で1機、山根亀治飛長が単独で2機など数多くの撃墜戦果を報告している。

実際、第39戦闘飛行隊ではP-38F型ロバート・フォロット機、ホイト・A・アースン中尉機と、フレッド・B・シフレットJr.中尉機が未帰還になった。その一方、二〇四空では、西山静喜二飛曹機が行方不明になり、矢頭元佑飛長機は重傷

二五二空の幹部たち。前列右から、分隊長の塚本祐造大尉、飛行長の舟木忠夫少佐、そして飛行隊長の周防元成少佐。周防少佐は13年４月に初撃墜戦果を報じて以来、15年秋から零戦に乗り、零戦と雷電の実用試験を担当した後、17年12月、二五二空の飛行隊長としてニュージョージア島、ムンダ基地に赴任。以来、部隊の陣頭に立ち幾多の空戦を戦い抜いた。総撃墜数は15機。

米陸軍航空隊のダグラスA-20「ハボック」双発爆撃機。３月3日、B-25とともに「スキップボミング」で大きな戦果をあげた。写真は西部ニューギニア沿岸で低空攻撃中、対空砲火で撃たれ墜落する寸前の姿。「ハボック」は低空攻撃が多かっただけに、対空砲火で被害を受ける場合も多かった。オーストラリア空軍も同機の英国仕様機を「ボストン」と呼んで使っていた。

を負って不時着水、駆逐艦に救助されたが間もなく絶命してしまった。３機もの戦果を報じた中沢飛長は深追いで、危うく逆に撃墜されそうになったところを宮野大尉に助けられ、左翼に1発被弾して帰って来た。

ところが来襲した連合軍機はそれだけではなかった。同じ頃、31機のノースアメリカンB-25双発爆撃機「ミッチェル」と、12機のダグラスA-20双発爆撃機「ハボック」が低空から船団に接近していた。

掩護のオーストラリア空軍、ブリストル・ボーファイター双発戦闘機13機が、20ミリ4門、7・7ミリ6挺の強火力で船団の対空火器を沈黙させる銃撃を反復する一方、B-25は高度60から１５０メートルで突進。「スキップボミング」を敢行した。

低空から高速で投下された爆弾を海面で水平に跳ねさせて船腹に命中させる、日本海軍が「反跳爆撃」と呼ぶ新戦法だった。

二五三空の本田稔上飛曹は低空攻撃に気づいたが、掩護のP-38が爆撃機への攻撃を阻んでいた。彼は高橋二飛曹等にP-38との空戦を任せると、強引に低空の爆撃機へと向かった。しかしあまりの数の多さに手が出せず、とにかく指揮官機を落として攻撃を混乱させようと先頭を飛ぶA-20を狙って突進した。二五三空は20ミリ１４００発、7・7ミリ３５００発を消費。A-20撃墜確実3機、不確実3機、P-38撃墜確実3機、不確実1機、B-17撃墜不確実1機の戦果を報告している。

二五二空も低空に降り、A-20、P-38と交戦。まったく損害を受けずに、A-20撃墜2機、P-38撃墜3機を報じている。

零戦は、実際に第90爆撃飛行隊のB-25C型1機を撃墜。さらに第30飛行隊のボーファイター、テッド・ジョーンズ大尉機を追尾射撃。乗員を二人とも負傷させ、主翼と油圧装置に命中弾を見舞い発火までさせた（ジョーンズ大尉機はポンディティに胴体着陸）。しかし攻撃を阻止することはできず、25分間にわたった攻撃で、米軍報告では、輸送船7隻、駆逐艦3隻が沈没または航行不能となった。

午後、さらにB-17、16機、B-25、23機と、オーストラリア空軍のダグラスA-20双発爆撃機「ボストン」5機が来襲。「ボストン」は「ハボック」の英国輸出型である。

午後の攻撃隊は、輸送船2隻と駆逐艦1隻を撃沈。15時20分に離陸した「瑞鳳」の零戦はわずか3機だった。午前中の戦闘で被弾と未帰還機、計10機もの損害を出したためだ。彼らは船団上空でB-17、1機、P-40、2機を発見、なんとか撃退した。

そして夜間、米海軍の魚雷艇が最後の輸送船を沈めた。こうして2日間にわたったビスマルク海での戦いで、輸送船8隻と駆逐艦5隻が撃沈され、ついに船団は全滅。爆撃を終えた連合軍機は、重爆のB-17までが低空に舞い降りて、漂流

３月3日、低空から日本の輸送船に迫る２機のB-25。航跡から輸送船が急転舵して爆弾を回避した様子がわかる。手前に見えているのは翼にはラウンデルがあるので、おそらくオーストラリア空軍のボーファイターだろう。ボーファイターは機銃掃射で艦船の対空砲火を制圧していた。

二五三空のエース、本田稔上飛曹は、低空からの攻撃に気づくと掩護のP-38の妨害を押しのけ、低空から船団に突進するA-20を攻撃した。本田上飛曹の最終撃墜戦果は17機。

炎上する輸送船。米軍は３月3日の大勝利を記録するため数多くの写真を撮影している。日本側は「ダンピール海峡の悲劇」と呼んでいる。米軍は「ビスマルク海の勝利」と記録している。

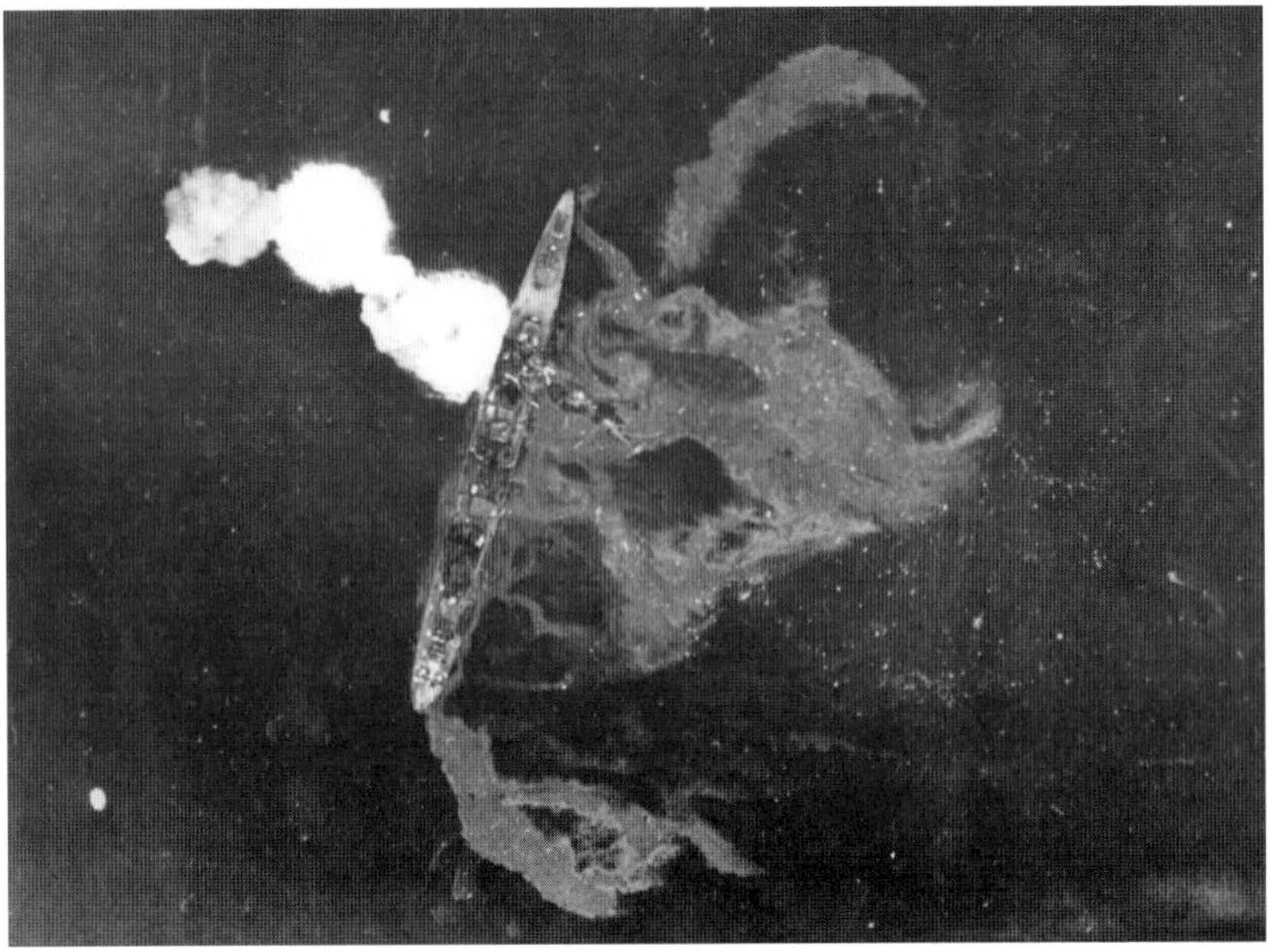

３月3日、右舷機械室に爆弾が命中、航行不能となり重油を漏洩している日本の陽炎型駆逐艦「時津風」。同艦は総員退去後、しばらく漂流した後、米軍の爆撃で沈められた。今も至近弾が着弾している。

する将兵を弾がなくなるまで執拗に銃撃して行った。ムーア中尉機の復讐を誓うある射手は１１００発も撃ち、過熱した機関銃が燃え上がったほどだった。この海戦で戦死、行方不明となった日本陸海軍将兵は5千名に達するとされている。

この作戦では海軍機が上空掩護をしている時間帯にばかり空襲され、陸軍機は交戦していない。攻撃に飛来した連合軍機は少数のオーストラリア空軍機を除いて、すべてが米陸軍機だった。

日本海軍機が米陸軍機に海上作戦で圧倒され、重要船団の掩護に完全に失敗したことは連合艦隊にとっては大きな衝撃であった。海上のプロが、アマチュアに破れたのである。この敗北による屈辱と危機感が後に「い号作戦」決行の遠因になったとも言われている。

３月3日、米軍が超低空から撮影した特型駆逐艦（吹雪型）の２番艦「白雪」。護衛部隊、第三水雷戦隊の旗艦であった「白雪」はこの作戦中、クレチン岬沖で撃沈されてしまった。

「未帰還機続出の3月」ルッセル基地を巡る悪戦苦闘

伝説の英雄、樫村飛曹長の不運な戦死

昭和18年2月21日、米軍はガダルカナルから約100キロ北西に位置し、日本軍の守備隊がいなかったルッセル諸島に「シービーズ」と呼ばれる海軍設営大隊を派遣。諸島の中でも平坦なバニカ島に飛行場の建設をはじめた。ソロモン諸島侵攻作戦のためにはガダルカナルだけではなく、新たな航空基地が必要となっていたのである。

2月の末には、米軍がこの島を占領したことに気づいた日本海軍は、3月5日、基地航空隊に攻撃を命じた。「第一次ルッセル島攻撃」である。

3月6日、バニカ島の上空哨戒に飛んでいた第67戦闘飛行隊のP-39K型4機は掩護なしで飛来した九九艦爆を発見した。11時42分から、ルッセル諸島、パブブ島の陸上施設と舟艇を攻撃した五八二空の九九艦爆12機の一部である。艦爆は250キロ爆弾4発、60キロ爆弾16発を使っての急降下爆撃を終え、低空で7・7ミリ2250発を放ち、地上施設や周辺の小船舶を存分に機銃掃射した帰りだった。艦爆が米戦闘機に襲われたのは11時50分である。

P-39が攻撃を開始、艦爆の撃墜2機、不確実1機を報じた時、突如、零戦15機が降下してきた。だが、降下加速がつきすぎていたためか零戦はP-39を攻撃できず、前方に抜けて行った。艦爆は実際に1機が自爆し、4機が被弾している。降下して来たのは、五八二空の零戦15機と思われる。野口義一中尉率いる1中隊1小隊の3機は、艦爆とともに地上掃射をするため低空に降りていた。双方を足すと、この日、零戦18機で発進したという行動調書の記述と合致する。

五八二空、角田和男飛曹長が率いる2中隊(9機)はその後、P-39、2機をしばらく追跡したがとり逃がした。この追跡で2中隊はバニカ島から離れてしまったが、1中隊2小隊、樫村寛一飛曹長が率いる零戦3機と、榎本政一二飛曹の率いる3小隊の3機は、野口小隊を上空掩護するため、追跡には加わらなかったものと思われる。

ルッセル諸島周辺を対潜哨戒のために飛んでいた海兵隊VMSB-144のSBD艦爆バラード技術軍曹機は7機の零戦に奇襲された。攻撃してきたのはグラマンを攻撃したと報告している1中隊の2小隊と3小隊の零戦6機と思われる。

バラード機は即座に爆雷を投棄、必死の回避運動で逃げ回った。後部の7・7ミリ機銃は15発撃ったところで故障。さらに後部射手は7・7ミリ2発を受けて負傷。散々に撃ちまくられたが、なんとか帰還することができた。バラード機の被弾状況はすごい。尾輪に20ミリ1発、左翼に20ミリ2発、

胴体左側後部席付近に20ミリ1発、方向舵に20ミリ1発、左補助翼の20ミリ1発、右翼と胴体左側および操縦席付近に7・7ミリ30発。すべて致命部を逸れてはいるとはいえ、これだけの被弾に耐えるSBD艦爆の強靭さも並ではない。

さらにこの海域ではVMSB-132のSBD艦爆も対潜哨戒に飛んでいた。バニカ島から20キロほど南東で3機編隊の機影を見つけたケリー中尉のSBDは、対潜哨戒中の友軍SBDと思い、合同するため、高度1800メートルから、1200メートルへと緩降下して行った。だが、そのうちの1機が編隊を離れると、ケリー中尉機に向かって正面から突進してきた。零戦だったのだ。すれ違い様に後部射手のバーナー軍曹が数発撃ったが効果はなかった。だが、その零戦が右側からもう一度攻撃してきた時、バーナー軍曹が放った銃弾が搭乗員に命中したらしく、その零戦は火も煙も発しないまま、海に落ちて行った。11時55分だった。「グラマンを攻撃。第一撃後、2小隊の2番機、3番機は引き起こし高度をとったが、小隊長の樫村寛一飛曹長の零戦は降下してゆき、それきり消息不明となった」と五八二空の行動調書にしるされている樫村飛曹長の最後に違いない。

残った零戦2機、2小隊の2番機、福森大三二飛曹機と、3番機、山内芳美飛長機は旋回しケリー機に向かって来た。SBD艦爆はバニカ島の米軍対空陣地に向かって飛び、低空で逃げ回った。追って来た零戦は軽対空火器で激しく撃たれ、引き上げて行った。実際、福森機は1発被弾して帰ってきた。

樫村飛曹長は、零戦を味方と見間違ったケリー中尉のSBD艦爆が彼らに向かって降下接近して来たので、攻撃して来るグラマンと勘違いしたのではないだろうか。そこで強火力のグラマンと正面から撃ち合うのを避け、軸線を外してすれ違い、鋭く旋回、鮮やかに右側に回り込み突進して来たのであろう。

この日の五八二空の総弾薬消費は20ミリ764発、7・7ミリ3100発であった。7・7ミリの消費数が多いのは、野口中尉率いる1小隊の零戦3機が艦爆とともに地上掃射に加わったからであろう。普通、地上掃射に貴重な20ミリはあまり使わない。

764発の20ミリ弾の大半は、1中隊、2、3小隊の零戦5機が、不幸なバラード機を撃ちまくるために使ったのではないかと思う。ケリー機は撃墜した零戦が「ナゴヤ」型だったと報告している。三二型のことと思われる。

零戦「ナゴヤ」型という記述は、戦時中の米海兵隊各飛行隊の戦時日誌に何度も出てくる。不時着した新型の零戦の銘板を調べ「三菱の名古屋工場」で作られていたことを知り、三二型を「ナゴヤ」型と呼ぶようになったあろうか。当時、二一型はもう中島でしか作っていなかった。従って銘板に「名古屋」の文字が入っていたのは三二型だけだ。

さて「ナゴヤ」型が本当に三二型だったとすると、20ミリ

100発弾倉を搭載している。円滑な給弾のため、80発から90発装塡していたとすると5機で800発から900発。バラード機を執拗に追い回し764発。全機、20ミリの残弾はもうわずかだ。

これだけ撃たれて生還したバラード機は不幸というよりは、むしろよほど幸運だったといえる。一方、樫村飛曹長ほど優秀な古参搭乗員を倒すためにバーナー軍曹が撃ったのは、たった百発の7・7ミリ機銃弾であった。しかも後部の双連7・7ミリ機銃のうち左銃が突っ込みを起こしたので、撃ったのは右銃1挺だけだった。

日華事変の空戦で中国軍機と空中接触し、片翼になった九六艦戦で生還した伝説の搭乗員、樫村機の未帰還は「グラマンの大群に単機挑戦し、衆寡敵せずに戦死」した。あるいは「対空砲火に落とされた」。「艦爆を戦闘機と見間違え、後方から接近中、撃たれて戦死した」など、様々に取りざたされており、結局は謎とされてきたが、今回のVMSB-132のケリー中尉の戦闘報告（当時のアクションリポート）によって真相が明らかになったといえるのではないだろうか。

これからはじまる、ルッセル諸島を巡る日米の攻防は、樫村飛曹長に命中したこの不運な1発が象徴するといってもよい展開になってゆく。

滑走路に弾痕の絵を描いて欺瞞？

3月8日、「瑞鳳」の零戦15機はニューギニアのオロ湾、ハーヴェイ湾の艦船攻撃のため、ラバウル上空で陸攻17機と合同して進撃。目標に向かって行った。

オロ湾の手前で、第9戦闘飛行隊のP-38、16機が陸攻隊に対し正面攻撃を開始した。P-38は一式戦と陸攻、各1機の確実撃墜を報じた。だが陸攻には損害なく、掩護の零戦も全機が無事だった。零戦は20ミリ220発、7・7ミリ130発（ママ）を放ち、P-38撃墜確実1機、不確実2機を報じたが、米軍にも損害はなかった。零戦は弾薬の消費も少ない。やはり、高空から一撃離脱の反復攻撃をかけてくるP-38は、撃墜以前に、有効射程に捉えることすら困難だったのであろう。

帰途、3機の零戦が燃料補給のためニューブリテン島南岸のスルミ基地に着陸していると、隣のガスマタ基地にB-17が1機偵察に来た。

第65爆撃飛行隊のB-17のロイド・ボーレン中尉はガスマタの滑走路に見える弾痕は埋められ、今見えるのは弾痕に似せて描かれた絵だと報告している。滑走路に弾痕の絵を描いて偽装するのは欧州でドイツ空軍が行なっていた欺瞞方法だった。

17年12月、樫村寛一飛曹長は五八二空に着任した。中央の椅子に掛けているのが樫村飛曹長。その右奥に立っているのは、後にエースに成長する堀光雄。樫村飛曹長は12年12月9日、南昌上空の空戦で中国空軍のカーチス・ホークと接触、左翼を大きく切断された九六艦戦で帰還。奇跡の生還として大きく報道された。総撃墜戦果は８機であった。

ニューブリテン島の南部、日本海軍航空隊のガスマタ基地。写真左側、爆撃の弾痕で白っぽく写っているのが飛行場である。常駐している航空部隊はなく、隣接するスルミ基地と並んで、ニューギニア方面への進攻途上にあるため補給、不時着場として使われていた。18年に撮影された米軍の航空偵察写真である。

ただし日本軍がそんな小細工をしたという記録は読んだことがない。弾痕の穴を埋め戻した痕が変色して、絵の様に見えたのだろうか。

そこでボーレン機は15機の零戦に襲われた。「瑞鳳」の零戦は正面攻撃を反復し、乗員4名を負傷させたが、とうとう撃墜はできなかった。

艦爆の「高速接敵戦法」失敗。第二次ルッセル攻撃

3月10日「第二次ルッセル攻撃」、五八二空の零戦と艦爆はふたたびルッセル諸島の攻撃に飛んだ。

米軍はルッセル基地秘匿のため、無線封止を実施していたが、6日、日本軍の攻撃を受けたため封止を解除。10日からはレーダーが一応使えるようになっていた。米軍は80キロ先で日本軍編隊を発見、ガダルカナルからカクタス空軍のP-38が8機緊急発進、ルッセル島の上空哨戒中だった海兵隊の戦闘機隊と合同した。

ルッセル諸島、バニカ島のリンガタ半島に設置された米海軍のSCR270レーダーの探知範囲は130キロから150キロ弱。このレーダーはガダルカナル基地の早期警戒システムとして19日から完全に稼働するようになる。

この10日、五八二空は低速の艦爆が、高速の連合軍戦闘機の邀撃を振り切るため、掩護の零戦とともに高高度から緩降下で高速で接敵してゆく新しい戦法を試した。今までの進撃高度3千メートルを、6千メートルに上げ、目標に向かって徐々に高度を下げて加速しながら、急降下爆撃の開始地点で高度を3千メートルにしようという戦法であった。

だが、実際に降下をはじめると重い艦爆は予想以上に速く、掩護の零戦がむしろ浮き上がってしまいがちで、掩護隊形が混乱してしまった。その隙を突いて4機のP-39と2機のF4Uが、高度5千メートルにあった積乱雲の陰から零戦の3中隊を奇襲。この敵機に真っ正面、前下方からたった1機の零戦が突っかけようとしていた。急機動についてこれなかった列機は、数百メートルも後方に取り残されている。

角田和男飛曹長は咄嗟に松永機だ。「危ない」と思ったが、艦爆の掩護位置から離れることができず、降下姿勢のまま雲の下に出た。高度2千メートル、攻撃を終えた艦爆隊が無事に帰還しつつあるのを見送って、角田機が上昇にかかると、格闘戦が繰り広げられている頭上から炎上しながら1機、白煙を曳きながらまた1機の飛行機が落ちて来た。やられたのは3中隊1小隊2番機、松永留八一飛曹と、同3番機、有村正則一飛曹だった。さらに艦爆、峯末飛長機が撃墜されてしまったうえ、対空砲火で艦爆、高橋中尉機が撃ち落とされていた。

この損害は、米軍の戦果報告と完全に一致する。零戦は20ミリ60発、7・7ミリ1150発を放ち、F4U撃墜1機を

報じている。角田飛曹長はコルセアを松永一飛曹の仇と思い定め報復を誓ったが、どうやら本当の仇はP‐39で、この日、コルセアは零戦に一方的な敗北を喫したようである。しかも五八二空はこの日、VMF‐124のF4Uを1機ではなく、2機、実際に撃墜している可能性がある。詳しくは後述する。

「損害は五分五分」陸軍重爆を守り抜いた零戦隊の敢闘

3月11日、二五三空、飯塚大尉が率いる零戦18機と「瑞鳳」の零戦13機は5時45分、「陸軍の新型重爆」飛行第14戦隊の九七式重爆二型26機とラバウル上空で空中集合、東部ニューギニアのブナ攻撃に飛んだ。

14戦隊は2日にラバウルのココポ飛行場に到着したばかりで、これが9日の攻撃につづきニューギニアでは二回目の実戦参加だった。開戦時、陸軍の重爆はほとんどが九七重爆二型に更新されており、どうして今さら行動調書に同機を「新型重爆」と書いているのかわからないが、ソロモン方面に陸軍の重爆が来るのはこれが初めてだった。そんなことで新型ということになったのだろうか。九七重には、9日のワウ攻撃でも二五三空などの零戦が掩護についてくれたが、この時は米軍戦闘機も現れず全機が無事に帰還していた。

今回の攻撃でも「瑞鳳」零戦隊が制空に当たり、二五三空が直掩に当たった。

二五三空は8時10分、目標付近に到達した。今度は米軍戦闘機が現れた。邀撃に向かって来たP‐38、P‐40は、24機の爆撃機とほぼ同数の掩護戦闘機を発見したと記録している。まず第8戦闘飛行隊のP‐38、グリーン小隊は掩護戦闘機を太陽の中から襲える位置をもとめて7千メートルまで上昇した。P‐38が降下突進を開始すると零戦は散開した。P‐38は爆撃機に正面から一撃を加えた。そのP‐38の後尾に食らいついた零戦をP‐38の僚機が攻撃しようとすると、別の零戦が後方に回りこんできた。この零戦は自著でこの空戦でこれに合致する状況を描写している「瑞鳳」の岩井勉上飛曹の零戦かもしれない。グリーン小隊長、ビル・ハニング中尉は「どんなにもがいても零戦の追尾は振り切れず、20ミリが風防を打ち砕き、両エンジンが炎に包まれた。脱出した刹那、ライトニングは爆発。意識を失った」と回想。だが落下傘は開いた。オーストラリア海軍のタグボートが彼を救助。病院に搬送された。さらに初めて空戦を経験するレオ・メイヨー中尉のP‐40は後方から命中した20ミリで計器盤を半分撃ち飛ばされ、彼も左腕に負傷したため、急降下で戦場を離脱して帰還した。

二五三空は20ミリ1800発、7・7ミリ5000発を撃ち、P‐38の撃墜確実5機、不確実4機、P‐39撃墜確実3機、不確実1機の戦果を報告。被弾による小破2機があったものの全機が無事に帰還した。

ニューギニアの密林上空を飛ぶ陸軍飛行第14戦隊の九七式重爆二型。機体後部に球形の13ミリ旋回機関砲座を装着した二型乙である。開戦時から不完全ながらゴム張りの自動防漏燃料タンクを装着し、後には操縦席と後部砲塔に装甲板と防弾ガラスを用い、さらに燃料タンクに窒素を注入する消火装置を追加するなど、九七重の防御力はしだいに強化されている。

3月11日、ニューギニアのブナで14戦隊重爆の爆撃を受けて完全に焼失した米陸軍第９戦闘飛行隊のP-38。陸軍重爆を完全に守り抜いた「瑞鳳」零戦隊はこの他にP-38を１機確実に撃墜したが、零戦２機を失った。この日、米軍のトップエース、リチャード・ボング大尉が零戦の撃墜２機を報告している他、４名が零戦の撃墜各１機を主張している。

3月11日、ブナでP-38の協同撃墜戦果を報じた「瑞鳳」の山本旭飛曹長。支那事変以来の古参エースで、撃墜戦果は判明しているだけで13機。

一方「瑞鳳」の零戦は20ミリ55発、7・7ミリ3550発を放ち、P-38撃墜確実2機（1機は山本旭飛曹長と大野安次郎一飛曹機との協同戦果）、不確実1機、P-39撃墜確実2機（1機は山本飛曹長）を報じたものの、2中隊1小隊2番機の北岡誠一一飛曹が行方不明となり、同3番機の小山弘飛長が自爆した他、被弾1機の損害を受けた。

戦果報告は互いに過大であった。しかし零戦隊奮戦の結果、14戦隊機は4機が被弾したものの全機が帰還できた。「瑞鳳」の零戦の20ミリの射撃数が少ない割に7・7ミリの発砲数が極端に多いのは、爆撃機に近寄ろうとする米軍戦闘機を追い払うために7・7ミリでの牽制射撃をさかんに行なった結果だろうか。そして2機を犠牲にしながら、重爆を守り抜いたのかもしれない。

重爆の爆撃では地上の第9戦闘飛行隊のP-38が1機炎上、整備兵2名が戦死した。

13日の早朝、5時45分、五八二空の角田和男飛曹長率いる零戦3機がブインを離陸した。P-38が単機で飛来したという警報に接して緊急離陸したのだ。しかしP-38は追ったが逃がしてしまった。17日、5時25分、今度は鈴木中尉が零戦7機を率いてブインを発進、P-38を追撃したが、またとり逃がした。19日、榎本政一二飛曹の零戦2機が5時10分に離陸、P-38を追ったが、これも逸した。翌20日、榎本二飛曹はまた零戦2機でP-38を追ったが捕捉はできなかった。21日、長野喜一二飛曹の零戦2機もP-38をとり逃がした。31日、福原憲政一飛曹以下、零戦3機で追ったP-38も逃げ延びた。これら朝一番で単機飛来してきたP-38は、すべて第17写真偵察飛行隊のF-5写真偵察機と思われる。

撃沈2隻、しかし艦爆に犠牲続出。ニューギニア進攻での死闘

3月28日、ニューギニアのオロ湾に集結中の連合軍艦船を攻撃するため五八二空の九九艦爆18機が出動した。二〇四空、川原茂人中尉率いる零戦12機と、二五三空、飯塚雅夫大尉が率いる零戦27機が掩護についている。

内地から3月初旬に二〇四空に赴任して来た川原中尉はこ

れが初めての実戦出動だった。川原中尉は、この日の出撃でかれの3番機を務めることになった大原亮治飛長のかつての教官だったが、すでに半年余りも第一線で戦って来た大原飛長に「戦地慣れしていないので、なにぶんにもよろしく頼む」と挨拶したという。川原小隊の2番機、川岸次雄飛長もこの日が初陣であった。

戦爆は8時25分にラバウル上空で合同。一路、進撃に入った。約2時間後、オロ湾上空に達し、10分後、攻撃に入った。二〇四空は艦爆隊の直接掩護を命じられていた。川原中尉と川岸飛長は激しい対空砲火の中、艦爆の急降下についてまっしぐらに降下していった。3番機の大原飛長は、何度も死地をくぐり抜けて来た経験から、とても危なくて追随できず、実戦の怖さをまだ知らない2人の突進に危惧を抱いた。

艦爆による急降下爆撃によって、米海軍の第一次大戦中の駆逐艦を改装した輸送艦「マサヤ」1174トンが3発の直撃弾を受け沈没（戦死6名）、さらに貨物船「バンタン」3322トンも7発の命中または至近弾で沈没した。

爆撃終了後、第49戦闘航空群のP-38と、P-40が姿を現した。駆逐艦に250キロ爆弾を命中させた艦爆隊の指揮官、宮坂雄一郎大尉は九九艦爆で米戦闘機に空戦を挑んだが未帰還となった。さらに輸送船に命中弾を見舞った加藤一飛曹の艦爆もP-39に撃墜されてしまった。特設巡洋艦への至近弾を報告した押村二飛曹の艦爆も被弾して不時着大破、搭乗員は両名とも戦死してしまった。

最初に襲いかかって来たのは、第49戦闘航空群、第9戦闘飛行隊のブルー小隊、4機のP-38。率いるのはダーウィン防空戦の古参、クライド・ハーヴェイ中尉だった。

やがて第8戦闘飛行隊のP-40、8機もほぼ同時に戦闘に加入。その頃、さらに6機のP-38が緊急出動していた。

ブルー小隊のP-38、4機はまず掩護の零戦との空戦に入り、零戦2機を火だるまにしたと報告。ブルー小隊、レッド小隊のP-40、計8機も零戦との空戦に入り1機を撃墜を報じた。レッド小隊のセシル・デウィーズ少尉は艦爆を夢中で追いかけている時、零戦が後方に回り込んだことに気づかなかった。風防が20ミリで粉砕され、少尉は即死、P-40は背面錐揉み状態で墜落した。

二五三空は20ミリ1750発、7・7ミリ12200発を消費し、P-38撃墜確実3機、不確実3機、P-39撃墜確実3機、不確実3機、P-40不確実1機を報じたが、零戦2機が未帰還、さらに3機が被弾していた。二〇四空は撃墜確実5機、不確実1機を報じ、全機が無事に帰還した。大原亮治飛長はP-40を低空に追いつめ、撃墜。海中に落ちた敵機の飛沫を被るほどの低空だったと回想している。

日本側の撃墜確実11機の報告に対して実戦果は1機のみ。零戦2機、艦爆3機もが失われ、この空戦は日本側の明らかな敗北だった。

3月の空戦は非常に低調

3月31日、米海軍情報部の損害リストによると、VMF-124のF4Uが2機、空戦で撃墜された。ただしパイロットの氏名も墜落後の状況（戦死、行方不明、救助など）の記載がない。31日は二〇四空と五八二空の零戦31機が「ムンダ上空邀撃」に飛んでいるが、8時44分に五八二空機がP-38を1機発見「追撃、三撃を加えたが効果不明」というのが唯一の交戦であった。零戦以外の航空隊の行動調書にもこの日、コルセアと交戦して撃墜戦果を挙げたという記録はない。

3月中、零戦がコルセアと空戦したと報告されているのは10日だけである。単純な日付の誤記（他にも明らかな誤記がある）だろうか。この10日、五八二空の行動調書には「4機のP-39、ボートシコルスキー2機と交戦、撃墜1機」と記録されている。この日、P-39にやられて未帰還になった零戦2機のうちどちらかが、実はF4Uをもう1機撃墜していたのかも知れない。

3月の空戦は2月と比べると非常に低調だった。米海軍と海兵隊の基地航空隊はソロモン、ビスマルク方面で延べ358機が出撃したが、そのうち空戦に至ったのはたった4機のみ。この4機は、1機の日本軍爆撃機と、17機の日本戦闘機と交戦。その空戦の中で、撃ち落としたと報告されている日本戦闘機は1機のみ。一方、日本戦闘機との交戦で2機、作戦中の事故で4機を失っている。

3月6日、SBDバラード機は7機の零戦と交戦、同日SBDケリー機は零戦3機と交戦して樫村機を撃墜。もしコルセア2機を失った31日が10日の誤記なら、VMF-124のコルセア2機は五八二空3中隊の6機と交戦し2機とも撃墜されてしまった（この空戦で零戦2機を落としたのは陸軍のP-39）、ということになって、SBD2機とF4U2機が零戦計16機（ここだけ1機、数が違う）と交戦、1機を落としてF4Uを2機喪失したことになる。そして交戦した「1機の日本軍爆撃機」というのが10日、零戦が掩護していた五八二空の艦爆であれば、すべての辻褄が合う。

またソロモンの米陸軍第13航空軍は3月中、P-39が撃墜計8機を報じ、損害は皆無だったと記録している。一方、ニューギニアの米第5航空軍は零戦との空戦で4機のP-38とP-40、B-17、B-25各1機を失っている。

3月、零戦は15機を喪失、搭乗員14名が戦死した。一方、零戦との交戦で撃墜された連合軍機は、10日（または31日）の不確かな戦果まで含めて9機だった。

本当のことを言ったら、評価されなかった「エイプリルフール」

「初陣を生き延びれば、半年は大丈夫」当たらなかったジンクス

4月1日、8時23分、ルッセル諸島、バニカ島のSCR270レーダーは、約200キロ西方に日本軍編隊を捉えた。

7時25分から順次ブイン基地を発進した二〇四空、川原茂人中尉率いる零戦12機と、五八二空、鈴木宇三郎中尉が率いていた零戦20機である。任務は「ルッセル島付近敵機掃蕩」だった。

ガダルカナルからは護衛空母「スワニー」のVF-27（第27海軍戦闘飛行隊）のF4Fが28機、VMF-124と221のF4Uが8機、さらに第12戦闘飛行隊のP-38、6機が邀撃のため緊急発進した。VMF-221「ファイティング・ファルコンズ」にとっては、これが従来のF4Fから、新型のF4Uへと機種を改変した新編成後、初めての実戦出撃であった。

8時45分、五八二空はルッセル諸島の上空でグラマン約30機を発見。VF-27のワイルドキャットであろう。そして、五八二空は二〇四空の零戦とともに、日米海軍機同士の空戦に入った。

この空戦で二〇四空は20ミリ566発、7・7ミリ1385発を放ち撃墜確実9機、不確実2機を報じたが、指揮官の川原茂人中尉機と、杉山英一二飛曹機が未帰還となった。川原中尉は二度目の出撃でとうとう敵機の餌食となってしまった。この頃、内地から転勤して来る士官は飛行時間は長くとも実戦経験がなく、戦場慣れする間もなく呆気なく戦死してしまう場合が多かったという。なんとか初陣を切り抜ければ、その後、半年は生き残れるともいわれていた。だが川原中尉にはあてはまらなかったのである。

五八二空は20ミリ1365発、7・7ミリ5890発を消費、撃墜確実19機、不確実2機を報じ、一本津留美二飛曹の零戦が未帰還となった。

「20ミリを撃ち尽くし、7・7ミリで血戦死闘」ルッセル上空の大空中戦

およそ2時間後、ブカ基地からも二五三空、飯塚雅夫大尉が率いる零戦26機が発進。10時30分、P-38とF4U約40機、F4F約40機もの大編隊との空戦に入り、20ミリ1700発、7・7ミリ10480発を消費。P-38撃墜確実10機、不確実1機、F4U撃墜確実9機、不確実1機、F4F撃墜確実4機、不確実1機の戦果を報告している。

だが15分間の空戦で、零戦6機が未帰還になり、2機が大破、さらに2機が被弾、重傷、軽傷各1名という大損害をこ

うむった。

損害は各中隊、各小隊に散っており、また清水一飛曹を除くと、犠牲になったのは、2番機、3番機の搭乗員で経験の浅い者から米軍機に喰われていったことがわかる。さらに未帰還機、大破機の分を考えると20ミリ機銃弾は大半が消費されており、7・7ミリの射撃数が多いのは20ミリ弾が切れた後も7・7ミリ機銃だけで戦いつづけた結果ではないかと思われる。二五三空が戦ったこの日後半の空戦が、どれほどの混戦、激戦、苦戦であったかを示す数字である。

朝から昼前まで、断続的におよそ3時間もつづいた大空中戦で、F4Fは零戦の撃墜8機、F4Uは11機、P-38も1機、撃墜戦果合計20機を報告。一方、護衛空母「サンガモン」搭載の飛行隊VF-26と、同「シェナンゴー」のVF-28に所属するF4F-4を計4機、VMF-124は1機のF4U、第339戦闘飛行隊はP-38J型1機などを失い、損害の総数は6機とパイロット2名だった(この日姉妹艦「スワニー」のF4Fも3機撃墜された可能性がある)。一方、零戦の損害は未帰還9機、搭乗員の戦死9名。これまで基地航空隊が1日の空戦でこれほどの零戦を失ったことはない。

タンカーを改造して作られた護衛空母「サンガモン」と「シェナンゴー」、「スワニー」の3隻の任務はソロモン方面に赴く輸送船団の上空哨戒だったが、搭載機は、4月頃から第22空母部隊航空団としてガダルカナルのヘンダーソン基地に派遣されていた。例えば「シェナンゴー」の第28航空群は、4月、5月の6週間と、6月下旬から7月上旬の4週間、ガダルカナル基地から作戦していた。日本でも、空母「隼鷹」や「瑞鳳」の艦上機が派遣隊として基地航空隊に臨時派遣されている。

海兵隊のVMF-221「ファイティング・ファルコンズ」は戦時日誌に、初めての実戦でまったく損害もなく「ナゴヤ」型零戦の撃墜確実7機、不確実4ないし5機の戦果を報じた。「エイプリルフールだが、本当に1発の被弾もなかったのだ」と誇らしげに記録している。

護衛空母のワイルドキャット、VMF-221のコルセアなど、初めて実戦を経験する米軍戦闘機が、ソロモンで長く戦ってきた零戦隊に対して開戦以来最大の打撃を加えた。しかも撃墜の戦果報告はかなり正確で実際の戦果のおよそ二倍。だがそのため報告戦果数が少なく、この空戦は米軍に大きな勝利として認識されてはいない。

日本側も合計で撃墜確実51機、不確実7機という、零戦が報じた幻の大戦果を信じていたため、犠牲は多くとも敗北とは思っていなかった。

日本の米軍向け宣伝放送「ラジオ東京」は、この日の空戦について「合衆国は大量生産の国から、今や大量破壊の国へと変わった。米国民にはいずれ真実を知る時が来るだろう」と放送した。

乾坤一擲、海軍航空隊の雪辱戦「い号作戦」を発起

沿岸監視員「コーストウォッチャー」の活躍。日本機の数、機種、針路、すべて知られていた

4月6日、ほぼ連日のように、日本海軍の前線航空基地へとうるさく飛来してくる第17写真偵察飛行隊のF-5A型偵察機がついに大物を捉えた。ブイン基地に114機、バラレ基地に95機もの日本機が集結しているのを発見したのだ。日本軍は何か企んでいる。「スロット」で何か起こるはずだ。

ソロモン方面の航空戦は、連合軍が「スロット（細長い溝）」と呼ぶ、ガダルカナル島からブーゲンヴィル島に至る長さ560キロ、幅110キロの水域で戦われていた。「スロット」の両脇にはソロモン諸島の島々が連なり、そこには「コーストウォッチャー」と呼ばれる連合軍の沿岸監視員が配備されていた。彼らは日本軍の支配地域内、ブインやブカ海峡、ラバウル付近にまで浸透しており、日本軍航空機、艦船の動静を報告するばかりでなく、付近に不時着したり落下傘降下した連合軍パイロットの救出保護にも活躍していた。彼らが救助した人員は、沈没艦船の兵員280名、パイロット321名、脱走した捕虜75名、欧米市民190名、アジア人260名に達している。沿岸監視員からの無線通信情報によって米軍は空襲を逸早く知り、戦闘機を有利な位置、高度に配備し待ち伏せているのが常だった。

零戦は高速偵察機、F-5A型の跳梁に手を焼いていたが、飛行機からの情報には限度があった。だが沿岸監視員からは、高空から高速で偵察する飛行機にはわからない情報を得ることができたのである。標準的な沿岸監視チームは、正式な訓練を受けた信号兵3名を含む将兵6名と、信頼できる現地人協力者12名からなり、半径40キロ以上の地域を監視していた。人里離れた場所にいた監視チームは安全だったが、日本軍支配地域のそばにいたチームは絶えず移動し、日本の討伐隊から逃れていた。

日本軍は沿岸監視員を掃滅しようと躍起になっていた。C・A・ウィロビー著「マッカーサー戦記」によれば、沿岸監視員を含む「連合軍情報局」の秘密活動員の損害は戦死164名、捕虜75名、行方不明178名にのぼるという。彼らの活躍は戦後、冒険活劇としてハリウッドで映画化されている。名画「南太平洋」の主人公エミールも、この種の任務を志願するという設定になっている。他の映画も、息を呑むように美しいソロモンの自然の中で、母国で放蕩と無頼を重ねた青年が沿岸監視員に志願、過酷な任務の中で更正し成長してゆく、現地のコプラ農園主が忠実な現地人の助けで日本軍の後方撹乱活動を続けるというような筋立てだが、長年にわたって差別され酷使されて来た現地住民は欧米人に敵意を抱いて

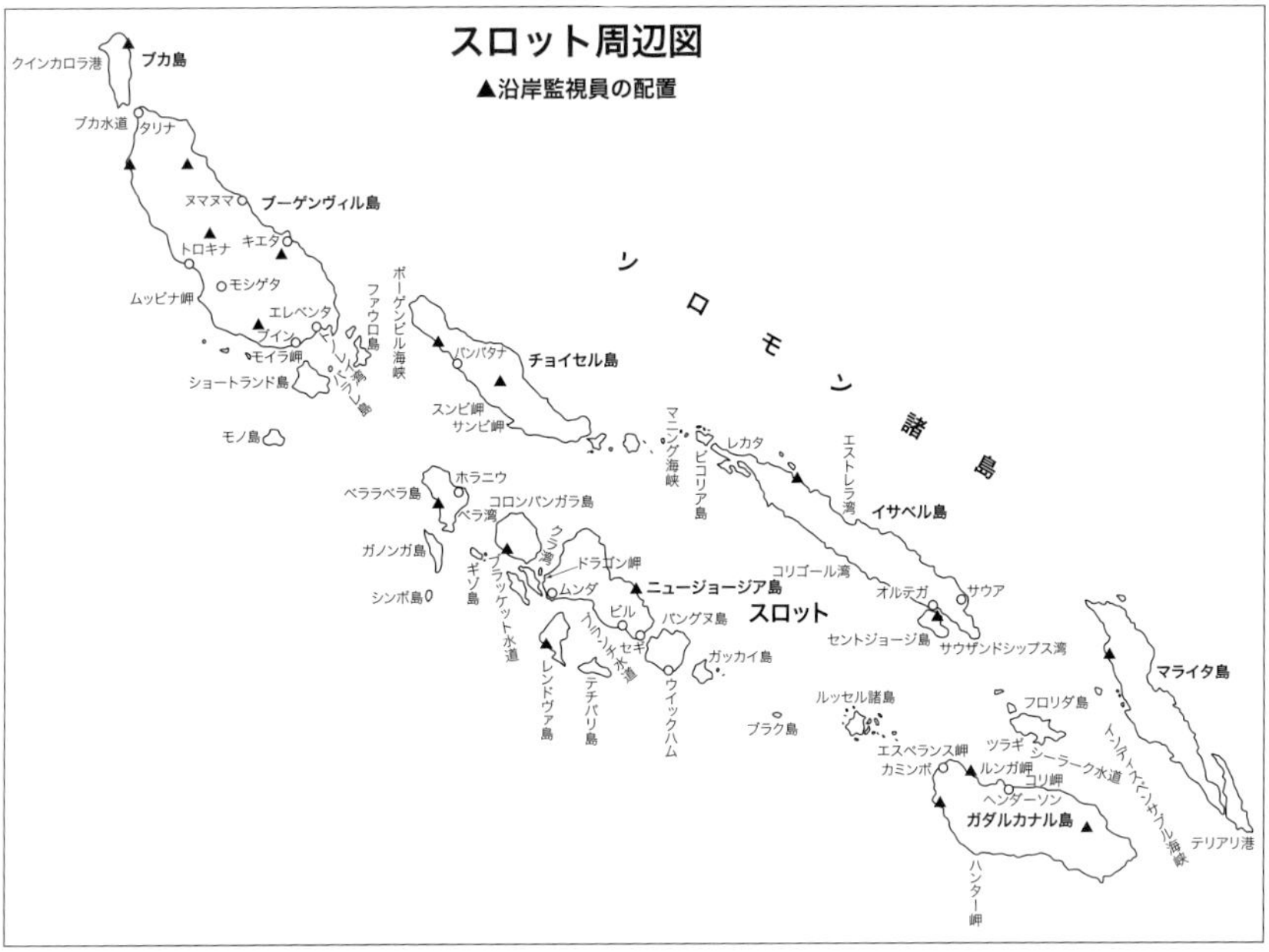

いる場合も多く、沿岸監視員は彼らに殺害されたり、日本軍に通報される場合も多かった（映画では人喰い人種を味方につけた日本軍が連合軍工作員を追いつめる）。友好的な現地人もいたが、この地域で長く植民地支配をつづけ、特に嫌われていたオランダ人工作員による潜入作戦はその三分の一が失敗したという。

例えば、ブーゲンヴィル島にいた伝説的な沿岸監視員、ジャック・リードは、日本軍の討伐に協力している現地人の村を爆撃させ、日本からの離反を強要した。彼は戦前、西洋人が他の島から労働者として連れて来て、彼らの避難ともに職と居場所を失った者や、反日感情の強い中国系の移民などを手下として使い、深夜、日本軍に協力している村の小屋に放火。それを目印に「ブラックキャット」と呼ばれる米海軍の黒塗りのカタリナ飛行艇が爆弾と焼夷弾で村を爆撃した（この爆撃では「幸いにも」村の若者1人が負傷しただけだった、と、彼は回想している）。

日本軍は現地住民に対する宣撫工作を進める一方、沿岸監視員に協力していた現地人、その疑いのある者は村人の前に引き出して容赦なく斬首していた。

味方の大きな犠牲も、現地人への残虐行為の応酬をも厭わず活動をつづけていた沿岸監視員によって、日本陸海軍航空部隊はニューギニア、ソロモン戦域で終始、不利な戦いを強いられていたのである。

「い号作戦」第一撃、X攻撃、ガ島方面敵艦船攻撃

「まるで真珠湾に行った時のようだ」搭乗員の士気大いに上がる

4月7日の正午、ニュージョージア島にいた連合軍の沿岸監視員は、多数の零戦につづいて、艦爆と零戦の大編隊が次から次へとニュージョージア島とサンタイザベル島間の「スロット」を東に向かっていると報告、F-5A型の偵察結果を裏付ける情報だった。

日本海軍の基地航空隊、母艦航空隊の総力、計350機を結集、ソロモン方面の連合軍兵力を破砕し、戦局を一気に打開しようとする「い号作戦」が発起されたのである。山本五十六連合艦隊司令長官が陣頭指揮のためラバウルに飛来。攻撃部隊の将兵を直接激励。さらに同作戦に先立って、進攻水域の天候偵察、艦船攻撃、さらに不時着搭乗員の救出などのために呂号潜水艦4隻が進撃経路の海域に派遣された。

日本海軍は、2つの制空隊と4つの攻撃隊に分かれて進攻した。

第一制空隊である二五三空の零戦21機がブカ基地を発進、その15分後、第二制空隊、二〇四空の零戦26機が発進していった。

第一攻撃隊は「瑞鶴」零戦27機。「瑞鳳」零戦3機。「瑞鶴」艦爆17機。

第二攻撃隊は五八二空の零戦21機と艦爆18機。

第三攻撃隊は「飛鷹」零戦24機、「瑞鳳」零戦6機。「飛鷹」艦爆17機。

第四攻撃隊は「隼鷹」零戦18機、「瑞鳳」零戦3機。「隼鷹」艦爆16機。

零戦157機、九九艦爆68機もの堂々たる大編隊に、戦いに倦み疲れていた古参搭乗員でさえ「ハワイ作戦の再来のようだ」と喜び、士気は大いに上がっていた。

「カクタス・エアフォース」は可動全機、76機の戦闘機を邀撃に上げた。36機のF4F、9機のF4U、12機のP-38、13機のP-39、6機のP-40である。日本機の進撃経路「スロット」に連なる島々に点々と配備されている沿岸監視員から日本機の数、針路、高度などの情報が刻々と届き、米軍戦闘機は地上からの無線で邀撃に有利な位置、高度へと誘導されていた。

斉藤三郎中尉の率いる第一制空隊と、宮野善治郎大尉が率いる第二制空隊の零戦47機はエスペランス岬を越え、ルンガ岬へと向かっていた。空は晴れていたが断雲が多く視界はあまりよくなかった。

艦爆と掩護の零戦からなる攻撃隊は制空隊よりもやや北、サボ島の上空を通って、第一攻撃隊、第二攻撃隊はフロリダ

ガダルカナル島のヘンダーソン飛行場。「カクタスエアフォース」の根拠地である。その沖合がルンガ泊地であった。艦船が停泊している。画面の奥にはツラギ泊地のあるフロリダ島の島影が見える。ヘンダーソン基地は、ミッドウェー海戦の際、被弾後、日本空母に体当たりしたと言われるヘンダーソン少佐機に因んで命名されたといわれている。

X 攻撃経過概要図(昭和十八年四月七日)

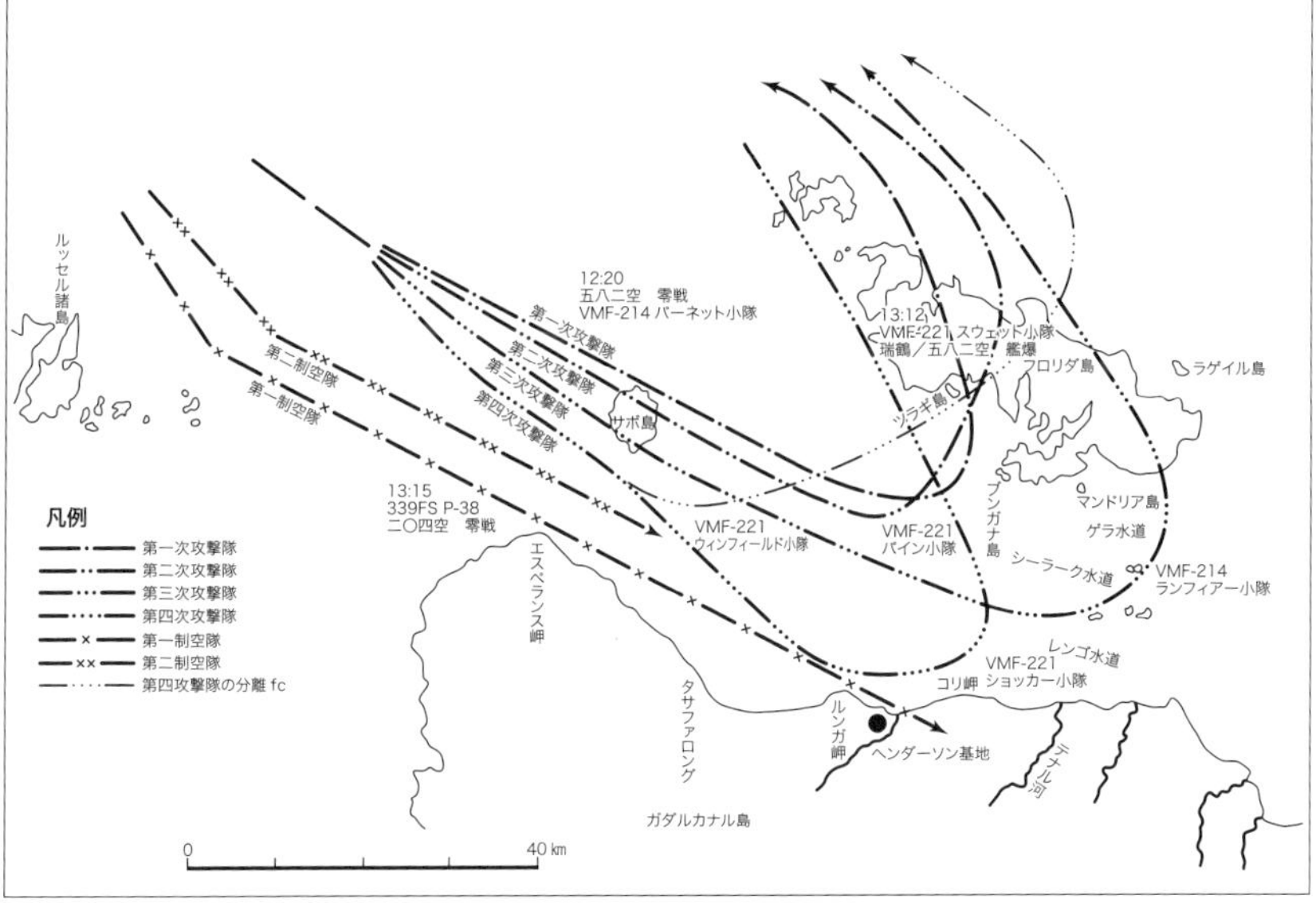

島のツラギ泊地、第三攻撃隊はシーラーク水道、第四攻撃隊は、ガダルカナル島のルンガ泊地へと向かっていた。

海兵隊ＶＭＦ－２１４「ブラック・シープ」のワイルドキャット12機は日本機を迎え撃つため、当初、ルッセル諸島に向かって飛んでいたが、レーダーからの情報で変針。高度９千メートルまで上昇。エスペランス岬の沖で急降下爆撃機を発見した。

12時20分、最初に空戦に入ったのは第二攻撃隊、五八二空の零戦隊21機であった。五八二空はグラマン撃墜２機を報じたが、零戦１機、本田秀正飛長が行方不明になった。一方、初めての実戦に臨んだＶＭＦ－２１４では、急降下爆撃機２機、零戦撃墜１機を報じたが、エスペランス岬でバーネット大尉のワイルドキャットが撃墜されて落下傘降下した。

つづいてＶＭＦ－２２１のＦ４Ｆが空戦に加入。まず掩護の零戦約30機を艦爆の編隊から切り離した。これは第二攻撃隊、五八二空の零戦21機と思われる。12時57分「全軍突撃せよ」が発令された。各攻撃隊はサボ島上空付近から、それぞれの攻撃目標へと殺到して行った。

「今日は弾を余分に積んでおいたよ」単機で艦爆７機を連続撃墜

ＶＭＦ－２２１「ファイティング・ファルコン」のジェームズ・スウェット中尉はこの日、ツラギ泊地上空で米艦船を狙う九九艦爆を単機で、しかも15分間で７機を確実に撃墜、８機目も確認はできなかったが落ちた可能性があると報告、議会名誉勲章を授与された。22歳の彼にとって、これが初めての空戦だった。

彼のワイルドキャットも艦爆の旋回機銃と「味方の対空砲火」で損傷し、全弾を撃ち尽くした後、彼自身、落下傘降下して救助された。彼の逸話で興味深いのは「今日、私の兵装係は銃弾を15発か20発、余分に搭載していた」と回想している点である。零戦が円滑な装弾を期待して20ミリ機銃の百発ドラム弾倉に80から90発と一割程少ない銃弾を装填していたのに対して、ワイルドキャットはカタログデータより多くの銃弾を積むことができたらしい、ということが推測できる。なんとも対照的な逸話ではある。

ツラギを襲った艦爆は第一攻撃隊「瑞鶴」の17機と、第二攻撃隊、五八二空の18機であった。うち五八二空の岡村大尉機が進撃の途上エンジン不調で編隊から脱落、行方不明になったので、ツラギ上空に達したのは34機であった。艦爆はＦ４Ｆの迎撃と対空砲火の壁を突破し、ツラギに停泊していた米油槽艦「カナファ」（１４５００トン）、ニュージーランド海軍のコルベット艦「モア」（６００トン、戦死5名）と、米海軍駆逐艦「アーロン・ワード」（１８３９トン、戦死行方不明27名）を撃沈した。

だがここで瑞鶴３機、五八二空３機、計６機もの艦爆が自爆、未帰還となっている。五八二空の1機は対空砲火で撃墜されたと記録されている。「瑞鶴」の艦爆は1機が被弾して火災を起こして墜落、未帰還の2機も対空砲火によるものと思われるが不明としている。だが「瑞鶴」艦爆隊はグラマン2機と交戦、1機を撃墜し、1機を撃退したとも報告している。スウェット機を撃墜したのは「瑞鶴」の艦爆かも知れない。1機、2機と艦縛を落としたスウェット中尉は3機目の艦爆を射撃、しかし燃えない。そこで食いついたまま離れないように操縦桿を引いた時、機体に大きな衝撃が走った。「左翼外側に大穴が空き、機銃が1門吹き飛ばされた。味方の対空砲火が当たったらしい」と回想している。しかし「瑞鶴」の艦爆は、彼が知らなかった強力な火器をもっていた。

「瑞鶴」「飛鷹」艦爆隊、20ミリ旋回機銃で奮闘

この日の「瑞鶴」の行動調書を見ると艦爆隊の消耗兵器の欄に「250キロ16発、20ミリ600発、7・7ミリ50発」という記載がある。艦爆に20ミリ機銃なんてありえない、単なる誤記だと思ったが「瑞鶴」の艦爆14機が参加した4月11日の行動調書にも「20ミリ370発、7・7ミリ1805発」との記載があった。単純な誤記が二度もつづいたかと思ったが、なんと「飛鷹」艦爆隊の行動調書（4月14日）にも、艦爆1機、1機の弾薬消費の欄に20ミリ何発、7・7ミリ何発という記録がある（123頁表、参照）。

ほぼ同じ時期に、まったく別の人間が同種の誤記をするとは考えられないので、この時期に20ミリ機銃を搭載した九九艦爆があったのは間違いない。機首の7・7ミリを換装するのは難しいから、おそらく後部の旋回機銃を20ミリにしたのだろう。ショートランドにいた零式三座水偵でもそんな実例がある。

「瑞鶴」の艦爆に20ミリ旋回機銃が搭載されていたとすると「20ミリ600発、7・7ミリ50発」という消費弾薬の記録から、ツラギ泊地で「瑞鶴」艦爆が襲って来た米軍戦闘機とかなり激しい撃ち合いをした状況が想像される。

第一攻撃隊、「瑞鶴」の零戦27機は13時12分に5機のF4Fを発見、攻撃したが、終始、所定の直掩位置を離れなかった。発見したF4FはVMF-221、スウェット中尉の小隊4機だったと思われる。掩護の「瑞鶴」零戦が散り散りになったワイルドキャットを追い回し、ロバーツ中尉機、ウォルシュ中尉機と次々に撃墜している間に、スウェット中尉機だけが単機で艦爆の中に暴れ込んだ。

この空戦は艦爆34機対ワイルドキャット1機の対決だった。15分間、周囲には掩護の零戦も他のF4Fもいなかった。従ってツラギ泊地付近で落とされた艦爆6機は、全部ではないかも知れないが、何機かはスウェット中尉が撃ち落としたものに違いない。また「瑞鶴」の艦爆が撃墜確実1機と報告し

ているグラマンはスウェット機だったと思われる。周囲に零戦の姿がないのに、左翼に大穴が開いた時、スウェット中尉は何が起こったのかわからず、後で「味方の対空砲火が当たってしまった」と推測して辻褄を合わせている。艦爆が20ミリで撃ち返してきたとは夢にも思わなかったのだ。

Ｆ４Ｆ発見から８分後、「瑞鶴」の零戦はフロリダ島上空で第３中隊の第18小隊が１機のＰ-39と空戦、不確実撃墜を報じた。「瑞鶴」零戦隊は20ミリ２１８発、７・７ミリ４５０発を消費、Ｇ戦（グラマン）撃墜２機、Ｐ-39撃墜不確実１機を報告している。艦爆のスウェット機撃墜をはじめ、この日「瑞鶴」機が報告した撃墜戦果はすべて米軍の損害記録と合致しているようだ。

各攻撃隊に分散配備された「瑞鳳」の零戦は13時15分、まず大野５小隊がＰ-38、１機、Ｆ４Ｆ、５機を発見して攻撃、Ｆ４Ｆ撃墜１機を報じたが３番機の石田文治一飛曹機が行方不明となった。同じ頃、第二攻撃隊の直掩隊は４機のＦ４Ｆを発見、接敵して３機に一撃ずつ加え、１機を撃墜したが残り３機は取り逃がした。瑞鳳の零戦は全部で20ミリ１００発、７・７ミリ２１０発を消費、総戦果報告はグラマン撃墜２機であった。

12時53分から、シーラーク水道のガダルカナル輸送船団を狙った第三攻撃隊「飛鷹」の艦爆17機も激しく戦い、自爆１機、８機が被弾、うち２機が帰還中に不時着水して沈没する（搭乗員は救助）という被害をこうむった。この日の「飛鷹」艦爆の行動調書に弾薬消費の詳細は記されていない。一方、艦爆を掩護していた「飛鷹」零戦隊は20ミリ８６５発、７・７ミリ２６００発を消費。１中隊２小隊と、２中隊１小隊、２小隊が交戦。Ｆ４Ｆの撃墜確実３機、不確実５機を報じたが、２中隊２小隊の１番機、松山次男飛曹長の零戦が未帰還となった。

第四攻撃隊「隼鷹」艦爆と零戦隊の悪戦苦闘

この日、米軍戦闘機ともっとも激しく戦った艦爆は「20ミリ機銃」を搭載していなかった第四攻撃隊「隼鷹」の16機で、ルンガ泊地を襲い、行方不明１機、機上戦死１名、重傷１名の損害（さらに１機はバラレ着陸時、低空旋回中に墜落）をこうむったものの、９５１６発もの７・７ミリ機銃弾を使い、グラマン撃墜３機、Ｐ-39撃墜１機もの戦果を報じている。

一方、掩護していた「隼鷹」の零戦も激しく戦った。

「隼鷹」の零戦23機は13時10分、シーラーク水道の上空でグラマンを発見。追撃するため第７小隊の２機、上野中尉機、阪野二飛曹機が第３中隊から分離した。交戦したのは、この付近で零戦１小隊と交戦したというＶＭＦ-２１４のランフィア少尉以下のワイルドキャット４機だったと思われる。ランフィア小隊は零戦の撃墜５機を報じたが、スカーボロー少

空母「飛鷹」零戦隊　18年4月7日「い号作戦」ガ島方面敵艦船攻撃　行動調書より

1中隊			
1小隊			
1番機	岡嶋清熊大尉		グラマン2機発見、空戦に至らず
2番機	平本政治上飛曹		グラマン2機発見、空戦に至らず
3番機	石川仁郎二飛曹		グラマン2機発見、空戦に至らず
2小隊			
1番機	大島末一中尉	20ミリ80発、7.7ミリ300発	グラマン撃墜確実1機、不確実2機(2小隊協同?)
2番機	岩井二郎二飛曹	20ミリ110発、7.7ミリ460発　被弾1発	グラマン撃墜確実1機、不確実2機(2小隊協同?)
3番機	西元久男飛長	20ミリ10発、7.7ミリ40発	グラマン撃墜確実1機、不確実2機(2小隊協同?)
3小隊			
1番機	松本秀頼飛曹長		グラマン2機発見、空戦に至らず
2番機	二木正実二飛曹		グラマン2機発見、空戦に至らず
3番機	田中善作飛長		グラマン2機発見、空戦に至らず
2中隊			
1小隊			
1番機	岩城万蔵中尉	20ミリ110発、7.7ミリ300発	グラマン撃墜確実1機
2番機	横山雄次上飛曹	20ミリ60発、7.7ミリ80発	グラマン撃墜不確実1機
3番機	澤崎清隆飛長	20ミリ55発、7.7ミリ300発　被弾1発	グラマン撃墜確実1機、不確実1機
2小隊			
1番機	松山次男飛曹長		行方不明
2番機	安達繁浩一飛曹	20ミリ110発、7.7ミリ410発	グラマン撃墜不確実1機
3番機	中園寿男飛長	20ミリ110発、7.7ミリ300発	自爆艦爆の自爆を確認まで掩護した後に帰還
3小隊			
1番機	森嶋英雄飛曹長	20ミリ20発、7.7ミリ60発	自爆艦爆の自爆を確認まで掩護した後に帰還
2番機	馬場武彦一飛曹		自爆艦爆の自爆を確認まで掩護した後に帰還
3番機	小川清飛長	20ミリ10発、7.7ミリ30発	自爆艦爆の自爆を確認まで掩護した後に帰還
3中隊			
1小隊			
1番機	増山保雄中尉		敵を見ず
2番機	大谷貢上飛曹	20ミリ110発、7.7ミリ300発　高速艇銃撃	敵を見ず
3番機	岩瀬治助飛長		敵を見ず
2小隊			
1番機	森貢飛曹長		敵を見ず
2番機	西森菊生二飛曹		敵を見ず
3番機	宮西利雄飛長		敵を見ず

ニューブリテン島のラバウル東飛行場で撮影された二〇四空の零戦二一型。４月7日、第二制空隊として作戦に参加した二〇四空零戦27機は早朝７時、ラバウルを離陸。いったんブカ基地に進出して、10時15分、ふたたび発進した。ガダルカナル島で空戦を交えた後、15時５分、26機がブカ基地に帰着。その後、ラバウルへと帰還した。

尉のF4Fはひどく撃たれ発煙、ヘンダーソン飛行場の第1戦闘機滑走路に胴体着陸、機体は全損となった。

艦爆の後上方で掩護をつづけるためルンガ上空へと降下中だった坂巻中尉の2中隊の零戦8機は、8機のF4Fと交戦、F4Fの撃墜確実4機、不確実4機を報じた。しかし射手園中尉の5小隊は3機全部が未帰還となり、久保飛曹長の6小隊でも2番機が撃墜され、8小隊も2機を失うなど、合計6機を喪失した。「隼鷹」はF4Fの撃墜確実4機、不確実4機、PBY飛行艇の撃墜1機を報告している。おそらく交戦したのは、コリ岬(ルンガ岬の西)で零戦15機に奇襲されたと報告しているVMF-221、ショッカー中尉が率いる4機のF4Fである。ショッカー機がまず穴だらけにされエンジンが停止、不時着するなど、ショッカー小隊は零戦に追い回されるばかりで戦果をあげていないが、炎上墜落する零戦3機を目撃したと報告している。

落ちていたのは射手園小隊の零戦、落としたのはVMF-214のランフィア小隊のF4Fと思われる。チャーリー・ランフィア少尉の兄、トーマス・ランフィア中尉は陸軍の第339戦闘飛行隊でP-38に乗り、ガダルカナルから離陸し、この日の空戦に参加している。彼は「い号作戦」最後の悲劇、山本長官機撃墜に参加したあのランフィア中尉である。

「隼鷹」の零戦が落としたと報告している飛行艇の損害記録は、ニュージーランドやオーストラリア空軍の記録まで調べたが、どうしても見つからなかった。

零戦隊に袋だたき「ファイティング・ファルコンズ」の乱戦乱闘

おそらく「隼鷹」零戦の交戦相手で、米軍側で、もっとも激しく戦ったのは「艦爆7機撃墜」ジェームズ・スウェット中尉など、VMF-221「ファイティング・ファルコンズ」のグラマンF4Fワイルドキャットである。まず飛行隊の総撃墜戦果報告は18機。ただ戦果報告は日米両軍とも過大に傾きがちだったので、それだけでは余り感心しない。だがVMF-221のアクションリポート(戦闘報告書)を読めば、その戦果が楽々と獲得されたものではないことがわかる。

11時5分、ウィンフィールド中尉率いる小隊4機が緊急出動。その50分後、さらに16機が離陸した。その後の空戦で5機が日本機に撃墜されてしまったのだ。

ルッセル基地から離陸したウィンフィールド小隊は、エスペランス岬から急降下爆撃機を捕捉するためにツラギへと向かっている時、高度7500メートルで約10機の零戦に奇襲され、全機が穴だらけにされてしまったが、帰還はしなかった。

パイン大尉の小隊は(ヘンダーソン)第2戦闘機滑走路とツラギの中間地点、高度3900メートルで、15機から20機の零戦に優位から奇襲され、ピットマン少尉機とハルマイヤー中尉機が撃墜されてしまった。

ツラギ上空で急降下爆撃機を迎え撃ち、大混戦を演じていたスウェット中尉の小隊4機のうち、スウェット中尉、ロバーツ中尉、ウォルシュ中尉機は撃墜されてしまい、帰って来れたのはピットマン特務曹長、たった1機だった。

ハッキング中尉の小隊4機は戦闘に参加しなかった。

VMF-221の他のF4Fも以下のように痛めつけられていた。パイン大尉機はひどく撃たれエンジンが止まり胴体着陸して機体は全損。ウィンフィールド中尉機はフラップとブレーキが壊れたまま着陸し、飛行場で逆立ち、機体は同じく全損。ショッカー中尉機もエンジンが停まった状態でコリ・ポイント飛行場に着陸、7・7ミリ機銃弾が60発も当たっていた。ピットマン特務曹長機はフラップを撃ち飛ばされ、方向舵と補助翼に20ミリが当たり、7・7ミリが1発、飛行服を切り裂いて落下傘の縛帯の中で止まっていた。ベイルドウィン中尉機は穴だらけで、右翼には20ミリが1発命中し、左翼、チャートボードと機銃スイッチ、操縦桿もそれぞれ7・7ミリに貫かれ、落下傘縛帯も一本7・7ミリで切り裂かれていた。ヴォルカー技術軍曹機は風防を撃たれ、ウッズ中尉機も穴だらけ。チャンプマン中尉機は機首から尾翼まで、両翼の端から端まで穴だらけだった。ムーア中尉機にも20ミリと7・7ミリが命中していた。こんなに撃たれているのに以上の9人はかすり傷も負っていなかった。

空戦に参加した「ファイティング・ファルコンズ」の16機のF4Fのうち、被弾損傷は7機、墜落と全損も7機、無傷だったのはたった2機。まるで来襲した零戦全部に袋叩きにされたような惨憺たる有様だが、ここまでやられて戦死者が1人もいないと言うのも逆に驚きである。空戦がほとんど自分たちの飛行場の上空で行なわれたので、損傷しても帰りやすかったのであろうが、ワイルドキャットの頑丈さ、打たれ強さは、もはや想像を絶する。

雲に妨げられ空振りに終わった制空隊の進攻

第一制空隊、二五三空は13時20分から空戦に入った。P-38、P-39、F4F約30機と交戦、20ミリ650発、7・7ミリ5712発を消費。P-38撃墜確実4機、F4F撃墜確実2機を報じたが、3中隊1小隊の2番機、福田六郎二飛曹が自爆、同3番機の金光保雄飛長が未帰還となった。弾薬消費から見ても、二五三空が主に陸軍のP-38と激しく戦ったことがわかる。

第二制空隊、ルッセル、ガダルカナル島の制空にあたった二〇四空の1中隊は終始上空掩護に当たり空戦には加入せず、13時頃からは雲が増え、下方の様子もよく見えなかったという。2、3中隊は、13時15分から空戦に入った。20数機のF4F、10数機のP-38を発見、20ミリ95発、7・7ミリ775発を消費、撃墜確実4機、不確実1機を報じているが、2

中隊3小隊の3番機、この日はじめて実戦を体験した村田真飛長は制空中に被弾発火、自爆してしまった。二〇四空も陸軍機と戦っているが、弾薬消費は少ない。奇襲され、応戦の暇もなく初陣の村田飛長機を喰われてしまったのであろうか。

制空隊の零戦は、攻撃隊に先行して邀撃に上がって来た米戦闘機を制圧する手はずになっていたはずだが、雲が多かったせいか、先に上がっていた海兵隊のグラマンを見逃した。攻撃隊の方が先に空戦に入り、制空隊は目標地点の上空で待ち伏せていたP-38の奇襲を受け、P-38を1機は撃墜したものの、経験の浅い零戦搭乗員2名（いずれも3番機）を失う結果になったのではないだろうか。

例えば、後に山本長官機を襲うことになる第339戦闘飛行隊のP-38パイロット、トーマス・ランフィア中尉も、この日、エスペランス岬上空で零戦3機を撃墜、同じく山本作戦に加わったレックス・バーバー中尉は2機を撃墜したと報告。P-38による報告戦果の合計は13機にも達している。

もちろん視界の悪さは米軍にも災いし、この日、邀撃に上がったF4U、P-40や、P-39など14機のパイロットは、日本機との交戦はおろか、発見すらできなかった（さらに6機が空戦前に機械的なトラブルなどで帰還している）。ガダルカナル島北岸上空の狭い空域に3百機近い飛行機が集まったのに、雲が多いとそんなことが起きるのである。

「戦死12名に対して1名」いくら零戦が撃墜してもきりがない

この作戦で零戦は19機の確実撃墜戦果を報告したが、12機もの零戦と搭乗員12名を喪失。九九艦爆も11機（うち2機は搭乗員救助）が失われた。日本側の損害には対空砲火と作戦上の事故によるものも含まれている。

米海軍と海兵隊は零戦17機、艦爆12機、計29機の撃墜戦果を報じた他、米陸軍機も13機の撃墜戦果を報告している。一方、米軍は6機のF4F、1機のF4U、第12戦闘飛行隊のP-38、第70戦闘飛行隊のP-39各1機など計9機を撃墜された。その他にF4Fが3機不時着して全損になっている。

この日、日本海軍が零戦搭乗員だけでも12名を失ったのに対して、米軍戦闘機パイロットの戦死者は第70戦闘飛行隊のP-39K型で出動したウォルドン・ウィリアムズ少佐だけであった。編隊から1機だけ分離し、零戦に追跡されて行方不明になったと記録されているウィリアムズ機を撃墜したのは、1機のP-39を発見し、協同撃墜を報告している瑞鶴の18小隊2番機の藤井孝一一飛曹機と宮崎薫飛長機と思われる。

戦死12名に対して1名。いくら零戦が米軍機を撃墜してもこれではきりがない。

例えば、この日、零戦との格闘戦で被弾、着水したVMF-124のケネス・ウォルシュ中尉は、4月1日に初めて

ガダルカナルの第339戦闘飛行隊のP-38とパイロットと、「カクタスエアフォース」の高級将校達。左から、ヘンリー・ヴィセッリオ中佐、タイラー中佐、E.H.アングリン中尉、T.G.ランフィア中尉、E.E.ストラットン中尉、N.F.ツイニング少将、J.W.ミッチェル少佐、レックス・T.バーバー中尉。このうちの何名かは、４月18日の山本長官機撃墜作戦に参加した。

零戦の撃墜1機の戦果を報じてから、最終的に撃墜21機の記録を打ち立て海兵隊のトップエースになるまでに、あと2回撃墜される。さらに、ひどく撃たれてかろうじて帰還して胴体着陸したのが2回、日本戦闘機に捕捉されて撃ちまくられたことが12回あったという。

被弾に強い米軍戦闘機の頑丈さと、何度落とされても助ける救助組織の充実など航空戦を支える米軍の後方支援態勢の重厚さを示す一例である。この日、零戦と戦った海兵隊のグラマンのパイロットは戦闘経験がない者が多く、ずいぶんたくさん落とされたが全員が救助され、次はもう少し手強い敵として立ち向かって来る。同じく空戦の場数が少なく、何機も撃墜されてしまった母艦の零戦搭乗員に敗者復活戦はない。

日本海軍も未帰還機を完全に見捨てていたわけではない。行動調書を見ていると、零戦が時々、不時着機や搭乗員を捜索する水偵や、救助筏を投下する陸攻の掩護任務に飛んでいることがわかる。しかし米軍の徹底した捜索や救助態勢とは比べものにならず、実際に助けられた搭乗員はわずかだった。

この日、ツラギから北方に出撃した巡洋艦3隻、駆逐艦6隻からなる米艦隊の直掩をしていたVMSB-142のSBD艦爆は、日本機の大編隊に遭遇した。ウェーバー中尉機は味方の対空砲火と日本機を避けるため雨雲の中に入り、それきり行方不明となった。遭遇したのは、ツラギ沖で航行中の巡洋艦を攻撃したという第二攻撃隊の艦爆と零戦と思われる。

ウェーバー機は空戦に巻き込まれて撃墜された可能性もある。

やめておけば良かった荒天の報復攻撃

日本の大攻撃隊に手痛い損害を与えて撃退したが、米軍はさらに日本軍の出撃基地であるブインへの報復攻撃をも慌ただしく計画した。

23時30分、24機のTBF艦攻がそれぞれ百ポンド（45キロ）爆弾12発ずつを搭載してヘンダーソン飛行場を離陸した。陸軍のB-17も2機が離陸した。B-17が照明弾を投下し、その明かりでブインに集結している日本海軍の航空機を緩降下爆撃、昼間の大空襲のお返しをしようというのである。だがこの報復攻撃は高くついた。

天候はひどく悪化しつつあり、激しい降雨帯をいくつも突破してブインまで到達したTBF艦攻は5機だった。しかも照明弾を落とすはずのB-17は姿を現さず、海岸線も確認できないような闇の中、日本軍の探照灯や散発的な対空砲火を目当てに爆弾を投げ出して帰って来た。しかし帰還できた彼らは幸運であった。荒天の中、7機ものTBF艦攻（VMSB-131が5機、護衛空母「サンガモン」と「シェナンゴー」のガダルカナル派遣隊のVC-26、VC-28が各1機）が行方不明になり、何人かは魚雷艇に救助されたが、空中勤務者15名が戦死したのである。

日米双方の記録を読んでいると、米軍の方が荒天を冒して航空作戦を実施する傾向が強いように思われる。優秀な空中無線や航法機器、いざという時の救助組織の充実という裏付けがあるとはいえ、事故機も多い。日本海軍が戦っていた敵は決して優柔不断でも怯懦でもなかった。

「い号作戦」第二撃、Y2攻撃、オロ湾方面敵艦船攻撃

「黒く塗っといて良かった」マックロスキーのB-24は夜やって来る

4月8日の夕刻、17時、空襲警報を受けて、カビエン基地から二五三空の零戦5機が発進した。指揮官は小畑高信上飛曹。15分後、高度7千メートルでB-17、2機を捕捉。20ミリ100発、7・7ミリ200発を使って攻撃したが、薄暮のため雲の中に取り逃がしてしまった。零戦1機が被弾したが修理可能な軽微な損傷にとどまった。この日、米第5航空軍は日本軍の各拠点に少数のB-17や、B-24を飛ばして撹乱爆撃を実施している。

「セントバレンタインデーの大虐殺」で大きな犠牲を出した第307爆撃航空群は、以後、ブインに対する昼間爆撃をとりやめ、攻撃を夜間爆撃に切り替えていた。同航空群に所属するB-24のうち、何機かは夜間攻撃に備えて機体を黒塗りにしていた。そんな機体の1機「マン・オー・ウォー」の操縦士の名前はジム・マックロスキー。ブイン夜襲の際、日本軍探照灯の捕捉から逃れ「黒く塗っといて良かったよ」と言ったとか。同航空群戦史の一節である。

日本側も当初、来襲機に対して探照灯や対空砲火で応戦していたが、米軍重爆がそれを目当てに投弾してくることを知り、応戦はやめて暗闇にした。その後、二五一空の夜間戦闘機「月光」がバラレに進出。米軍の夜間爆撃は目標が見えないばかりでなく、非常に危険なものになってゆく。

翌9日、13時、またもカビエンに空襲警報が鳴り、二五三空の零戦5機が発進。25分後、木村又五郎二飛曹率いる零戦はB-17、1機を捕捉、20ミリ20発、7・7ミリ60発を放ったが雲の中に逃がした。この消費弾数から見て、1機か2機がかろうじて一撃を加えられたにすぎないだろう。この攻撃も昨日に引き続いて行なわれた米軍の撹乱爆撃である。

うまく行かなかった「出陣前の血祭り」来襲したB-17を徹底追撃

11日の未明、Y2攻撃「オロ湾方面敵艦船攻撃」の先行偵察のため、4時40分、二〇四空の高橋武志一飛曹-木下晟一飛曹長ペアの百式司令部偵察機がラバウルを離陸した。当時、海軍には戦略偵察に適した高速偵察機がなかったため、陸軍の百式司偵を借用して使っていた。偵察機はニューギニアのオロ湾北方を航行中の輸送船を発見、その情報を打電した。見つけたのは、オロ湾に向かっていた英商船「ハンヤン」と護衛のオーストラリア海軍コルベット艦「パイリー」だろう。艦爆の搭乗員はトラックで雑草に覆われた飛行場の四方へと運ばれ、すでに試運転を済ました機体に乗り込んで行った。

「い号作戦」の第二撃。ニューギニアのオロ湾とハーヴェイ湾に在泊している連合軍艦船の攻撃が始まるのだ。

8時30分、第一攻撃隊「瑞鶴」の零戦27機はオロ湾艦船攻撃隊、直接掩護のためラバウル東飛行場を発進。9時、制空隊「瑞鳳」の零戦15機はオロ、ハーヴェイ湾輸送船攻撃隊、支援掩護のためラバウルを離陸。第二攻撃隊「飛鷹」の零戦21機、隼鷹の零戦9機もオロ湾艦船攻撃隊、直接掩護のためラバウルを発進した。彼らが掩護する艦爆は21機だった。

この日、9時55分、カビエンではまた空襲警報が発令され、二五三空の斉藤三郎中尉率いる零戦9機が邀撃に発進した。10時10分、高度2千メートルでB-17、1機を捕捉。20ミリ440発、7・7ミリ3000発を射撃して攻撃、高度50メートルまで降下し海面上を逃げる重爆に燃料を噴出させたが、とうとう雲の中に逃げ込まれてしまった。この空戦で岩城貞和二飛曹が自爆し、関谷尊飛長機が被弾した。

彼らと交戦したのは第8写真偵察飛行隊のB-17「666」ジョシュ・バーネス機だった。同機はカビエン上空約4千メートルで零戦10機と交戦。下部砲塔が故障したため下から攻撃されないようB-17は高度60メートルまで降下した。B-17はあらゆる方向から攻撃して来る零戦を20分間にわたって撃ちまくり、ほとんど全弾を撃ち尽くし、零戦2機が海中に墜落、もう2機は発火墜落したと報告している。B-17は油圧システムを撃たれただけで損害は軽微、搭乗者は1人も負傷していなかった。

「雨霰と浴びせられる7・7ミリ徹甲弾から時速640キロで離脱」P-38に翻弄される

その頃、ニューギニアに向かって海上を進んでいた九九艦爆の編隊は、八つ手の葉の様な形で突き出した半島を認めると緩く左に旋回しながら陸地に入り、ふたたび右に変針。背後からオロ湾の右上空を通過して薄雲の上、また海上に出た。約十海里先、断雲の陰に航行中の輸送船2隻が見えた。艦爆の搭乗員は2千トン級、5千トン級の2隻が単縦陣になっていたと報告している。日本軍機を発見した輸送船は増速、白く長い航跡を曳き全力で進んでいる。

11時40分、突撃命令が下った。

爆撃の直前、P-38、P-40、二十数機が7千メートル付近から現れた。掩護の零戦は編隊を崩し、上方に薄層雲、下方に断雲のある空に敵を求めて散って行った。

艦爆の第一波は、まず「ハンヤン」を狙い、直撃弾1発、至近弾2発を見舞い、操舵装置を破壊。回避運動で被弾を免れた「パイリー」は対空機関砲で艦爆1機を撃墜した。急降下爆撃の第二波は商船をふたたび傷つけ、コルベット艦も急降下してきた艦爆の機銃掃射を受け、同機が落とした爆弾2発のうち1発が命中、火災が発生。その後、米軍戦闘機が日本機を追い払ってくれるまで、三回にわたって機銃掃射され、

空母「飛鷹」零戦隊　18年4月11日「い号作戦」オロ湾方面敵艦船攻撃　行動調書より

1中隊			
1小隊			
1番機	岡嶋清熊大尉		P-40発見、追撃するも逸す
2番機	平本政治上飛曹		P-40発見、追撃するも逸す
3番機	石川仁郎二飛曹		P-40発見、追撃するも逸す
2小隊			
1番機	関谷丈雄中尉		敵を見ず
2番機	安達繁浩一飛曹		作動油漏洩引き返す
3番機	中園寿男飛長		敵を見ず
3小隊			
1番機	松本秀頼飛曹長	20ミリ30発、7.7ミリ120発	P-38攻撃するも逸す
2番機	二木正実二飛曹	20ミリ20発、7.7ミリ50発	P-38攻撃するも逸す
3番機	田中善作飛長		P-38攻撃するも逸す
2中隊			
4小隊			
1番機	藤田怡與蔵大尉	20ミリ20発、7.7ミリ50発	P-39、P-40を攻撃するも逸す
2番機	大谷貢上飛曹	20ミリ30発、7.7ミリ70発	P-39、P-40を攻撃するも逸す
3番機	岩瀬治助飛長	20ミリ20発、7.7ミリ50発	P-39、P-40を攻撃するも逸す
5小隊			
1番機	森貢飛曹長		
2番機	西森菊生二飛曹		
3番機	宮西利雄飛長	20ミリ60発、7.7ミリ110発	P-39撃墜1機
3中隊			
6小隊			
1番機	岩城万蔵中尉		P-39、P-40を攻撃するも逸す
2番機	横山雄次上飛曹		P-39、P-40を攻撃するも逸す
3番機	澤崎清隆飛長	7.7ミリ60発	P-39、P-40を攻撃するも逸す
7小隊			
1番機	森鳰英雄飛曹長		
2番機	岩井二郎二飛曹		
3番機	西元久男飛長		

ニューギニアの第49戦闘航空群のP-40と部隊の地上勤務者。第49戦闘航空群は第７戦闘飛行隊「スクリーミン・デーモンズ」、第８戦闘飛行隊「ブラックシープ」、第９戦闘飛行隊「フライング・ナイツ」の３個飛行隊からなり、第７、第８戦闘飛行隊はのP-40は17年の２月からポートダーウィン防空に参加するなど、オーストラリア、ニューギニア方面では歴戦の米戦闘機隊だった。

7名が戦死、4名が重傷を負ったが、沈没は免れ、オーストラリアに回航された。

攻撃隊に先立って進攻した制空隊、「瑞鳳」の零戦はP-38、8機、P-39、3機、P-40、3機を発見。20ミリ662発、7・7ミリ1400発を消費。11機もの撃墜を報告している。行動調書には「味方に一機の被弾機をも生ぜず」と誇らしげにしるされている。

制空隊につづいてやってきた第一攻撃隊「瑞鶴」艦爆隊を掩護する「瑞鶴」の零戦は11時25分にP-39、P-40数機を発見。30分間にわたる空戦を交え、P-38撃墜確実3機、不確実3機、P-39撃墜確実1機、P-40撃墜確実2機、不確実1機の戦果を報じたが、15小隊の1番機、操練16期のベテラン岡本泰蔵中尉と、17小隊の2番機、上沼周竜一飛曹が未帰還となった。艦爆も3機が未帰還となった。

第二攻撃隊「飛鷹」艦爆8機を掩護して飛来した「飛鷹」の零戦21機はこの作戦で、P-38、P-39、P-40と交戦、20ミリ160発、7・7ミリ590発を発砲。鈴木泰二飛長が20ミリ60発、7・7ミリ110発を使ってP-39の撃墜1機を報じた。「隼鷹」の零戦9機は交戦しなかった。第二攻撃隊は艦爆1機を失った。

零戦と戦ったのは第8戦闘航空群のP-38、第49戦闘航空群のP-38とP-40で、オロ湾のちょうど北方で零戦に最初の降下攻撃をかけたのはホワイト小隊のP-38、3機だった。かれらは1機の零戦に致命傷を与え、雨霰と浴びせられる7・7ミリ徹甲弾から時速640キロで離脱した。彼らが戦ったのは制空隊の「瑞鳳」零戦隊ではないかと思われる。この最初の交戦では双方とも被害はなかった。

第7戦闘飛行隊のP-40、8機は九九艦爆の12機編隊を発見、攻撃を開始した。これは制空隊につづいて進入。もっとも大きな犠牲を出した第一攻撃隊「瑞鶴」艦爆隊と思われる。一方、P-40、4機のイエロー小隊は掩護していた「瑞鶴」の零戦と交戦した。

零戦2機と艦爆4機もの損害をこうむる一方、零戦は16機もの確実撃墜戦果を報じたが、すべて誤認で、米軍機は全機が無事に帰還している。ニューギニアの最前線で日本陸軍機との戦いで鍛え抜かれていた米第8戦闘航空群、第49戦闘航空群のP-38とP-40は非常に手強い相手だった。

「い号作戦」第三撃、Y攻撃、ポートモレスビー敵飛行場攻撃

攻撃隊の出端をくじいた暁闇のB-17のラバウル爆撃

4月12日、4時35分、Y攻撃「ポートモレスビー敵飛行場攻撃」のため二五三空の百式司偵がラバウルを離陸。6時30分、2機のP-39に追尾されたが振り切り、7時5分、ポートモレスビー偵察を開始。ポートモレスビー飛行場群攻撃の先行偵察結果を打電した。7時25分、司偵はまたも米軍戦闘機の追尾を受け、三撃を見舞われたが持ち前の高速で振り切り、2時間後、ラバウルに無事帰還した。

司偵の離陸から15分後、ラバウルにはB-17が飛来。爆撃で地上の零戦3機が炎上してしまった。二〇四空の零戦、杉原繁弘飛長が単機で離陸、追撃したが、重爆の反撃でガゼレ付近海上に不時着水。杉原飛長は戦死してしまった。ラバウルを4時に発進、基地の上空哨戒をしていた藤巻中尉が率いる「隼鷹」の零戦3機もラバウル上空でB-17を攻撃しているが、結局、このB-17は撃墜できなかった。

6時ちょうど、陸攻隊を直接掩護する「瑞鳳」の零戦14機がラバウルを発進。「い号作戦」第三撃の目標、ポートモレスビーに向かったのを皮切りに、次々に零戦隊が離陸を開始、飛行場は爆音と砂塵が交差し、騒然たる有様になった。6時10分、攻撃隊を間接掩護する「瑞鶴」の零戦23機がラバウルを発進。同25分「隼鷹」零戦15機がブナカナウ（ラバウル西飛行場）を発進。30分、五八二空零戦20機、ラバウル発進。40分、直接掩護の二五三空18機、ブナカナウ発進。45分、同じく直接掩護の二〇四空の零戦24機がラバウル発進。6時45分には「飛鷹」の零戦18機がラバウルを発進した。

このうち55機が制空隊としてポートモレスビーに先行。つづく第1攻撃隊の陸攻18機を零戦37機が掩護、第2攻撃隊の陸攻26機を零戦32機が掩護していた。

攻撃隊は断雲に隠れつつ、西に迂回しつつモレスビー上空に侵入した。当初は高射砲の射撃もなく、眼下には3つの飛行場、港には大型輸送船も見えた。陸攻はそれぞれ与えられた目標に向かって爆撃針路に入ってゆく。

指揮官機から「全軍突撃せよ」が発信された。爆弾が次々と地上に吸い込まれ、大爆発の白煙が高度2千メートルにまで立ち昇った。港内の輸送船にも直撃弾が認められた。この時、ようやく高射砲の射撃がはじまった。火蓋を切ったオーストラリア陸軍の3・7インチ高射砲は1112発を放ったが撃墜戦果は報じられなかった。

爆撃されたワード飛行場では第30飛行隊のボーファイター1機が直撃弾で粉砕され、1機が修理不能の損傷を受け、もう1機も傷ついた。また米軍の第6、第22輸送飛行隊の

C-47輸送機5機も損傷したが、いずれも修理可能の軽い損傷だった。

キラキラ飛行場では集積所の燃料ドラム缶が炎上。ベリー飛行場ではP-39が1機大破、整備要員の宿舎が大損害を受けた。17マイル飛行場では第3爆撃航空群のB-25が1機破壊され、2機が損傷した。

また商船「ゴードン」は炎上したが、同船は消火に成功。無事、入港した。

邀撃戦闘機が現れたのは陸攻に「爆撃終了」の合図があって、しばらくたってからだった。ポートモレスビー上空に舞い上がって来た米軍戦闘機、第39戦闘飛行隊のP-38、第41戦闘飛行隊と第80戦闘飛行隊のP-39との空戦は9時10分頃からはじまり、45分頃までつづいた。

第41戦闘飛行隊のリチャード・カルトン中尉は、零戦1機の撃墜を報じた直後、後方から別の零戦に撃たれ、20ミリが操縦席後方のアリソンエンジンに命中、破片が彼の背中に食い込み、落下傘降下を余儀なくされた。同、リチャード・D・キンボール少尉もカルトン中尉が零戦と格闘中に飛行場の北方で被弾、落下傘降下した。専らポートモレスビーの防空を担い、戦闘経験の浅かった同飛行隊はこの空戦で4機ものP-39D型を失った。

弾薬消費から見て、もっとも激しく戦った「飛鷹」の零戦は20ミリ820発、7・7ミリ3350発を射撃。P-38撃墜確実4機、P-39撃墜確実5機、不確実4機、P-40不確実撃墜1機を報告。損害は岩城中尉機が1発被弾したのみだった。

「グングン突貫して、あっちを撃ったりこっちを撃ったり」 P-39撃墜4機

帰還後、この日の空戦について朝日新聞の海軍報道班員であった竹田特派員が零戦搭乗員を取材、18年5月2日の紙面にかなり長い戦記が掲載されている。紙面では氏名も部隊名も○○と伏せ字だ。しかし行動調書と読み比べてみると、「飛鷹」の搭乗員の行動に合致する部分があるように思われる。そこで該当する「飛鷹」搭乗員の氏名を仮に○○に当てはめ、新聞記事の内容を要約すると以下のようになる。

攻撃隊の殿《しんがり》で、モレスビーの北まで来た時、陸攻を狙ってきたP-39を発見した「飛鷹」4小隊長の岩城万蔵中尉は、同機を追撃して撃墜。ところが気がつくとモレスビー上空で単機となっていた。激しく発砲した後だったので残弾（20ミリ）も乏しく、いくら飛んでも味方は見つからず、行く手には4千メートルのオーエンスタンレー山脈が立ちはだかっていた。左上空に編隊を見つけ、近寄って行くと敵機だった。死を覚悟して突っかかってゆく。すると散開して逃げてしまった。四方を見渡しながら飛んでいると、また3機編隊。これも敵。発砲しながら攻撃を仕掛けると、敵機はまたも遁走

空母「飛鷹」零戦隊　18年4月12日「い号作戦」ポートモレスビー飛行場攻撃　行動調書より

1中隊			
1小隊			
1番機	岡嶋清熊大尉		引き返す
2番機	平本政治上飛曹	20ミリ110発、7.7ミリ300発	P-38撃墜1機
3番機	石川仁郎二飛曹	20ミリ110発、7.7ミリ400発	P-38撃墜2機
2小隊			
1番機	増山保雄中尉	20ミリ10発、7.7ミリ120発	P-38、1機発見逸す。P-39撃墜1機
2番機	馬場武彦一飛曹	20ミリ10発、7.7ミリ300発	P-39撃墜1機
3番機	小川清飛長		
3小隊			
1番機	松本秀頼飛曹長	20ミリ100発、7.7ミリ300発	P-38、1機発見逸す。P-40不確実撃墜1機
2番機	二木正実二飛曹		
3番機	安西利雄飛長		P-38発見、反撃せるも逸す
4小隊			
1番機	岩城万蔵中尉	20ミリ110発、7.7ミリ200発	被弾1発　P-39撃墜1機
2番機	横山雄次上飛曹	20ミリ40発、7.7ミリ200発	P-38発見、反撃せるも逸す
3番機	澤崎清隆飛長		
5小隊			
1番機	森貢飛曹長		P-38発見、反撃せるも逸す
2番機	西森菊生二飛曹		P-38発見、反撃せるも逸す
3番機	鈴木泰二飛長		P-38発見、反撃せるも逸す
6小隊			
1番機	森鳰英雄飛曹長	20ミリ110発、7.7ミリ500発	P-38撃墜1機、P-39撃墜2機
2番機	大谷貢二飛曹	20ミリ110発、7.7ミリ1000発	P-38撃墜1機、P-39撃墜不確実1機
3番機	西元久男飛長	20ミリ110発、7.7ミリ250発	P-38撃墜1機

18年4月、「い号作戦」終了後、内地で再編成中の「飛鷹」戦闘機隊の搭乗員。前列、左から2番目は4月12日の新聞記事になった岩城万蔵中尉（推定）、飛行隊長の岡嶋清熊大尉、岩城中尉と並んで作戦後、新聞記者のインタビューに答えた増山保雄中尉（推定）、関谷丈雄中尉（推定)。2列目、左から3人目も新聞記事になった森鳰英雄飛曹長。

してしまった。もはや残弾（20ミリ）もない。どうしようもなくなったと思っていると、下から4機編隊が来た。しかし敵機。捨て鉢な気持ちで降下突進すると、敵機も降下して姿を消した。「飛鷹」の行動調書によると、岩城中尉の使用弾薬は20ミリ110発、おそらく55発ずつ装塡した零戦二一型の60発ドラム弾倉の全弾を射ち尽くしている。7・7ミリは200発を射ち、そしてP-39撃墜1機と記録されている。

岩城中尉の2番機、横山雄次上飛曹は陸攻に向かってきたP-38を追撃したが取り逃がし、上昇してくると、すでに1番機、岩城中尉機の姿はなく、彼はその後、単機で最後尾の陸攻編隊を掩護していた。「気が気ではなく、サッと襲いかかってくる敵戦闘機を蹴散らすのでいっぱいでした」と話している。横山上飛曹の消費弾薬は20ミリ40発、7・7ミリ200発「P-38発見、反撃せるも逸す」と行動調書にはしるされている。だが新聞紙面には、この後、横山上飛曹と思われる○○上飛曹は単機でP-39の2機編隊と戦い1機を撃墜、もう1機から発煙させ不確実撃墜を報じたとされている。当時の新聞記事には錯誤や誇張がしばしば見られるが、いずれにせよ、新聞記事に「飛鷹」の搭乗員を当てはめたのは筆者の強引な当て推量であることを改めてご承知おきいただきたい。それを前提にさらに続けると、初めて空戦を経験する2小隊長の増山保雄中尉は4機のP-39に囲まれたが「おもしろかった。盲蛇ですかね。何ともなかったですよ。グングン突貫して、あっちを撃ったりこっちを撃ったりしていたら」いつの間にか1機が火を吹いて落ち、もう1機も燃料を噴出して落ちて行ったという。行動調書によれば、増山中尉は弾薬消費は20ミリ10発、7・7ミリ120発、「P-38、1機を発見逸す、P-39撃墜1機」とされている。

全機20ミリを全弾射撃、「飛鷹」6小隊の活躍

この日「飛鷹」の零戦隊でもっとも戦果を挙げたのは6小隊だった。小隊長の森鳰《もりにお》英雄飛曹長は、モレスビーの上空でP-38が陸攻に気をとられているのを発見。後下方から肉薄、胴体を狙って射撃すると目の前で発火、燃える臭いをかいだ。さらに帰途、2機のP-39が陸攻を狙ってきたので、1機を上方から一撃で撃墜。さらにその下に突っ込んでもう1機を射撃すると、驚いて急旋回、山腹の前に漂う雲の中に隠れた。あまり大きな雲ではなかったので、出て来るのを待っていると、P-39は発煙しながら出現。山腹へ激突、木っ端みじんになってしまったと語っている。行動調書によれば、森鳰飛曹長は20ミリ110発、7・7ミリ500発を射撃、P-38撃墜1機、P-39撃墜2機とされている。森鳰飛曹長の報告は、やはりベテランらしく、初陣の増山中尉のあやふやな話と違って、明確でしっかりとしている。この両者の対比がおもしろい。

18年４月、ニューギニア南東部ポートモレスビーの「7マイル」飛行場の分散駐機地区で、巨大な掩体に１機ずつ入れられているB-17「空の要塞」。ブイン、ラバウル方面に来襲する米軍重爆はここからやって来るのである。ポートモレスビーにはいくつもの飛行場があり、とても一回の攻撃で基地機能に致命傷が与えられるものではなかった。

４月12日、日本軍の爆撃で大火災を起こしたポートモレスビー、キラキラ飛行場の燃料集積所。火災は起こしたものの、燃料ドラム缶はかなり分散されており、被害は局限されているように見える。米軍によるキャプションでは、来襲した100機のうち26機が撃墜され、日本軍はこのような攻撃が高くつくことを最終的に学習したはずだと書かれている。

森鴻小隊の2番機、大谷貢二飛曹は20ミリ110発、7・7ミリ1000発を射撃、P-38撃墜1機、P-39撃墜不確実1機。3番機の西元久男飛長は20ミリ110発、7・7ミリ250発、P-38撃墜1機と記録されている。この記録から、同小隊の3機は揃って20ミリ弾を全弾消費、特に大谷二飛曹は20ミリばかりでなく、珍しく7・7ミリまで全弾を射ち尽くしていることがわかる。

米軍は前記のように、第41戦闘飛行隊がP-39を4機も失った他、第80戦闘飛行隊のキャンベル・P・M・ウィルスン中尉機は被弾して胴体着陸。第9戦闘飛行隊のP-38、マーチン・P・エイルガー中尉機は被弾して片発となり不時着、全損。全部で6機の戦闘機を失った。だがパイロットは6名全員が生還している。

「瑞鶴」の零戦は9時10分、攻撃隊の前後に単機、または数機で数回にわたって来襲したP-38、P-39、P-40と交戦。20ミリ150発、7・7ミリ1315発を消費。第17小隊の荒木、倉田両機が協同でP-38、1機を撃墜、他を撃退したと報告している。

「隼鷹」の零戦は同20分、P-38、P-39、P-40、約30機と空戦。20ミリ341発、7・7ミリ6281発を発砲。P-38撃墜確実1機、P-39撃墜確実2機、P-40撃墜確実1機、P-38撃墜不確実1機を報じている。

二五三空も同じく20分からP-38、25、6機と空戦開始。20ミリ100発、7・7ミリ200発を放ってP-38を撃退した。

「瑞鳳」の零戦は同24分、P-38、8機、P-39、4機を発見。陸攻隊を襲うP-38、3機、P-39、4機を攻撃。20ミリ300発、7・7ミリ1150発を消費。P-38、1機を撃墜したと報告している。

二〇四空の行動調書の記述は簡単で、空戦開始時間は未記入で、16機と交戦し、20ミリ527発、7・7ミリ1095発を消費。撃墜4機を報じている。

零戦に未帰還機はなかったが、陸攻は8機もが未帰還になってしまった。さらに1機は損傷して連合軍船舶に体当たり(商船ゴードンか)、2機が不時着大破するという無惨な大損害をこうむった。米軍戦闘機の6機喪失に対して零戦の損害は皆無。戦闘機対戦闘機の空戦だけは久々の快勝であった。

空襲警報を受けて、宿舎から駆け出し、飛行場へのジープに乗り込もうとしているポートモレスビーの防空戦闘機隊員。宿舎が粗末なのは現地人の住居のように偽装しているためなのか、結局、ニューギニアでの生活は米軍でもこんな有様だったのか、それはよくわからない。走っているパイロットは、カメラマンのせいか笑っていて緊迫感がない。

ポートモレスビーのキラキラ（３マイル）飛行場に駐機している第39戦闘飛行隊のP-38。同飛行隊は17年６月、米軍で最初にP-38を配備された飛行隊だった。同飛行隊の指揮官、トーマス・リンチ少佐は当時、ニューギニアでディック・ボング大尉と米軍のトップエースの座を争う高位のエースだったが、19年３月８日、対地攻撃中に対空砲火で撃墜されて戦死。その撃墜記録は20機で終止符が打たれた。

「い号作戦」第四撃、Y1、Y2攻撃、ミルン湾敵艦船攻撃

零戦の宿敵、オーストラリア空軍キティホークとの対決

ニューギニア東端のミルン湾周辺には、昭和17年8月、日本軍部隊が上陸を試みた。しかしオーストラリア陸軍、そして空軍の抵抗で作戦は失敗。中でもオーストラリア空軍、第75飛行隊のP-40「キティホーク」の活躍は際立っていた。ここで彼らと戦った台南空の零戦は空戦や、地上支援で少なからぬ損害をこうむっている。

4月14日、「い号作戦」。Y1、Y2攻撃「ミルン湾敵艦船攻撃」として、空母の艦爆23機が、零戦74機に掩護されてミルン湾在泊の連合軍艦船を攻撃した。

同時に陸攻44機が零戦52機の掩護でラビ沖の艦船と飛行場を攻撃した。

二〇四空21機と、「瑞鶴」23機、「隼鷹」18機、「飛鷹」12機の零戦は、艦爆を掩護してミルン湾へと向かった。

オーストラリアの記録によれば、ミルン湾上空には、まず緊密な編隊を組んだ水平爆撃機、約30機と、急降下爆撃機10機と、多数の戦闘機が飛来。水平爆撃機は停泊地を横切るようにおよそ100発を投弾。オランダの商船「ヴァン・トールン」は至近弾で損傷、船員8名が死亡し20名が傷ついた。同じくオランダ商船「ヴァン・ヘームスカーク」には急降下爆撃機の爆弾が命中、大火災を起こし、決死の消火活動にもかかわらず鎮火せず、夕刻には大爆発、廃船となった。英商船「ゴーガン」には急降下爆撃機の爆弾が一度ならず命中し火災を起こし航行不能になり、6名が死亡、28名が負傷した。

「瑞鶴」の零戦は11時30分、ミルン湾艦船への攻撃隊の前後から来襲してくる第5航空軍のP-38、P-39、P-40、十数機と交戦。20ミリ370発、7・7ミリ1850発を放ち、第15小隊の二杉機がP-38、第19小隊の半田飛長機がP-40、それぞれ1機の撃墜を報じているが、第13小隊の1番機、光元治郎飛曹長が未帰還となった。また第19小隊の今村二飛曹機が帰途、ニューブリテン島のワイド湾に着水したが、後に救助された。

二〇四空は11時40分、34機と交戦。20ミリ535発、7・7ミリ1779発を消費、撃墜確実7機、不確実4機を報じている。

「隼鷹」の零戦、第1中隊はミルン湾上空でP-39、P-40、約20機と空戦。P-39撃墜確実2機、P-40撃墜確実1機、不確実1機を報告。第2中隊は45分、P-38、2機、P-40、1機と空戦、P-38撃墜1機。第14小隊はP-38、P-40、6機と空戦、P-38、P-40各1機撃墜。第15小隊はP-38、2機、P-40、1機と空戦、P-38撃墜1機を報じている。消費弾薬

空母「飛鷹」零戦隊　18年4月14日「い号作戦」ミルン湾敵艦船攻撃　行動調書より

1小隊			
1番機	藤田怡與蔵大尉	7.7ミリ60発	P-38 P-39 P-40各1機を発見せるも逸す
2番機	平木政治二飛曹	7.7ミリ400発	P-38 P-39 P-40各1機を発見せるも逸す
3番機	宮西利雄飛長	20ミリ70発、7.7ミリ150発	P-38 P-39 P-40各1機を発見せるも逸す
2小隊			
1番機	大島末一中尉	20ミリ110発、7.7ミリ400発	P-38発見1番機これを撃墜
2番機	岩井二郎二飛曹	20ミリ110発、7.7ミリ400発	P-38発見1番機これを撃墜
3小隊			
1番機	森鴻英雄飛曹長		P-39、3機発見撃退す
2番機	西之久男飛長		P-39、3機発見撃退す
4小隊			
1番機	岩城万蔵中尉	20ミリ110発、7.7ミリ370発	P-39、1機発見撃退す
2番機	小川満飛長	20ミリ6発、7.7ミリ40発	P-39、1機発見撃退す
5小隊			
1番機	増山保雄中尉	20ミリ5発、7.7ミリ250発	P-40、1機発見撃退す
2番機	馬場武彦一飛曹	20ミリ30発、7.7ミリ100発	
6小隊			
1番機	大谷貢上飛曹	20ミリ110発、7.7ミリ400発	P-40、1機発見撃攘す
2番機	田中喜作飛長	20ミリ5発、7.7ミリ250発	
7小隊			
1番機	関谷丈雄中尉	20ミリ50発、7.7ミリ120発	P-38を追跡せるも逸す
2番機	安達繁信飛長	20ミリ110発、7.7ミリ250発	P-38撃墜不確実1機
2番機	中園寿男飛長	20ミリ35発、7.7ミリ60発	P-38撃墜確実1機
8小隊			
1番機	森貢飛曹長	20ミリ44発、7.7ミリ200発	P-38撃墜確実1機
2番機	鈴木泰二飛長	20ミリ40発、7.7ミリ60発	
9小隊			
1番機	松本秀頼飛曹長	20ミリ7発、7.7ミリ40発	P-38、2機攻撃せるも逸す
2番機	二木正実二飛曹	20ミリ15発、7.7ミリ50発	P-38、2機攻撃せるも逸す

空母「飛鷹」艦爆隊　18年4月14日「い号作戦」ミルン湾敵艦船攻撃　行動調書より

		1中隊	
1小隊			
1番機	池内利三大尉	河合治郎中尉	60キロ1発、20ミリ50発、7.7ミリ100発、被弾1発
2番機	沓名達夫上飛曹	有本静二飛曹	60キロ2発、20ミリ150発、7.7ミリ270発、被弾5発
3番機	留田義信飛長	久松滋二飛曹	60キロ2発、20ミリ66発、7.7ミリ150発
2小隊			
1番機	松本幹夫中尉	水谷広徳一飛曹	60キロ2発、7.7ミリ250発
2番機	坪木勝久飛長	山口浅次郎飛長	60キロ2発、20ミリ300?発、7.7ミリ200発
3小隊			
1番機	大木忠一上飛曹	浜田徳夫飛曹長	60キロ2発、7.7ミリ50発
2番機	斉藤信一二飛曹	浜田寛二飛曹	未帰還
4小隊			
1番機	沖田修三飛曹長	村上利博中尉	60キロ2発、7.7ミリ100発、被弾4発
2番機	土屋孝美一飛曹	宮本博光二飛曹	60キロ2発、7.7ミリ150発、被弾1発
5小隊			
1番機	鞘野宗夫上飛曹	井上泰雄上飛曹	60キロ2発、7.7ミリ250発
2番機	苗代正雄飛長	藤本正幸二飛曹	60キロ2発、20ミリ30発、7.7ミリ300発
3番機	山口護二飛曹	杉本満明二飛曹	60キロ2発、20ミリ100発、7.7ミリ100発

は20ミリ1263発、7・7ミリ20916発だった。

「飛鷹」の零戦は、総計で20ミリ852発、7・7ミリを3600発射撃、撃墜確実3機、不確実1機を報じた。

第9戦闘飛行隊のP-38G型、ウィリアム・D・セルズ中尉機は零戦に散々撃たれて片発が停止、戦場を離脱、着陸を試みていたときにオーストラリア空軍のP-40が前方に出現、回避に失敗して墜死。

さらにオーストラリア空軍、第77飛行隊のP-40K型、マーク・アーネスト・シェルドン中尉は撃墜されて戦死。同飛行隊のP-40E型、ノーマン・シャーウッド・フートン少尉機は空戦中、錐揉み状態となり、回復したがエンジンからオイルと炎が噴出したため不時着、機体は全損となった。この他に第75飛行隊のP-40E型のジェームズ・マクラーレン・スターリング軍曹が空戦で右脚を負傷した。

一方「瑞鳳」15機、二五三空17機、五八二空20機の零戦は、陸攻を掩護しつつラビへ進攻した。

二五三空は11時25分にP-39とP-38、30機と交戦。20ミリ200発、7・7ミリ500発を使って、P-39撃墜確実2機、不確実1機を報じている。

五八二空は11時30分、P-39とP-38、約30機と交戦。20ミリ200発、7・7ミリ1000発を使ってP-38撃墜確実1機、P-39撃墜確実5機、不確実1機を報告。損害は榎本政一二飛曹が米軍機と空中接触して小破（生還）したのみである。

「瑞鳳」の零戦は11時40分、ラビ手前30カイリでP-38、4機を発見、これを攻撃、2機撃墜、他の2機は燃料を噴出させた。43分、第2中隊は艦爆を追跡中のP-40、2機、P-38、1機を追い払い、その帰途を瑞鶴の零戦隊と協同でP-40を1機撃墜したと報告。48分、第1中隊も艦爆を追跡中のP-39、1機を発見して撃墜。消費弾薬は20ミリ700発、7・7ミリ2600発だった。

米軍はこの攻撃を対空火器と40機余りのP-40と、P-38で迎え撃ち、撃墜14機を報告している。実際に未帰還になった日本海軍機は、零戦1機を含めて7機であった。一方、零戦は35機もの確実撃墜戦果を報じている。

しかし連合軍の損害は、P-38が1機、P-40が2機、パイロット2名のみだった。

「い号作戦」、まったく引き合わなかった作戦の総決算

四回にわたる「い号作戦」の空戦で計15機の零戦が失われた。空戦で落とされた連合軍戦闘機は計17機。戦闘機の損害のみを見れば勝負は零戦の辛勝だったが、日本海軍が零戦の搭乗員だけでも15名を失ったのに対して、連合軍戦闘機パイロットの戦死者はわずか3名だった。「い号作戦」の空戦で失われた海軍機は43機。事故や地上で破壊された機体も含め

た損害は、零戦25機、艦爆21機、陸攻15機、計61機にも昇った。「い号作戦」によって米軍の反攻計画が10日ほど遅延したとも言われるが、双方の損害実数を知ることができる現在の目で見ると、日本海軍にとってはまったく引き合わない作戦であったことがわかる。とくに再建の途上にあった母艦の搭乗員を多数失ったことが痛かったといわれる。

15日、7時50分、B-17来襲の警報を受け、二五三空、上村清次郎一飛曹率いる零戦4機がカビエンを発進した。高度2500メートルで米重爆を捕捉、攻撃。20ミリ260発、7・7ミリ1100発を撃って左発動機から発煙させたが、結局、雲中に逸した。

18日、5時40分、二〇四空の零戦6機が、森崎予備中尉の指揮下、ラバウルを発進した。任務は陸攻の直接掩護。バラレに向かう山本五十六連合艦隊司令長官搭乗の陸攻である。同じ頃、日本海軍の暗号を解読、山本長官の動静を正確に把握していた米軍は「ピーコック作戦」を発令。ガダルカナル島からP-38G型16機が離陸した。7時15分、6機の零戦は、航程で待ち伏せ、山本長官などが搭乗する陸攻2機を狙うP-38と交戦。20ミリ545発、7・7ミリ2670発を使って、第339戦闘飛行隊のP-38G型、レイモンド・ハイン中尉機を撃墜した。掩護の零戦6機は無事だったが、陸攻は2機とも撃墜され、山本五十六連合艦隊司令長官は戦死、こうして「い号作戦」の悲劇は完全に幕を閉じた。

撃っても撃っても落ちない四発重爆と、コルセア一蹴の快勝

4月19日、ついにルッセル諸島、バニカ島の米軍飛行場が完成した。この日、930メートルの滑走路がある「戦闘機第1」南飛行場に最初の戦闘機が着陸した。この基地は航空機60機が作戦できるよう整備されていた。

翌20日、3日の爆撃で大破しカビエンに停泊していた巡洋艦「青葉」の上空哨戒任務についていた二五三空、村上康次郎二飛曹が率いる零戦6機は、8時5分、高度3500メートルにB-24、1機を発見。攻撃したが一旦は雲の中に逃がした。しかし再度、発見、前方から攻撃。だが再び雲の中に逃げられ、捜索したが、今度は見つからなかった。20ミリ50発、7・7ミリ120発を使ったが、攻撃の効果は不明とされている。消費弾薬から見て、さほど有効な攻撃ができていたとは思えない。

この日、8時10分にカビエンを発進した二五三空の零戦3機も雲の中から出て来たB-24を発見。阿部健市一飛曹率いる各機が、一、二撃ずつを加えたところで、ふたたび雲の中に逃げられた。使用した弾薬は20ミリ70発、7・7ミリ150発だった。3機の零戦が、一、二撃ずつ、計四、五撃くらいか。そうなると一撃の使用弾薬というのは20ミリ十数発、7・7ミリ30発くらいということになる。時間にして1、2

秒、空戦で撃てる機会と言うのは、そのくらいなのであろう。

この日、米海軍情報部の損害リストには、ガダルカナルを発進したVS-54（第54海軍偵察飛行隊）のOS2N-1、ヴォート・キングフィッシャー艦載観測機が空戦で撃墜されたと記録されている。しかし零戦はもちろん、周辺の水上機、陸攻部隊の行動調書まで調べたが、交戦の記録が見つからなかった。

翌21日も、カビエン基地にはB-17来襲の警報が轟き、9時10分、二五三空の零戦6機が発進。20分後、B-17、1機を捕捉、ロロバウ上空で攻撃。20ミリ40発、7・7ミリ110発を射撃したが、例によって雲の中にとり逃がした。

さらに22日、7時20分、また空襲警報。カビエンから二五三空の零戦6機が発進。20分後、B-17、1機を捕捉攻撃、また一度、雲の中に見失ったが、再度発見、右発動機から白煙を噴出させたが、再度、雲の中に逃げられてしまった。小畑高信上飛曹率いる零戦隊は20ミリ82発、7・7ミリ640発を消費した。

25日、ルッセル諸島から発進し、ムンダ基地を機銃掃射したVMF-213「ヘルホークス」のF4U、4機は帰途、日本軍の最前線、ガッカイ島の西側に上陸したとされる米軍潜入部隊の攻撃に向かう陸攻隊を上空に発見。4機のコルセアは高度900メートルから、旋回しながら6分間かけて4200メートルまで上昇。指揮官のペイトン少佐が雲をうまく利用して機動したため、ここまでは日本機に気づかれなかった。

今やほぼ同高度を飛んでいる陸攻は12ないし16機で北西に向かっていた。上空には三段になって飛ぶ掩護の零戦の姿があった。

掩護零戦の一番下の編隊は8機からなり、陸攻の150メートル上を飛んでいた。零戦は米軍のシザーズ（ハサミ）運動によく似た、日本海軍が「バリカン運動」と呼ぶ交互にすれ違うジグザク運動をしながら進んでいる。

中間掩護編隊の8機は450メートル上、一番上の掩護編隊は爆撃機の1200メートル上空をそれぞれ「バリカン運動」をしながら飛んでいた。

4機のF4Uは雲に隠れながら日本軍編隊の後方へと回り込んで行った。だが攻撃位置に入ろうとした刹那、逸早くそれに気づいた五八二空、野口義一中尉が率いる零戦12機が一斉に増槽を投棄、襲いかかってきた。

編隊の後尾にいたコルセア2機がまず捕捉され、エッカート中尉機が撃墜されて行方不明となった。つづいてペック中尉機がエンジンに被弾、気息奄々といった状態で基地に帰った。先導していた指揮官、ペイトン少佐機は20ミリ、7・7ミリ取り混ぜて78発もの命中弾を受け左腕と膝に負傷して帰還。僚機ヴェダー中尉は落下傘降下して、後に救助された。

出撃に先駆けて、エンジン試運転中の五八二空零戦の列線。手前の２機は二一型。３機目はこのころ到着し始めたばかりの二二型のように見える。

18年１月29日に二〇二空から転勤して来た野口義一中尉（前列左）と、二空以来の角田和男飛曹長（前列右）。海兵68期の野口中尉は着任以来、幾多の空戦に参加。連合軍の損害記録と合致する戦果を挙げた空戦も多い。公認個人撃墜９機のエース、角田飛曹長が自分の列機に欲しがったという腕利きの篠塚賢一二飛曹を列機に従えた野口中尉の個人戦果も、あるいは５機を越えていたかも知れない。

五八二空は20ミリ360発、7・7ミリ440発を射撃。一方的な空戦による勝利、撃墜6機を報告している。米軍も負けずに零戦の撃墜6機を報告しているが、まったくの誤認で、こちらは1機も落ちていない。

「ヘルホークス」のコルセアは4月7日に日本機とわずかに接触した経験があるだけで、零戦と本格的に戦うのは、この日が初めてであった。百戦錬磨の野口中尉等にかかっては、まるでプロとアマチュアの戦いである。

この空戦での20ミリと7・7ミリ弾の消費数は差が少ない。20ミリの発射速度は550発/分、7・7ミリの発射速度はプロペラに同調させなければならないため700から800発/分程度だったと思われる。そうしてみると、各機、かなり良い位置でコルセアを捉え、命中の確信をもって両銃をほぼ同時に撃ちまくった結果の弾薬消費のようだ。その結果がコルセア2機撃墜、1機撃破という一方的な勝利になったのである。

指揮官の野口中尉は1月29日に、精鋭中の精鋭、二〇二空から転勤して来た士官だった。また常に彼の2番機を務めていた丙飛2期の篠塚賢一二飛曹も、野口中尉が自分の列機を務めさせるため二〇二空から連れて来た選り抜きの下士官である。筑波航空隊時代、彼の教員を務めていた五八二空の角田一飛曹（当時）も、篠塚二飛曹は練習生の時分から並外れた天分を示していたと回想している。空戦では、乱戦になると列機が自分の判断で離れてしまうことも多かったが、篠塚二飛曹は野口中尉から絶対に離れず、後方を守り抜いていたという。

「ビッグマンが爆撃に来る」沿岸監視員、親日現地人を恫喝

4月26日、21時、月もない闇の中、ブーゲンヴィル島にいた沿岸監視員、ジャック・リードに補給物資を投下する為に、オーストラリア空軍の第11飛行隊のカタリナが飛来した。投下地点で旋回しながら落下傘をつけた補給品の空中投下をはじめたが、三回目の旋回中、立木に衝突。カタリナは墜落した。墜落で3名が死亡。生き残りは親日現地人と日本兵による捜索隊と交戦、1名が戦死、3名が捕虜になり（後にラバウルで処刑）、生還できたのは2名だけだった。連合軍の航空戦を有利に導いてきた沿岸監視網を維持するために支払われた犠牲のほんの一例である。沿岸監視員も自分たちの活動を脅かす親日現地人の存在には脅威を感じていた。そして、その対策は間もなく冷酷に実行されることになる。

27日、カビエンにはまたB-17が飛来した。12時30分、警報により二五三空の零戦5機が発進。丙飛2期、艦爆の実用機教程を終えると同時に戦闘機へ転科した河崎勝彦二飛曹が率いる零戦は、20分後にB-17を捕捉。20ミリ50発、7・7

ミリ110発を放ったが、10分後、雲の中に取り逃がした。

28日、ラバウルを発進した二〇四空の零戦6機も、7時5分、ニューブリテン島南部のズンゲン上空でB‐17を1機発見、攻撃。鈴木博中尉、杉田庄一飛長等は射撃で左発動機内側から黒煙を噴出させたが、雲の中に取り逃がした。

来襲したのは両日とも各2機ずつで捜索攻撃を実施した第394爆撃飛行隊のB‐17だった。

29日、例によってブイン基地を偵察するためF5A型偵察機がガダルカナルを離陸。偵察機を零戦から守るため第12戦闘飛行隊のP‐38G型も2機離陸した。高速のP‐38であったが、偵察型のF5Aはもっと速く、掩護の2機は遅れ気味で編隊は乱れ、ホワイタカー中尉のP‐38が行方不明になってしまった。

ブインでは7時から五八二空の竹中義彦飛曹長率いる零戦6機と、角田和男飛曹長が率いる零戦6機が午前中の基地上空哨戒を兼ねて編隊索敵空戦の訓練をしていた。訓練中、角田飛曹長は高度5千メートルにP‐38の編隊を発見。即座に増槽を捨て列機を従え反航戦を挑んだが、P‐38は射程外に逃れ、下方にいた竹中飛曹長の編隊に一撃を見舞い零戦を四散させると、高速で離脱しはじめた。この機動でP‐38の編隊も散り散りになってしまった。角田飛曹長は遥か遠方に去ったP‐38を後下方の死角から辛抱強く追跡。約1時間後、ムンダ基地の西方海上で追いついた。彼は後方30メートルから一撃、破片をまき散らして落ちるP‐38に、いつの間についてきたのか、竹中隊6番機の燕木幾二飛長が追い打ちの連射を放った。撃ち落とされたP‐38は、ほぼ間違いなく、ゴードン・ホワイタカーJr中尉機である。

この日の夕刻、第307爆撃航空群のB‐24重爆、各6機が、ブインのあるブーゲンヴィル島の村、キエタとヌマヌマを爆撃した。両村に日本軍の施設はない。日本兵もおそらくいなかった。米軍はそれを知っていた。戦前からこの島にいた沿岸監視員、ジャック・リードの要請だった。当時、ブーゲンヴィルの沿岸監視員は現地人の案内でやってくる日本軍の討伐隊の脅威にさらされていた。リードは現地人を「日本人に協力するとビッグマンが爆撃に来るぞ」と脅していた。現地人はアメリカ人を「ビッグマン」と呼んでいた。2月頃、カタリナによる小規模な夜間爆撃は実施したこともあるが、現地人は本当の爆撃の恐ろしさを知らず、相変わらず親日的だった。彼らの言葉を借りれば「日本人の宣伝にだまされていた」。そこで「ビッグマン」の重爆6機の凄まじい破壊力で、思い知らせてやったのである。

キエタでは数カ所で火災が起き、大きな二次爆発が起こった。不時着や落下傘降下した仲間の救助に力を尽くしてくれる沿岸監視員の存在には感謝しているものの、無辜の現地人の村を爆撃するという戦争犯罪行為に後ろめたさを覚えていた第307爆撃航空群のB-24乗員は、この爆発を見て「この村には日本軍が弾薬か燃料を隠していた可能性がある」と思い心を慰めたと、同航空群史に記されている。

たった1機の零戦が、キエタの爆撃を終えた第307爆撃航空群のB-24を見に来たが、敢えて攻撃はして来なかったという。各航空隊の行動調書を調べたが、該当の零戦の搭乗員は見つからなかった。

もちろん日本の討伐隊も親米の村を焼き払い、通敵容疑者を捕らえると見せしめに斬首した。日本軍の印象の悪くする生々しい蛮行だが、その破壊力は四発重爆には遥かに及ばない。

米陸海軍航空隊、4月の南東方面航空戦の総決算

4月30日、11時15分、警報によりカビエンから二五三空の零戦3機が発進。10分後、ニューハノーヴァー上空、千メートルでB-24、1機を捕捉。河崎二飛曹等の零戦は、右発動機から火災を発生させたが、撃墜できぬままに、B-24はスコールの中に逃げ込んでしまった。この戦闘で3番機の安松博飛長機は13ミリ1発を被弾したが、修理可能な損傷だった。この日に限って、使用弾薬は記載されていない。

交戦したのは、第321爆撃飛行隊のB-24、エベリット・ウッド大尉機であろう。同機はカビエンに接近中の輸送船2隻を発見。爆撃針路に入ろうとしたところ、零戦1機の攻撃を受け、やがて2機目の零戦が攻撃に加わったため爆撃照準を断念させられたと記録している。河崎二飛曹等の零戦はB-24を撃墜することはできなかったにせよ、輸送船2隻の危機を救うという殊勲を上げたのである。

この日、米海軍情報部の損害リストによれば、VF-72のF4F-4が3機、FAW-1（第1艦隊航空団）のカタリナ飛行艇1機がソロモン戦域の空戦で撃墜されている。しかし例によってパイロットの氏名がない不完全な記録で、日本海軍の行動調書にも該当する空戦の記録が見当たらない。しかも、もともと空母「ワスプ」の艦上飛行隊であるVF-72は、一ヶ月も前の3月29日にガダルカナルで解隊されている。VF-72の損失の日付が4月30日ではなく1日の誤りなら、解隊日の直後でもあるし、まだなんとか話の辻褄が合う。またカタリナの損害も、日付が違っていて7日に飛鷹の零戦がルンガ泊地で撃墜を報じた機体なのだろうか。

2月25日、3月31日、そしてこの4月30日と、米海軍情報部の損害リストは該当の月に撃墜され、その日付が不確かな損害を、それぞれの月の月末の日付にまとめて記載しているような傾向が窺える。

4月の一ヶ月で、米海軍の基地航空隊はソロモン、ビスマルク方面で延べ445機が出撃。うち53機が空戦。低調だった3月に比べ出撃機数も増えたが、空戦が10倍にもなってい

る。交戦したのは、30機の日本軍爆撃機と、76機の日本戦闘機。そして爆撃機13機と戦闘機の撃墜33機を報じている。一方、対空砲火で14機、日本戦闘機との交戦で21機、作戦中の事故で5機を失っている。戦果も多かったが、損害も3月の10倍になっている。

同地域の米海軍、海兵隊、陸軍、オーストラリア、ニュージーランド空軍などを傘下に入れている連合軍戦闘機コマンドは「4月一ヶ月の航空戦で73機を撃墜、うち69機が戦闘機による撃墜戦果であった」と記録している。

一方、空戦で未帰還や、不時着となった零戦の損害は27機、搭乗員は26名が戦死。

筆者の集計によると、零戦によって墜落、または不時着や損傷によって全損になったの連合軍戦闘機は計33機。戦死した戦闘機パイロットは判明しているだけで10名だった。

内訳は、米海軍と海兵隊の戦闘機20機、米第13航空軍の戦闘機5機、米第5航空軍の戦闘機6機、オーストラリア空軍の戦闘機2機だ。落とされた機種は、16機のF4F（1機は艦爆の戦果?）、4機のF4U、6機のP-38、5機のP-39、2機のP-40。その他1機のPBY5が撃墜されている。

零戦の損害こそ27機であったが、零戦が掩護していながら空戦で落とされてしまった陸攻は11機、艦爆は15機にも昇り、計58機を失った4月の空戦は、やはり日本側が勝ったとは言い難い。

「空の要塞と刺し違え」二五三空、上村一飛曹の自爆

5月2日、スルミ基地に向かう中攻機を掩護するために二五三空の零戦3機が6時にラバウルを発進。7時に1機のB-17に出くわした。指揮官はこのところ三度つづけて米軍四発重爆に遭遇している河崎勝彦一飛曹。5月1日付けで二飛曹から進級したのである。彼らは20ミリ300発、7・7ミリ300発を射撃。白煙を噴出させたが、撃墜するにはいたらなかった。しかし、今日の空戦ではいつになく消費弾薬が多い。河崎一飛曹もたび重なる遭遇で、重爆攻撃の要領を次第に掴んで来たのかもしれない。

この日、9時10分、ブインでは「P-38偵察に飛来」との警報を受け、五八二空の八並信孝一飛曹が零戦5機を率いて離陸したが、とうとう追いつけずに帰って来た。

だが翌3日、13時にP-38、2機が偵察に飛来したとの警報で離陸した野口中尉と篠塚二飛曹以下、8機の零戦は1機に一撃を見舞うことはできた。しかし結局、撃墜はできなかった。

7日、10時。「B-17、1機来襲」の警報を受けて、カビエンから直ちに二五三空の零戦6機が発進した。率いるのは、4月15日にB-17の左発動機から発煙させつつも雲の中に取り逃がした上村清次郎一飛曹であった。だが今回は逃がさな

かった。爆弾を搭載せず単機で偵察に飛来した第63爆撃飛行隊のB-17F型「ザ・レックレス・マウンテン・ボーイズ」は、零戦6機の攻撃を受け、まず第2エンジンから発火。腹部砲塔にも被弾し、射手が負傷。そのため「空の要塞」は下方からの攻撃を避けるため、海面すれすれまで下降した。そしてさらに第1エンジンも停止したため、着水を余儀なくされた。零戦は帰り際、着水機を掃射していった。二五三空の零戦は、20ミリ660発、7・7ミリ4350発を使って、このB-17をとうとうニューアイルランド島西岸ラブオ付近に不時着水させたのである。しかし、この戦果と引き換えるように上村一飛曹は自爆戦死してしまった。

生き残ったB-17の乗員8名は機上戦死者を埋葬した後、スプリングフィールド小銃と機関銃各1挺、拳銃3挺で武装し、ドイツ人が経営していたコプラ農園へと侵入したが、翌日やってきた日本の捜索隊に降伏、ラバウルに連行された。しかし戦後まで生き延びて解放されたのは3名だけだった。

「VMF-112は撃てば必ず落とす」大原飛長、間一髪の活躍

5月13日9時「ルッセル諸島の北西に敵機」チョイセル島の沿岸監視員が日本機編隊の南下を通報した。

海兵隊VMF-112「ウルフパック」のコルセア7機は、この情報で緊急出動した。15分後、さらに4機が離陸。だが日本機は見つからなかった。指揮をとるため大急ぎで離陸したフレイザー少佐のコルセアは、陸軍のP-40と一緒になったが、日本機には接触しなかった。最初に離陸したドナヒュー大尉等VMF-112のコルセア7機と、陸軍のP-40はラッセル諸島の北西16キロ地点で、高度3600メートルから、5千メートルに何段かの層になって飛来した零戦と遭遇した。

二〇四空、二五三空、五八二空の零戦、計70機あまりが、3日以来、天候不良や米軍機が現れないため延び延びになっていたルッセル諸島への「五〇二作戦」（ショートランド、ニュージョージア、ルッセル島方面敵機捕捉撃滅）を実施したのである。

8時10分、五八二空の18機がブイン基地を発進。その5分後、二〇四空の24機が発進。15分後、二五三空の12機が離陸した。二五三空の行動調書では、P-38、F4F、F4Uなど60機あまりと交戦したと報告されている。

この空戦に現れた連合軍戦闘機は、VMF-112、VMF-124のコルセア、第70戦闘飛行隊のP-38および、P-39、第44戦闘飛行隊のP-40など34機、ニュージーランド空軍、第15飛行隊のP-40、6機など、計62機だった。

この「ルッセル島攻撃」では大原亮治二飛曹が間一髪の大活躍をする。「ここに敵がだいぶ集まって来たっていうんでね。この時は、二〇四空と五八二空でそれぞれ20機ずつくらいで行ったんだけど、宮野大尉が総指揮官で、私がその三番

204空　18年5月13日　ルッセル諸島攻撃　行動調書より

1中隊			
1小隊			
1番機	宮野善治郎大尉	20ミリ78発、7.7ミリ130発	F4U協同撃墜
2番機	山根亀次二飛曹		上空支援
3番機	大原亮治二飛曹	20ミリ120発、7.7ミリ240発	被弾　F4U 1を発見して撃墜　F4U撃墜　計F4U 2機撃墜
2小隊			
1番機	尾関行治二飛曹	20ミリ57発、7.7ミリ136発	F4U 1（五八二協同）撃墜
2番機	浅見茂正二飛曹	20ミリ110発、7.7ミリ350発	F4U攻撃せるも機銃故障の為引き上げ
3番機	小林友一二飛曹	20ミリ110発、7.7ミリ190発	P-39 2を攻撃　内1機を撃墜（不確実）
3小隊			
1番機	辻野上豊光二飛曹	20ミリ6発、7.7ミリ150発	F4U 1を発見攻撃　不確実撃墜
2番機	中村佳雄二飛曹	20ミリ77発、7.7ミリ260発	F4U 5を発見　之を攻撃1機撃墜　F4U 1に攻撃を加え撃墜
2中隊			
1小隊			
1番機	野田隼人飛曹長		行方不明
2番機	杉本久英二飛曹	20ミリ160発、7.7ミリ220発	G戦及びF4U 30と交戦、上方より攻撃し来るG戦1発見撃墜
3番機	黒沢清一二飛曹	20ミリ140発、7.7ミリ210発	F4U 2撃墜　G戦1不確実　F4U不確実1
2小隊			
1番機	渡辺秀夫二飛曹	20ミリ81発、7.7ミリ340発	F4U 2撃墜　P-39不確実撃墜
2番機	川岸次雄二飛曹	20ミリ80発、7.7ミリ156発	F4U 1撃墜
3番機	坂野隆雄二飛曹	7.7ミリ627発	F4U 3撃墜　内1機不確実
3小隊			
1番機	坪屋八郎二飛曹	20ミリ160発、7.7ミリ210発	F4Uを発見するも避退す
2番機	刈谷勇亀二飛曹		行方不明
3中隊			
1小隊			
1番機	日高初男飛曹長		発動機故障引き返す
2番機	為藤章二飛曹	20ミリ14発、7.7ミリ85発	被弾　上空支援
3番機	中沢政一二飛曹	20ミリ70発、7.7ミリ721発	F4U 2撃墜（内1機協同）
2小隊			
1番機	鈴木博上飛曹	20ミリ49発、7.7ミリ165発	F4U 2撃墜（内1機不確実）
2番機	白川俊久二飛曹	20ミリ50発、7.7ミリ500発	F4U 2撃墜（内1機協同）
3番機	渡辺清一郎二飛曹		上空支援
3小隊			
1番機	岡崎靖一飛曹	20ミリ16発、7.7ミリ86発	発動機不調引き上げ
2番機	人見善十二飛曹		引き返す

13日、被弾で発火、自爆を決意して急降下中、燃料タンクに開いた穴があまりにも大き過ぎたため火が消え命拾いした五八二空の明慶二飛曹（中央）。

二〇四空の宮野善治郎大尉。個人で16機を落としたエースとしての実力もさることながら、零戦に4機1小隊戦術を導入するなど指揮統率能力にも優れた空戦指揮官であり、彼の部隊撃墜戦果は228機に達する。

機。敵地上空に入る手前で零戦が1機、煙を吹いて私らの腹の下に入ってきて、その後ろからコルセアがくる。すぐ前に出て、宮野大尉に合図すると手信号でお前行け、っていう。一人ですか？　って聞くと、指を一本立てて、一人で行けっていう。もっとも総指揮官だから勝手に編隊を崩して行くわけにも行かなかったんでしょうけど、その時はずいぶんヒドイことというなァと思いました。零戦は煙を吐きながらぐーっと回ってる。その後ろからコルセアがついてく。それを私が追って行った。高度差があったからね、速度がついてすぐに追いつけた。コルセアがいい場所に出て来た時、周りを見回して他に敵はいないなァ、よーしっと思って、ダーッと撃った。コルセアは零戦を追いかけるのに夢中で気がついてなかった。で、一撃で落としたんですよ。周りを確認して、他にはいないことを確かめたつもりだったんだけど、落とすと同時に、後ろからバリバリーッてきた。すぐそこで背面にしたら、左後ろにコルセアがいた。後ろをひどく撃たれてて、操縦桿から手を離すと機首が上向いちゃうような状態なんですよ。これじゃあ戦争にならないなァ、と思ったから戦場離脱して、ああっ、あん時、コルセアは左後ろにいたんだな。と思って振り返ると、また同じところにコルセアが2機いる。その時はまだ遠かったんですけどね。こりゃあ逃げないといけない、と思うと前方にも1機いる。3機でね、追いかけて来たんですよ。あーっ、こりゃあ、一発当たったら、もうダメ。でも最初の攻撃で当たらなかったら、俺も死にものぐるいでやらなきゃなと思って、バンドを緩めて、動き回ってどこでもよく見えるようにしてね。操縦桿抑えてると、2機が後ろにずーっと寄ってきた。あーっ来たな来たなァ。コルセアが撃つとね、機銃が6門あるでしょ。ダダダッって音じゃない。ゴーッって音がくるんですよ。よし、音と同時に旋回するぞ。その時に1発当たったら、それで終わり。当たらなかったらやるぞってね。どうなるかわかんないけれど、空戦するぞってね。で、パッと見えたからね、ものすごい垂直旋回をしたんです。それまでね、右のフットバーを踏みながら機首を右に振って飛行機を滑らせてたんですわ。（そうすると敵が目測を間違えて）弾はそれて行っちゃう。それで初弾が見えたから、左旋回をぎりぎりいっぱい、目が眩むくらいの急旋回に入った。三回も四回でもないですけどね、一回以上は回った。そしたら一番後ろから着いて来てたコルセアが前に出て来た。ホントに落としてくれってばかりでね。ぎりぎりいっぱい引っ張りながら撃ったら、火を噴いたから、私は落ちたと思うんですよ。でもまだ後ろに2機いる。そしたら後ろの飛行機が火を噴いたんですよ。あっ、と思ったら、日の丸を描いた零戦が1機ブーッと上空に来てくれた。隣の部隊の人がね、帰りがけに見つけて助けてくれたんです。残ったコルセアはさーっと逃げちゃってね。そしたらその人が行け行けって合図するから、コロンバンガラっていう島の飛行場に不時着して。後ろには大きな穴があいちゃってね。38発も当たってた。燃料も足りないから左の燃料タンクだけ満タンにしてもらって、その間、隣の部隊の人は上空で待っててくれてね。みんなから30分か40分遅れて帰ってきたら、大原バツ、って名前消されて未帰還にされちゃってて」。この日の行動調書には個人の戦果と消耗弾薬が記録されている。大原二飛曹がコルセア2機の撃墜に使った弾は20ミリ120発、7・7ミリ240発だった。20ミリの比率が高い。しっかりとコルセアを照準に捉えて、確信をもって射撃したのであろう。

この空戦で、二〇四空は20ミリ1317発。77ミリ4386発を射撃、F4Uの撃墜確実20機、不確実4機、F4F撃墜確実1機、P-39の撃墜不確実2機を報告している。

五八二空はF4Uの撃墜確実6機、不確実2機、P-38撃墜確実2機、P-39撃墜確実1機。

二五三空は20ミリ500発、7・7ミリ1500発を射撃し、F4U撃墜確実2機、不確実6機を報告。零戦隊は計32機もの撃墜確実を報じている。

一方、損害は零戦4機が未帰還となり、5機が被弾している。なかでも五八二空の明慶幡五郎二飛曹は左主翼燃料タンクに被弾、発火した。そこで自爆を決意して急降下していると消火したため辛うじて帰還している。燃料タンクにあいた穴があまりにも大きかったため、燃料が数秒で漏洩燃焼してしまったらしい。

この空戦に参加したVMF-112のドナヒュー大尉は、コルセアは零戦のどんな機動にも追随できたと報告。そしてVMF-112は7機、VFM-124が8機、コルセアは零戦計15機の撃墜を報じている。

しかしVMF-112では、セイファート中尉がルッセル諸島から8キロほどのところで発煙しつつ45度の角度で降下している姿を最後に行方不明になったのをはじめ、ベースラー大尉機が下方から操縦席に当たった20ミリに油圧装置を壊され、かけていたゴーグルも割れたが、ルッセルの飛行場に不時着した。ウィルコックス中尉機は右の補助翼と方向舵を撃ち飛ばされ、右肩に負傷、7・7ミリと20ミリで穴だらけにされたが奇跡的に帰還。しかし機体は全損になった。ドナヒュー大尉機にも20ミリが2発、右の安定板に命中していた。

VFM-124では飛行隊指揮官のウィリアム・ガイス少佐機が撃墜されて行方不明になった。またダール中尉機は脚を撃たれてルンガ岬で落下傘降下。キャノン中尉機はガダルカナルまで帰って来たが主脚が出なかったのでツラギ沖に着水した。

米軍は必死で周辺海域を捜索したが、ガイス少佐と、セイファート中尉は発見できなかった。ガイス少佐は日本軍の捕虜になっていたというが、日本側の記録は見つからなかった。

P-38は撃墜確実1機、不確実1機を報じたが、第12戦闘飛行隊のジェームス・ギル中尉のP-38が撃墜され、彼は戦死。

こうして零戦の損害4機と搭乗員4名に対して、米軍は戦闘機6機と、パイロット3名を失っている。

さらにこの日、ニュージーランド空軍のP-40が2機、零戦と間違えられて、後方からコルセアに散々撃たれた。幸いにも弾は当たらなかったが、激高したP-40のパイロットが米海兵隊に怒鳴り込み「撃ったのはVMF-112か、VMF-124か?」とVMF-112の指揮官フレイザー少佐に詰め寄った。少佐は「なんて言った? ショットアップ(撃った)か、ショットダウン(落とした)か?」と尋ねた。P-40のパイロットは「ショットアップだ」と言う。「ならVMF-112ではない。我々は撃ったら必ず落とす」。VMF-112による5月13日の戦時日誌の最後はこう締めくくられている。コルセアの弾は当たらなかったが、零戦の弾はニュージーランドのP-40に当たっていた。I・R・マッケンジー中尉のP-40は、20ミリ、7・7ミリ取り混ぜて70発以上も被弾して帰って来た。この空戦がニュージーランド空軍のP-40と零戦の初交戦だった。

ソロモン戦域の古豪「台南空」、二五一空の名で復帰

この13日、カビエン基地に残留していた二五三空の零戦4機は、11時30分、警報により離陸した。20分後、単機のB-24を発見。攻撃。野田徳晴二飛曹等は、20ミリ250発、7・7ミリ350発を射撃。白煙を噴かせたが、撃墜にはいたらず雲の中に取り逃がした。二五三空はこの空戦を最後にサイパン島に帰還した。約8ヶ月間にわたって南東方面で戦った二五三空は110機の撃墜戦果を報告しているが、20名の搭乗員が戦死している。

彼らに代わってやってきたのが、台南航空隊として17年10月までソロモン、東部ニューギニア方面の空戦で32名の搭乗員を失った後、内地に帰還、豊橋で戦力を回復していた二五一空(17年11月改称)である。5月10日、やがて日本のトップエースとなる西澤廣義飛曹長等、零戦58機がラバウル東飛行場に到着。次いで同航空隊に所属する二式陸偵7機と、十三試双発改造夜戦(後の月光)2機も17日までに到着した。

14日、二五一空、向井一郎大尉指揮の零戦33機は「五〇四作戦」(オロ湾方面敵艦船攻撃)に向かう中攻隊を掩護するため、7時にラバウル東飛行場から離陸を開始した。10日のラバウル到着後、初めての出動であった。7時25分、七五一空の中攻隊18機と合同。9時20分、ニューギニアのオロ湾上空に到着「全軍突撃」の命令のもと。爆撃と空戦がはじまった。

投弾と同時に左上方からP-40、4機が降って来た。つづいて前方からP-38が4機突進して来る。これを向井大尉の1中隊9機が迎え撃ち、坂上忠治上飛曹がP-38を1機を発火させた。鴛渕中尉の2中隊6機はP-38、7機と空戦。大

野中尉の4中隊6機はP-40、P-39など12機と交戦。木村大尉の3中隊6機は逃げ回る4機のP-38を追い回し、1機、2機と撃墜していった。

二五一空は20ミリ1759発、7・7ミリ11617発を消費。P-38の撃墜確実4機、不確実1機、P-39撃墜確実1機、P-40撃墜確実3機、不確実4機を報じた。損害は被弾5機のみであった。

しかし陸攻は指揮官の浦田大尉機が撃墜された他、5機が帰って来なかった。うち海上に不時着した2機の搭乗員は救助されたが、機上戦死者などもあり全部で17名が戦死した。

第49戦闘航空群は43機の戦闘機を邀撃に上げ、陸攻の撃墜7機、零戦の撃墜9機を報告している。その一方、P-38が1機撃墜され、部隊に来たばかりの新人アーサー・R・バウホフ少尉はサメがいる海を泳いでいるのを目撃された後、行方不明になり、ジョン・グリフィス中尉のP-40K型が7・7ミリ15発、20ミリ1発を被弾した。なんとか帰還したが、着陸時に脚が折れて全損になった。爆撃ではアスファルトの集積場と、艀1隻が破壊されたという。

二五一空は行動調書に各機の消費弾薬と個人の報告戦果、被弾数などをすべて記載している。例えば、2中隊長、鴛渕孝中尉の2番機として、P-38、P-40撃墜確実各1機、P-40撃墜不確実2機もの戦果を報じている有名な撃墜王、西澤廣義上飛曹は20ミリ105発、7・7ミリ400発を消費している。20ミリ1発、7・7ミリ430発を撃ち、P-39の撃墜確実1機を報じている山本末広二飛曹機の20ミリ機銃は1発しか出ないで故障してしまったらしいことがわかる。その他、7・7ミリしか撃っていない搭乗員が4名いる。いずれも20ミリが故障だったとは思えないが、どうして撃たなかったのだろうか。目標上空に達した32機の零戦は全機が発砲しており、1発も撃っていない機はない。自爆こそなかったものの、被弾機も多く、南東方面に戻って来たばかりの二五一空が初めて遭遇した空戦が、かなりの激戦であったことが偲ばれる。

15日、二五一空の零戦12機は、前日のオロ湾攻撃で不時着した機体の搭乗員を捜索する七〇二空の陸攻を掩護するため、8時35分にラバウルを離陸。10分後、陸攻と合同。10時30分、1中隊1小隊の3番機、宮本公長二飛曹はエンジン不調のため引き返した。1中隊長の木村章大尉は宮本機に付き添って行った。10分後、宮本機が無事帰れそうな様子を見届けた木村大尉機は反転、部下を引き連れてふたたび捜索区域に向かった。11時より捜索開始。11時45分、中攻が2機のB-25を発見。5分後、戦闘機もB-25を発見、悪天候下、約5機と交戦。20ミリ383発、7・7ミリ1497発を射撃、B-25撃墜確実1機、不確実1機を報じた。

交戦したのは、この日、ラエを爆撃するためフオン湾へ向かい行方不明となった第13爆撃飛行隊、ネルスン・P・イングラムJr中尉のB-25C型「ミス・スナフ」ではないかと思われる。だが、この空戦で指揮官の木村大尉機が行方不明となってしまった。

12時、二五一空零戦は10分間の空戦を終え、帰途につく。45分後、2中隊1小隊の2番機、中山義一二飛曹がスルミに不時着、行方不明となった。5分後、また2中隊の今度は2小隊の2番機、寺田幸一二飛曹がジャキノットに不時着水したが救助された。14時20分、零戦は8機に減って、さびしく帰着した。

この空戦で勇猛に戦ったのは、橋本光輝中尉率いる2中隊のように思える。橋本中隊は、中尉自身が20ミリ109発、7・7ミリ550発を撃ち、また1小隊3番機の新井藤孝飛長も20ミリ110発、7・7ミリ445発を射撃、同2番機の中山二飛曹はおそらく被弾によって不時着を余儀なくされたのだろう。2小隊も小隊長の田中三一郎上飛曹が20ミリ100発、7・7ミリ100発を撃ち、20ミリを100発以上撃ったというのはほぼ全弾の消費である。2番機の寺田二飛曹もおそらく被弾のため不時着水、3番機の吉田光良飛長も20ミリ25発、7・7ミリ220発を放っている。

1中隊は木村中隊長が行方不明になってしまったためか、射撃が少なく、3機はまったく発砲しておらず、攻撃は生彩を欠いている。木村大尉は空戦のどの時点で、どんな原因で行方不明になってしまったのかわからないが、真っ先にB-25に攻撃を試み、被弾墜落してしまったのだろうか。B-25は高速、武装も強力で防弾、防火装備も優れ、容易には落としにくい爆撃機であった。

探しに行った不時着水陸攻の搭乗員は、翌16日、「伊五」潜水艦に救助された。

戦闘機掃蕩「首狩り族」との遭遇戦

5月19日、二〇四空の宮野善治郎大尉は零戦12機を率いて「五〇五作戦」(東部ニューギニア、ニューブリテン方面敵機捕捉撃滅)のため、7時55分、ラバウルを発進した。

宮野大尉の3番機は例によって大原亮治二飛曹が務めていた。10時15分、ワウ飛行場の上空に到着。連合軍機が出て来ないため、宮野大尉は攻撃目標を地上に切り替えた。30分後、小型艦艇を発見、攻撃開始。20ミリ505発、7・7ミリ842発を射撃、小型油槽船1隻炎上、内火艇2隻、帆船1隻の撃破を報告。20分後、戦場を離脱。全機が無事に帰還した。

21日、5時10分、早朝から二五一空の零戦21機はニューブリテン島の西端からニューギニア北東岸にかけて米軍機を求めて出動した。「ワウ、ブロロ、ブルワ索敵攻撃」、英語で言えば「ファイター・スウィープ」戦闘機掃蕩だ。前日、二〇四空が試みて果たせなかった作戦である。

251空　18年5月14日　五〇四作戦　行動調書より

		1中隊	
1小隊			
1番機	向井一郎大尉	20ミリ10発、7.7ミリ200発	P-40撃墜不確実1機
2番機	坂上忠治上飛曹	20ミリ100発、7.7ミリ1020発	P-38撃墜確実1機
3番機	八尋俊一二飛曹	20ミリ61発、7.7ミリ173発	被弾1発、P-40撃墜確実1機
2小隊			
1番機	磯崎千利少尉	20ミリ101発、7.7ミリ350発	
2番機	山本末広二飛曹	20ミリ1発、7.7ミリ430発	P-39撃墜確実1機
3番機	中西貢二飛曹	20ミリ61発、7.7ミリ230発	
3小隊			
1番機	田中三一郎上飛曹	7.7ミリ460発	
2番機	松吉節二飛曹	20ミリ12発、7.7ミリ300発	
3番機	小竹高吉二飛曹	20ミリ40発、7.7ミリ285発	被弾3発
		2中隊	
1小隊			
1番機	鴛渕孝中尉	20ミリ31発、7.7ミリ300発	
2番機	西澤廣義上飛曹	20ミリ105発、7.7ミリ400発	P-38、P-40撃墜確実各1機、P-40撃墜不確実2機
3番機	関口栄次二飛曹	7.7ミリ200発	
2小隊			
1番機	香下孝中尉	20ミリ100発、7.7ミリ250ミリ	
2番機	四宮愛三郎一飛曹	20ミリ59発、7.7ミリ450発	
3番機	安藤栄一郎二飛曹	20ミリ44発、7.7ミリ240発	
		3中隊	
1小隊			
1番機	木村章大尉	20ミリ14発、7.7ミリ200発	
2番機	遠藤桝秋一飛曹	20ミリ29発、7.7ミリ390発	P-38撃墜確実1機
3番機	小西信雄二飛曹	7.7ミリ800発	
2小隊			
1番機	橋本光輝中尉	20ミリ74発、7.7ミリ369発	P-38協同撃墜確実1機、不確実1機
2番機	中山義一二飛曹	20ミリ160発、7.7ミリ642発	
3番機	塚本秀夫二飛曹	20ミリ65発、7.7ミリ200発	
		4中隊	
1小隊			
1番機	大野竹好中尉	20ミリ19発、7.7ミリ400発	被弾2発　P-38協同確実撃墜
2番機	米田忠二飛曹	20ミリ84発、7.7ミリ250発	被弾4発　P-40確実撃墜1機、不確実2機
3番機	松本勝次郎二飛曹	20ミリ130発、7.7ミリ300発	
2小隊			
1番機	林喜重中尉	20ミリ130発、7.7ミリ360発	
2番機	辻岡保一飛曹		離陸直後主脚が入らなかったため引き返す
3番機	増田勘一二飛曹	20ミリ46発、7.7ミリ125発	
		5中隊	
1小隊			
1番機	大宅秀平中尉	20ミリ46発、7.7ミリ300発	
2番機	山崎市郎平一飛曹	20ミリ40発、7.7ミリ250発	
3番機	池田市次二飛曹	7.7ミリ142発	
2小隊			
1番機	近藤任飛曹長	20ミリ160発、7.7ミリ720発	被弾1発
2番機	石崎博次一飛曹	20ミリ40発、7.7ミリ600発	
3番機	直島嘉平二飛曹	20ミリ23発、7.7ミリ280発	

251空　18年5月15日　不時着機捜索　行動調書より

		1中隊	
1小隊			
1番機	木村章大尉		行方不明
2番機	塚本秀夫二飛曹	20ミリ8発、7.7ミリ62発	
3番機	宮本公長二飛曹		
2小隊			
1番機	遠藤桝秋一飛曹		
2番機	清水郁造二飛曹	20ミリ31発、7.7ミリ120発	
3番機	栗山九州男二飛曹		
		2中隊	
1小隊			
1番機	橋本光輝中尉	20ミリ109発、7.7ミリ550発	
2番機	中山義一二飛曹		行方不明
3番機	新井藤孝飛長	20ミリ110発、7.7ミリ445発	
2小隊			
1番機	田中三一郎上飛曹	20ミリ100発、7.7ミリ100発	
2番機	寺田幸一二飛曹		機体沈没、搭乗員救助
3番機	吉田光良飛長	20ミリ25発、7.7ミリ220発	

8時、3千メートルも高い空を飛行機雲を曳いて飛んでいるP-38、12機を発見した。零戦は即座に戦闘態勢に散開。上昇していった。

第80戦闘飛行隊「ヘッドハンターズ（首狩り族）」のP-38、11機である。ワウ飛行場へ飛ぶ輸送機の掩護任務についていたが、約20機のハンプが雲の間に見え隠れしているという情報が入ったため、輸送機を退避させて、高度7千メートルまで上昇し、落下タンクを捨て、攻撃のタイミングを見計らっていた。

高度差、千メートルになった時、P-38は単縦陣になって降下攻撃してきた。先頭のポーキー・クラッグはヘッドオンで挑戦して来た零戦に一撃を見舞い片翼を吹き飛ばした。迎え撃った二五一空、1中隊1小隊長の大野竹好中尉が20ミリ61発、7・7ミリ320発を撃ってP-38撃墜1機、2小隊長、近藤任上飛曹は20ミリ100発、7・7ミリ330発で同じくP-38撃墜1機、近藤機の2番機、石崎博次一飛曹が20ミリ82発、7・7ミリ300発を撃ち、P-38の撃墜不確実1機を報じている。損害は被弾1発のみ。

一方、「ヘッドハンターズ」は零戦の撃墜確実6機、不確実5機もの戦果を報じた。損害はほんのかすり傷を受けただけだった。

このままなら、いつもの過大戦果の応酬による竜頭蛇尾な引き分けである。しかし、この日、ほぼ時刻にワウ付近、高度7千メートルを飛んでいたはずの、第8写真偵察飛行隊のF-4A写真偵察機「ドッティン・ドナ」ロバート・M・ブラッカード機が行方不明になっていた。「ヘッドハンターズ」と二五一空との空戦に巻き込まれて撃墜されたのではないだろうか。F-4Aの外観はP-38そのものである。

この空戦の帰途、燃料が乏しくなった橋本中尉等5機はスルミ基地に着陸、燃料を補給後10時45分に離陸。5分後、B-24、3機と交戦した。橋本光輝中尉と2番機の塚本秀夫二飛曹はともに20ミリ160発、全弾を撃ち尽くし、B-24撃墜1機を報じた。だが点火栓不良のため、ふたたび着陸した栗山九州男二飛曹の107番機は、またやってきたB-24の爆撃で炎上してしまった。この日、第5航空軍のB-24がスルミ、ガスマタ付近を攻撃したことは確認できたが、損害があったかどうかはわからなかった。

翌22日、ブインにP-38、3機が来襲。前日も来襲したP-38を取り逃がした五八二空の零戦8機が発進したが捕捉できなかった。26日にはF4Uが2機、偵察に飛来、五八二空の零戦6機が発進したが、また捕捉はできなかった。

23日、二〇四空はニューブリテン上空の移動哨戒を実施した。10時50分に発進した第五当直までは連合軍機との遭遇はなかった。

11時55分、渡辺秀夫上飛曹が率いる六直の零戦6機は5機のB-24と遭遇。20ミリ532発、7・7ミリ2144発を射撃。B-24撃墜1機、もう1機に黒煙を噴出させたと報告している。消費弾薬から見て、かなり執拗な攻撃をしたことがわかるが、交戦した米軍重爆の損害記録は見つけられなかった。

24日、第435爆撃飛行隊のB-17E型「ガイプシー・ローズ」がカビエン上空で、零戦15機の攻撃を受けた。重爆の射手2名が負傷したが、零戦1機が発火、操縦不能状態で墜落していったと報告している。「ガイプシー・ローズ」への被弾は200発を数えたが、ニューギニア北部まで飛び着水、乗員は全員が救助された。だが、どの部隊の零戦が落としたのかわからない。当時、ラバウルにいた二五一空の行動調書からは、この日の記録が抜けている。同航空隊は前日と翌日にニューブリテン島邀撃を実施（結果は「敵を見ず」）しているので、この日も実施し、B-17と遭遇したのかも知れない。従って二五一空に損害があったのかどうかもわからない。

30日、F-5A型偵察機がブインに飛来、五八二空の竹中飛曹長等、零戦6機が発進したが、発見することもできなかった。31日、ブインにF-5A型偵察機が飛来。五八二空の零戦8機が邀撃に発進したが捕捉できなかった。

5月の空戦は低調ながら零戦の勝利に終わる

5月の一ヶ月で、米海軍の基地航空隊はソロモン、ビスマルク方面で延べ451機が出撃。20機が空戦。4機の日本軍爆撃機と、25機の戦闘機と交戦した。空戦、交戦機数とも「い号作戦」があった4月の半分に減っており、報告された日本戦闘機の撃墜は15機に過ぎない。一方、損害も大幅に減った。対空砲火で3機、日本戦闘機との交戦で5機（5月13日の空戦）、作戦中の事故で6機を失った。

同方面の米戦闘機コマンドは5月、わずか21機しか撃墜できなかったと発表している。うち15機はコルセアが、4機はP-38が、1機の陸攻はP-39が落としたと記録されている。一方、戦闘と作戦中の事故による損害は、コルセア6機（25日にVMF-112のローガン中尉のF4Uが作戦中の事故で失われている）と、2機のP-38（バウホフ中尉機、ギル中尉機）のみ。パイロットの喪失は5名であった。

5月に零戦が間違いなく撃墜または不時着などで全損にさせたのは、B-17が2機、B-25が1機、F4Uが5機、P-38が2機、P-40が1機の計11機。空戦での墜落または不時着による零戦の全損は計7機、搭乗員6名が戦死している。

戦闘機操縦13年、老練なエースが落とした「空の要塞」

6月1日、10時10分（現地時間）、ニューブリテン島南岸および北岸の武装偵察のためポートモレスビーを離陸した第64爆撃飛行隊のB-17E型、アーネスト・A・ノーマン少尉の「テキサス6号」は6時間後「ワイド湾上空で零戦12機と交戦中」との無線交信を最後に消息を断った。

攻撃したのは、スルミの上空哨戒に飛んでいた二五一空の零戦、磯崎千利少尉率いる2機編隊3つ、5機(1機は途中脱落)であった。操縦練習生第19期、老練な磯崎少尉は20ミリ53発、7・7ミリ200発を射撃、1発被弾している。四等水兵から操縦練習生となり、昭和12年、支那事変から前線に出ている彼は飛行時間4千時間、戦闘機操縦13年、総撃墜戦果12機のベテランエースとして終戦を迎えることになるが、この時期、まだ個人撃墜戦果は報じていなかった。

磯崎少尉の列機、野間晴爾二飛曹は20ミリ160発、7・7ミリ200発を撃っている。2小隊の1番機、山崎市郎平一飛曹は20ミリ110発、7・7ミリ160発を射撃した。操縦練習生第54期の山崎一飛曹は二五一空の前身である台南空の搭乗員として、東部ニューギニア、ソロモンを転戦、17年7月4日に初撃墜を記録して以来、戦果を重ねて来たエースであった。彼の最終撃墜戦果は14機。

山崎一飛曹の2番機、広森春一二飛曹は20ミリ27発、7・7ミリ280発を射耗、被弾1発。3小隊1番機の山本末広飛曹長は20ミリ機銃が故障したのか、7・7ミリのみ270発。かれの列機、浅井政雄上飛は何かの原因で引き返している。

「テキサス6号」は5機の零戦から20ミリ350発、7・7ミリ2010発を撃たれ、第2エンジン燃料タンクから発火、墜落した。気になるのは、被弾した磯崎少尉、広森二飛曹とも、当たっていたのが7・7ミリ弾だったということである。何機もが同時に攻撃したため、味方の弾が当たってしまったのだろうか。いずれにせよ1発ずつで大事には至っていない。

落下傘降下した2人、墜落機の中にいて奇跡的に助かった2人、計4人のB-17の乗員は一週間後、現地人によって捜索に来た日本軍に引き渡されて捕虜になった。だが2名はすぐに処刑され、ラバウルにあった海軍の捕虜収容所に送られた2名のうち1名も収容中に死亡。戦後、帰国できたのは1名だけだった。

「失敗に終わった空中捕り物」野口中尉ブイン上空で米艦攻生け捕りを試みる

6月5日、7時15分、F-5A型写真偵察機がまたブインに飛んで来た。例によって五八二空の零戦4機が邀撃に上がり追撃したが取り逃がした。

五八二空が逃がした偵察機はこの日の空襲の先行偵察任務で飛来したのである。しばらくしてベララベラ島の対空監視哨から米軍編隊進行中との警報が入った。来襲したのはSBD艦爆18機、TBF艦攻12機を掩護するVMF-112のF4U、11機による攻撃隊と、VMF-124のF4U、15機、第44戦闘飛行隊のP-40、26機とP-38、6機からなる制空隊であった。

二五一空、操練54期の山崎市郎平一飛曹。17年4月、台南空に転勤。7月4日にポートモレスビー上空でP-39の不確実撃墜1機を果たしてから、6日には同じくポートモレスビーでP-39を1機撃墜、25日、ブナでさらにP-39を1機撃墜するなど、8月までニューギニア、ソロモンを転戦し、次々と撃墜戦果を重ねた。18年5月、二五一空所属としてラバウルへ進出し、ふたたび撃墜戦果を挙げて行く。

二五一空の磯崎千利少尉。支那事変以来、長く戦運に恵まれず、6月1日のB-17協同撃墜が彼の初撃墜戦果なのではないかと思われる。

251空　18年6月1日　スルミ上空哨戒　行動調書より

1小隊			
1番機	磯崎千利少尉	20ミリ53発、7.7ミリ200発	7.7ミリ被弾1発
2番機	野間晴爾二飛曹	20ミリ160発、7.7ミリ200発	
2小隊			
1番機	山崎市郎平一飛曹	20ミリ110発、7.7ミリ160発	
2番機	広森春一二飛曹	20ミリ27発、7.7ミリ280発	被弾7.7ミリ被弾1発
3小隊			
1番機	山本末広一飛曹	7.7ミリ270発	
2番機	浅井政雄上飛		引き返す

ＳＢＤ艦爆はこの日初めてブインにまで飛来した。５００ガロンの落下タンクを装着することによって、ようやくブインまで飛んで来れるようになったのである。

9時50分、邀撃に上がったのは五八二空の零戦29機であった。この日の五八二空零戦隊の活躍は朝日新聞の海軍報道班員、鳥飼記者によって新聞紙面で詳しく報道されている。部隊名も基地も例によって○○だが、状況から見て五八二空に間違いない。また搭乗員の名前もイニシャルで書かれているが、当日の搭乗割から、ほぼ間違いなく特定できる。当日の状況はおおよそ以下のようだったらしい。

空襲の1時間程前から試験飛行をしていた野口義一中尉がブイン基地に帰って来ると、上空一面に飛行機が群がり飛んでいた。ふたたび高度をとって攻撃にかかろうとしたが、60機あまりもの敵味方機の混戦で手が出せない。やがて爆撃が始まりブイン沖の海面を船舶が回避運動をしているのが見えた。そこで海面すれすれまで降りて、ＳＢＤ艦爆の腹部を後下方から狙って射撃したが、容易には落ちない。そこでパイロットを撃ってやろうと側面に回り込んだ。敵の旋回機銃手が反撃して来たが、ついにはパッと炎を発し海中に墜落した。福原憲政二飛曹もこの艦爆を攻撃していたらしく、自分が落としたと思い、拳を突き上げて喜んでいるのが見えた。さらに前に出て逃げて来る爆撃機を捕まえてやろうと待ち伏せていると、薄い雲の中からＴＢＦ艦攻が現れた。島の回りを10分ほど追い回し撃ちつづけると、とうとう全弾を射ち尽くしてしまった。だが艦攻の偵察員も倒れ、旋回機銃は天を向いている。そこで横に着き、風防を開けてニヤッと笑って合図してやったが、米軍パイロットは神妙な顔で応じない。飛行機ごと捕虜にしてやろうと、手を振って基地に着いて来るよう合図したが答えない。そのうち偵察員がむくりと身を起こし、機銃を向けて来たので仕方なくそのまま帰還した。

米海兵隊ＶＭＦ-１１２の戦闘報告書に、この野口中尉の逸話とほぼ一致する記録があった。「あるＴＢＦ艦攻は1機の零戦に20分以上、弾を撃ち尽くすまで攻撃された。乱暴な回避運動を繰り返していたためＴＢＦの後部銃塔は故障してしまっていた。すると零戦はすぐ近くまで寄って来て、一緒にブインに来るよう合図をした。だがＴＢＦのパイロットは雲に入ってしまうまで、意味がわからぬふりをしてとぼけていた」。

その日、初めて空戦を経験する牧山百郎二飛曹は、一番最後に離陸。編隊に追いつけず単機で飛んでいると、突然、頭上に9機編隊が見え、味方と思い、接近すると米軍機だった。見るとＳ二飛曹（篠塚二飛曹か笹山二飛曹、仮に篠塚二飛曹とする）が5、6機を相手に奮戦している。夢中でそこに突っ込み篠塚賢一二飛曹の後方につこうとしている奴を一撃すると、燃料を噴出させながら海に落ちて行った。その時、後方から米軍戦闘機に撃たれ被弾したので、向き直って反撃、

ブインで離陸滑走中の五八二空の零戦。6月5日、VMF-124のコルセアも空戦に参加。エース、ウォルシュ中尉は零戦と水上機の撃墜各1機、レイモンドとムッツも零戦の撃墜各1機を報告しているが、ムッツは戦果を挙げた後、撃たれて負傷、ルッセル基地に着陸したと記録されている。この日来襲した米軍戦闘機は計58機。29機の零戦で邀撃するにはあまりにも多すぎた。

二、三撃で撃墜した。前方を見るとB-17がいたので、僚機と一緒に撃ち落とした。

篠塚賢一二飛曹も離陸して味方編隊を追っていると、断雲の中から17、8機の敵編隊が目前に出現。咄嗟に突っ込んで引っ掻き回していると1機だけ編隊から離れた。このグラマンとしばらく格闘。至近距離からの射撃で撃墜。ところが噴出した油が風防に付着して何も見えなくなってしまった。だが手を伸ばして眼前だけを三日月型に拭って、ＳＢＤ艦爆１機を味方と共に追って撃ち落とした。

五八二空の零戦隊は艦爆18機、戦闘機40機、B-17、１機と遭遇。20ミリ１３２６発、７・７ミリ７６００発を射撃。ＳＢＤ艦爆の撃墜確実7機、Ｆ４Ｕ撃墜確実4機、Ｇ戦撃墜確実1機、Ｐ-40撃墜確実1機、不確実1機、B-17撃墜確実1機。「燃料を吐かしめたるもの5機」と報告している。しかし小川覚一飛曹、伊藤重彦二飛曹、馬場伝次郎二飛曹機の3機が未帰還になった上、前述の牧山二飛曹機、篠塚二飛曹機など6機が被弾した。

この日はショートランド基地から九三八空の零観9機も離陸、７・７ミリ３５０５発を射撃、５機に白煙を吹かせたと報告、損害は被弾5機、戦死1名、重傷1名、軽傷1名だった。後に三〇二空の彗星夜戦に乗り、本土防空戦で活躍することになる九三八空の中芳光二飛曹は艦爆3機と交戦、二撃を加え、1機に白煙を吹かせたものの、Ｆ４Ｕと交戦、1発被弾したと記録されている。爆撃によって陸軍の海上トラック「神徳丸」が沈没した。

海兵隊のコルセアは零観の撃墜7機、零戦の撃墜5機の戦果を報じた。この日、米軍はSBD艦爆、TBF艦攻各2機を失ったと記録している。判明している損害は、VB-21のSBD艦爆2機喪失だけで、TBF艦攻の損害についての詳細はわからなかった。この日、VP-54（第54海軍哨戒飛行隊）のPBY-5Aカタリナ飛行艇が、ヘンダーソン基地を離陸、日本軍の砲火で撃墜されたとされているが、まったく詳細はわからない。まさかとは思うが、零戦が落としたと主張している大型機「B-17」はカタリナだったのだろうか。

また第44戦闘飛行隊ではP-40、ラルフ・J・スーター中尉機が行方不明になっている。

五八二空の野口中尉は弾のなくなった零戦でTBF艦攻を追跡して新聞の見出しになったが、第44戦闘飛行隊のジャック・ベイド中尉は機銃の射てないP-40でSBD艦爆を守り叙勲された。中尉は被弾で頭部に負傷。穴だらけにされていた彼のP-40は射撃もできなくなっていた。だが掩護戦闘機もなく飛んでいたSBD艦爆4機を守るため、攻撃するふりをして、近づいて来る10機あまりの零戦を追い払い、ベララベラ島付近で日本機があきらめて引き返すまで艦爆から離れなかった。この勇気ある行動に対して空軍殊勲章が授与された。帰って来たベイド中尉は「艦爆の連中は（零戦を1機も落とせず）見たこともないほど下手な戦闘機乗りだと思っただろうね」と話している。

この日、五八二空は15時50分からの第二次邀撃で、野口中尉等8機がB-24に六撃を加え、スコールの雲の中に追い込んだ。出て来るのを待っていたが、現れないので撃墜と判定して帰って来た。ブイン沖の艦船攻撃に飛来した第307爆撃航空群のB-24がブインから3機、バラレから4機飛来した翼端の丸い零戦と交戦したと報告している。B-24と零戦は、トレジャリー諸島まで撃ち合いをつづけたが、大きな雷雲があり、B-24も零戦を見失い、ガダルカナルに帰還した。

「ソ」作戦、第一基地航空部隊が企画した積極的航空戦

「ぶっつけ本番の爆撃」爆装零戦隊ルッセルに出動

6月7日、零戦のみ81機によってルッセル島方面に進攻する第一次「ソ」作戦が実施された。「ソ」作戦と、それにつづく「セ」作戦は、基地航空部隊の零戦をなし得る限り多数使用して連合軍の航空優勢を覆すため計画された。第一基地航空部隊はますます兵力を増強、頻繁に進攻してくる連合軍に対して、防戦の一方では、中部ソロモンの防衛も覚束ない。劣勢を逆転するには「い号作戦」のような大規模な作戦が必要だが、連合艦隊の現状がそれを許さないので、この方面の兵力だけで独自に積極的な攻撃作戦を実施する事になったのである。

最初に実施される「ソ」作戦は、ガダルカナル方面の連合軍艦船攻撃の「セ」作戦に先立つ事前航空撃滅戦であった。

一部の零戦は30キロ爆弾（60キロ爆弾であったともいわれている）を懸吊していた。空ばかりでなく、在地の米軍機をも破壊しようという、二〇四空の司令、杉本丑衛大佐の発案によるものだった。事前の爆撃訓練もなく、爆弾を懸吊すればそれだけ重量も空気抵抗も増え、空戦では不利になる。爆装すると爆弾を投下した後も懸吊架の空気抵抗が残る。二〇四空の宮野大尉が、自ら進んで自分の1中隊でこの危険な任務を引き受けた。

ブカ基地を離陸した二五一空の36機と、ブインを離陸した二〇四空24機、同五八二空21機はブイン基地上空で合同。総指揮官は五八二空の進藤三郎少佐だった。

進藤少佐は、15年9月13日、零戦による初空戦、重慶攻撃の指揮官である。

8時10分、まず五八二空、野口義一中尉率いる3中隊6機がガッカイ島上空でワイルドキャット4機を発見、本隊から離れた。例によって腕利きの篠塚賢一二飛曹と、明慶幡五郎二飛曹を列機にした野口中尉等はF4Fを追跡して1機撃墜を報じた。その帰り、またワイルドキャットと交戦、さらに3機の撃墜を報じた。

海軍のVF-11「サンダウナーズ」のワイルドキャットは、この日初めて実戦に参加した。高度3千メートルを飛んでいたゴードン・キャディ小隊の4機は前方、高度4500メートルに零戦24機を発見した。五八二空の本隊を見つけたのだろうか。

その時、彼の4番機、ダン・ハブラー中尉が「真上にも8機いる」と叫ぶ。おそらく野口中隊だ。キャディは小隊ごと雲の中に逃げようとしたが、すでに遅かった。まずハブラー中尉のF4Fがひどく撃たれ、彼は落下傘降下。海中の彼を

零戦が掃射していったが、命中はしなかった。

テリー・ホルバートン中尉は「7・7ミリ機銃弾が当たりはじめた、と思った途端、20ミリが右翼に当たり、滑油冷却器を吹き飛ばした」と報告している。エンジンが止まり、彼はそのまま着水した。

エド・ジョンスン中尉は零戦と正面から撃ちあった後に、バングヌ島の空き地に不時着した。追いかけて来た零戦が機銃掃射していったが、当たらなかった。

こうして、F4F、キャディ編隊のうち3機はたちまち撃墜されてしまった。だが撃ち落とされたワイルドキャット3機のパイロットは3人とも救助されて生還した。

この日の空戦でもっとも鮮やかな手並みを見せ、おそらく一方的にワイルドキャット3機を落とした野口中隊6機の弾薬消費は20ミリ468発、7・7ミリ2595発。五八二空は3中隊以外は交戦しなかった。

8時50分、二〇四空はまずF4U、8機と空戦を交えた。その間に爆装の8機が爆撃のため8千メートルから6千メートルまで緩降下に入った。

海兵隊のVMF-112ではF4Uが3機撃墜された。ニュージーランドのP-40パイロットに「我々は撃てば必ず落とす」と、大見得を切った指揮官のR・B・フレイザー少佐は、高度5400メートルで機首をルッセル諸島の方に向けた時、後方から撃たれた。以下は少佐が空戦の4日後に書いた4ページもある詳細な報告書の概要である。

「フレイザー少佐は、零戦を振り切るため、右に横転、機首を下げ、2400メートル辺りに見えた層雲に向けて急降下した。雲を突き抜け、彼は機体を水平に戻し、また機首をルッセル諸島に向け、スロットルを戻しエンジンの回転を落とした。するとすぐに20ミリが装甲板を叩きはじめた。零戦はまだ後ろに食いついていたのだ。少佐はまた右に横転、高度2千メートルから、高度百メートルにまで急降下して陸地を目指した。零戦は肉薄すると、20ミリで装甲板をまた乱打した。そしてフレイザー少佐機の横に出てて来て、操縦席を見ていた。もう弾がなくなったのか。着水したら撃つつもりか。エンジンはひどく振動し、プロペラの回転が停まった。少佐はフラップをおろし、風防を開けて、酸素マスクを外し、安全バンドのロックも解いた。零戦の搭乗員がUCLAの卒業生で、スポーツマンシップを心得ていればいいのにと、願っていた。コルセアはペブブ島の岸から90メートルばかりの海上に着水した。風防は着水の衝撃で閉まってしまったが、すぐに引き開けることができた。機体はおよそ70度の角度で突き立ったまま浮いていた。救命ボートに乗り移った彼は、6機の戦闘機が密林の梢を越えて迫ってくるのを見て、いよいよ最後だと思った。しかし、それはP-40だった。4時間後、LSTに救出された」。

フレイザー少佐の編隊にいたジョンスン中尉も零戦の追尾

251空　18年6月7日　ルッセル諸島攻撃　行動調書より

1中隊			
1小隊			
1番機	向井一郎大尉		機体沈没　P-38、2機発見、空戦被弾。燃料不足のため不時着。
2番機	増田勘一二飛曹		自爆確認
3番機	福井一雄二飛曹		機体大破　P-38、10機と交戦、P-38撃墜確実1機、多数被弾、不時着
2小隊			
1番機	香下孝中尉		発動機不調、引き返す途中、P-38、11機と空戦。
2番機	松吉節二飛曹		未帰還
3番機	関口俊太郎二飛曹		未帰還
3小隊			
1番機	西澤廣義飛曹長	20ミリ4発、7.7ミリ200発	P-38、2機、P-39、6機と空戦。混戦中、F4U、P-39各1機撃墜確実。
2番機	安藤宇一郎二飛曹	20ミリ4発、7.7ミリ300発	F4U、3機を発見。F4U撃墜確実1機。ブカ着
3番機	甲斐正一二飛曹	7.7ミリ230発	1番機とともに空戦。P-39の燃料タンクを撃ち抜き、P-39、1機協同撃墜。
2中隊			
1小隊			
1番機	橋本光輝中尉		潤滑油パイプに13ミリ1発被弾、機体中破　F4U、4機と、G-36、5機発見、交戦後G-36、2機と遭遇、1機を撃墜せるも、他の1機のため射たれ（不時着?）
2番機	遠藤桝秋一飛曹		未帰還　P-40撃墜確実1機
3番機	宮本公良二飛曹	20ミリ77発、7.7ミリ150発	左翼に7.7ミリ1発被弾　1番機と共に空戦中、F4U撃墜確実1機
2小隊			
1番機	大木芳男飛曹長		発動機不調のため引き返す
2番機	八尋俊一二飛曹		発動機不調のため引き返す
3番機	秋元正富二飛曹		発動機不調のため引き返す
3小隊			
1番機	田中三一郎飛曹長	20ミリ16発、7.7ミリ90発	ルッセル島上空空戦、一般経過に同じ
2番機	塚本秀夫二飛曹	20ミリ10発、7.7ミリ80発	ルッセル島上空空戦、一般経過に同じ
3番機	小竹高吉二飛曹	20ミリ11発、7.7ミリ90発	ルッセル島上空空戦、一般経過に同じ
3中隊			
1小隊			
1番機	大野竹好中尉	20ミリ95発、7.7ミリ160発	敵戦闘機1機発見、一撃後、単機に分離。P-40を零戦と協同撃墜
2番機	石崎博次一飛曹	20ミリ160発、7.7ミリ270発	P-39を発見、P-39撃墜確実1機
3番機	松本勝次郎二飛曹	20ミリ40発、7.7ミリ70発	F4U、1機を一撃で撃墜。P-39、1機に黒煙を噴せるも雲中に逸す。
2小隊			
1番機	林喜重中尉	20ミリ160発、7.7ミリ130発	P-39、1機の攻撃を受け背面となりたるも上方より攻撃、撃墜。
2番機	米田忠二飛曹	20ミリ81発、7.7ミリ200発	F4U、1機攻撃、不確実。F4U、5機遭遇うち1機を攻撃、撃墜。
3番機	中島良生二飛曹		自爆
3小隊			
1番機	近藤任飛曹長	20ミリ30発、7.7ミリ600発	F4U不確実撃墜1機
2番機	辻岡保一飛曹		被弾13発　F4U、1機を攻撃中、後方よりG-36攻撃し被弾13発を受け発火せしも急降下にて消火。
3番機	直島喜文二飛曹	20ミリ10発、7.7ミリ200発	F4U、1機を一撃、不確実撃墜。
4中隊			
1小隊			
1番機	大宅秀平中尉	20ミリ10発、7.7ミリ200発	P-39、5機発見、攻撃して1機を撃墜。P-39、3機を奇襲、1機を撃墜。
2番機	山本末広二飛曹	20ミリ40発?、7.7ミリ255発	P-38、1機に対し後上方より攻撃、撃墜す。
3番機	深野豊二飛曹		自爆　P-39撃墜確実1機
2小隊			
1番機	磯崎千利中尉	20ミリ9発、7.7ミリ45発	1小隊の攻撃に協力、一般経過に同じ
2番機	池田市次二飛曹	20ミリ50発、7.7ミリ140発	P-39、2機を奇襲し1機撃墜。
3番機	中西貢二飛曹	20ミリ9発、7.7ミリ200発	一般経過に同じ
3小隊			
1番機	山崎市郎平飛曹長	20ミリ130発、7.7ミリ330発	F4U、3機発見。一撃にて撃墜。
2番機	国広欣弥二飛曹	20ミリ45発、7.7ミリ260発	一般経過に同じ
3番機	佐々木政二上飛	20ミリ40発、7.7ミリ60発	F4U撃墜確実1機。

204空　18年6月7日　ルッセル諸島攻撃　行動調書より

1中隊			
1小隊			
1番機	宮野善治郎大尉	20ミリ58発、7.7ミリ115発	F4U、8機、P-38、P-39、P-40約30機と空戦
2番機	大原亮治一飛曹	7.7ミリ60発	F4U、8機、P-39、14機及び、P-40数機と空戦せり
3番機	辻野上豊光上飛曹	20ミリ17発、7.7ミリ120発	P-39、6機を攻撃せり
4番機	柳谷謙治二飛曹		被弾で重傷を負い、ムンダに不時着
2小隊			
1番機	日高義巳飛曹長		自爆　P-38、8機、P-40、F4U約10機と交戦す
2番機	山根亀治二飛曹		自爆　P-38、8機、P-40、F4U約10機と交戦す
3番機	坪屋八郎一飛曹		P-38、8機、P-40、F4U約10機と交戦す
4番機	田中勝義一飛曹	20ミリ230発、7.7ミリ115発	P-40撃墜確実1機
2中隊			
1小隊			
1番機	森崎武予備中尉	20ミリ160発、7.7ミリ360発	F4F8機と交戦、1機撃墜
2番機	浅見茂止二飛曹	20ミリ56発、7.7ミリ175発	P-40、2機と交戦するも雲中に逸す。
3番機	中野智弌二飛曹	20ミリ17発、7.7ミリ628発	G戦2機撃墜（うち1機は人見機と協同せり）
4番機	中村佳雄一飛曹	20ミリ20発、7.7ミリ315発	F4U撃墜不確実1機、P-39撃墜2機（うち1機は協同）
2小隊			
1番機	渡辺秀夫上飛曹		F4F、8機と交戦せしも発動機不調のため引き返しコロンバンガラ着陸
2番機	田村和一飛曹		F4F、8機と交戦せしも発動機不調のため引き返しコロンバンガラ着陸
3番機	杉田庄一一飛曹	20ミリ85発、7.7ミリ152発	被弾4発　F4F撃墜確実1機、不確実1機
4番機	人見喜十二飛曹	20ミリ96発、7.7ミリ520発	G戦撃墜1機（中野機と協同）
3中隊			
1小隊			
1番機	日高初男飛曹長	20ミリ20発、7.7ミリ24発	G戦撃墜1機（黒沢機と協同）
2番機	黒沢清一二飛曹		G戦撃墜1機（日高機と協同）
3番機	神田佐治二飛曹	20ミリ140発、7.7ミリ15発	F4U撃墜1機
4番機	中沢政一二飛曹		3番機と行動同じ
2小隊			
1番機	鈴木博上飛曹	20ミリ30発、7.7ミリ100発	F4U撃墜2機
2番機	渡辺清三郎二飛曹		F4U、8機と交戦
3番機	岡崎靖一飛曹		自爆
4番機	小林友一二飛曹	20ミリ9発、7.7ミリ67発	P-38、4機、F4U、8機と交戦

射撃を受け、方向舵をほとんど撃ち飛ばされた。「ナゴヤ」型の零戦、7、8機に単機で向かって行ったパーシイ中尉はヘッドオンで1機と交戦した後、別の零戦に回り込まれ、操縦席付近で20ミリ数発が炸裂したが飛び続けていた。追跡中の零戦が放った20ミリが今度は主翼の燃料タンクに命中、パーシー中尉は高度600メートルで脱出したものの、落下傘が開かず、着水で両足と臀部を骨折。だが奇跡的に命は無事で、後に救助された。

ドナヒュー大尉の編隊にいたW・S・ローガン中尉はパブブ島の西、30キロ沖で、零戦に追われているP-40を見つけた。と、同時に別の零戦が彼自身を撃ち、方向舵の大半と昇降舵の一部を撃ち飛ばした。機体が操縦不能になったため、落下傘降下。高度、約6千メートルで落下傘が開くと、零戦が旋回して7・7ミリで狙って来た。零戦は二回失敗した。三度目も7・7ミリの狙いははずれたが、零戦のプロペラが接触して足を切断された。だが彼も救助されて生還した。その他、オイルクーラーを撃たれたサイナー中尉も帰還した。

その後、二〇四空はルッセル諸島とイザベル島の間でP-38、P-39、P-40約30機との空戦を交えた。爆装の1中隊は爆撃直前、バニカ島上空でコルセアに襲われた。爆弾を抱え、いつものように俊敏に動けぬまま、たちまち古参の第2小隊長、日高義巳上飛曹とその列機を失い。宮野小隊の4番機であった柳谷二飛曹も重傷を負うという大損害をこうむった。混乱の中で投下された爆弾は1発が飛行場の近くに落ちたと思われるという、ほとんど効果のないものだった。

二〇四空は20ミリ1233発、7・7ミリ2466発を消費。P-40撃墜確実1機、P-39撃墜確実2機（内1機は協同撃墜）、F4F撃墜確実2機、不確実1機、F4U撃墜確実3機、不確実1機、G戦の撃墜確実2機（うち1機は協同撃墜）、損害は自爆1機、行方不明2機、不時着1機。戦死3名、重傷1名というものであった。

二五一空は、向井一郎大尉が率いる零戦36機のうち、2中隊2小隊の3機と、1中隊2小隊長の香下孝中尉機が不調のため引き返したので、9時10分、ルッセル島上空に到着したのは32機だった。向井大尉率いる12機が高度7千メートルで上空掩護をする一方、2中隊、3中隊の半数と、4中隊が、ルッセル諸島とブラク島の間で空戦に入った。

第44戦闘飛行隊のヘンリー・マトスン中尉のP-40は零戦1機を撃墜した後、もう1機と反航で正面から撃ち合った。射撃の応酬で両機とも炎上した。だが回避行動はとらず、P-40のプロペラが零戦の主翼付け根を噛み砕いた。中尉は炎に包まれた操縦席から落下傘降下。海に浮かぶ彼を3機の零戦が掃射して行ったが、3時間後には救出された。この空戦で、17年の2月以来ラバウルで戦って来た古参エース、14機撃墜を公認されている二五一空の至宝、遠藤桝秋上飛曹が戦死した。「日本海軍戦闘機隊2　エース列伝」（小社刊）に

18年12月12日、ブーゲンヴィル島、トロキナの最前線基地に着陸するコルセア。滑走路に鉄製の舗装材が敷き詰められているのがわかる。機械化され、豊富な資材を持った米軍の飛行場設営能力は日本軍とは比べものにならないくらい高く、上陸したばかりの拠点にたちまち飛行場を作ってしまった。

台南空時代はソロモン、ニューギニア方面で29回もの空戦を交え、数多くの撃墜戦果を報告した遠藤桝秋上飛曹は、二五一空の一員としてラバウルに戻って早々の5月14日にも撃墜1機を報じていた。

二〇四空の柳谷謙治二飛曹は、6月7日の空戦で重傷を負いながらもかろうじて帰還。しかし右手首を切断せざるを得なくなった。

よれば「P-39に射たれ、かわしえないとみるや体当たり自爆」とされている。状況から、マトスン中尉機に衝突したのが遠藤機だったのは間違いない。行動調書には「遠藤桝秋上飛曹、未帰還、P-40撃墜確実」と記録されている。

ニュージーランド空軍、第15飛行隊指揮官のヘリック少佐の僚機で、少佐とともに零戦を撃墜したデイビス少尉は主翼の付け根から発火して海に落ちて行く零戦の搭乗員が脱出せず、彼らに敬礼して最後を遂げたのを見て、ひどく感動した。しかし、その後、2機の零戦が彼のP-40を追尾、補助翼を半分撃ち飛ばされ、肩に負傷したが、なんとかルッセル諸島に不時着することができた。デイヴィス少尉機の背後にいた零戦を追い払おうとしたオーウェン中尉のP-40も、零戦に撃たれ、被弾の衝撃とともに操縦室に煙が充満し、エンジンもひどく撃たれ、やがて止まった。落下傘降下を考えたが零戦に撃たれるのを恐れて滑空をつづけ、なんとかルッセルに不時着した。

二五一空は20ミリ918発、7・7ミリ3860発を消費。撃墜確実18機、不確実5機の戦果を報じたが、3機が自爆、3機が行方不明となり搭乗員計6名を失った。さらに左燃料タンクに大穴を開けられた向井大尉機はブカ基地の手前で燃料が切れ、着水沈没。大尉は軽傷を負ったが救助された。橋本中尉機は滑油タンクを撃たれ黒煙を発しながらムンダ基地に不時着した。12時30分、24機がブカ基地に帰着した。

結局、零戦隊は13機と搭乗員9名を喪失する手痛い損害を受けた。一方、連合軍側の損害は戦闘機8機（3機のF4F、4機のF4U、1機のP-40）。さらにニュージーランド空軍のP-40が2機不時着、コルセアにも被弾機が出ている。しかしパイロットは1人残らず全員が救助されている。

こうして、この作戦も当初の企図とは裏腹に、日本側が徒に貴重な零戦搭乗員を犠牲にしただけの、まったく収支の見合わない作戦となってしまった。

「ガアガアいってダメだから」ポールを切れば3ノット速い

この7日の戦闘の経過、戦闘の概要、戦果、被害について第一基地航空部隊が作成した報告に「空中連絡指揮上優良なる戦闘機電話を必要と認む」との一節があるので、二〇四空の大原亮治さんに、改めて零戦の無線について尋ねてみた。

「零戦のラジオは、これが全然ダメでね。雑音が多くてほとんど聞き取れない。ある時、天候が悪くてどこを飛んでいるのかよく判らなくなって。すると宮野大尉が島影を指差して、ベロを出して、べろべろってするんですよ。ベララベラ島だって教えてくれたんです。こんな有様でね。指揮官は電波で方向がわかるクルシー積んでましたけど。で、あの無線のポールね。あれがなければ空気抵抗減ってスピードつくんだろうって、ポールは木なんですよ。だからノコギリで切っちゃった。3ノットくらい速くなる。あるのとないのを並べて、全速で降下して行くと、ない方が前へ出ちゃう。無線機自体も、もちろん下ろしちゃった。ガアガアガアいってダメだから。それで言葉でなくてトンツーも来るでしょ。その解訳もね、やってられないから。指揮官は聞いただけで言葉がわかるレベルまでやってるけど、我々はね。私は二〇四空から横須賀航空隊に転勤して（18年12月から終戦まで）無線の担当をやったんですよ。ある時、私じゃないんですけど、エンジンから機体にアースをとった人がいてね。そしたらエンジンのバリバリバリってのが、ザーッって雑音じゃなくて回転の音が出て来た。ああっ、みんなアースを取ればいいんだってね。シリンダーひとつひとつから全部、機体にアースを取ったら聞こえるようになってきた。それから大原、お前飛んで試してみろ、って言うんで、岡山の倉敷まで行っても感度3（感度5が最高）くらいあるんです。そこで横空の分隊長が各隊に、とにかくアースをとれって教えに台湾の方まで行ったんですよ。本土防空戦の頃は、もうザーッもツーもなく普通にしゃべれるようになりました。ですから敵はどこだから、どこへ集まれなんて、無線で来たわけです。昔みたいに見当で行って、それから索敵だなんてことはもうしなかった。地上からの無線もよく聞こえてね」。

第一基地航空部隊、4機1小隊戦術を取り入れる

6月8日、ラバウルで、第一次「ソ」作戦に関する研究会が開かれた。5月頃から4機1小隊の編制で戦っている二〇四空から、いかなる場合でも4機を最小限度にして分離せずに戦えば、どんな劣勢に陥った場合でも、なんとか切り抜けられると提案された。事実、今度の作戦では4機1個小隊で戦った二〇四空の損害は少なく、従来の3機1小隊で戦った二五一空は大きな損害をこうむっていた。こんな実例もあり、海軍でも、陸軍の2機1編隊、4機1小隊の「ロッテ戦法」に似た4機1小隊の訓練が急速に実施されることになった。

空母「翔鶴」乗り組みから二〇四空に転勤、ラバウル防空戦で活躍した小町定飛曹長は筆者に、零戦の4機1小隊戦法について以下のように話してくれた。「最初は4機で飛んでいて、戦闘になると2機ずつに別れるって言うのは理想的な空中戦闘だけれども、2機ずつうまく別れてやるってのは、とてもじゃないが絵に描いたようにはいきませんよ。でも編隊が3機だと、どうしても誰かが1機になって孤立しちゃう。1対2では編隊空戦というものにおいて連携がうまく行かない訳です。2機ずつで、4機の編隊になると具合がいい。2機ずつ編成の空中戦闘って言うのは、恥を忍んで言うと海軍では訓練できてなかった。戦争中にアメリカが非常にうまい

具合にやるんですよね。どこまでいっても4機編隊を崩さないで。編隊が2機ずつに別れたから、あっちへ行っちゃったからいいと思って、それを攻撃すると行っちゃったはずの2機が上から被って来たりね。色々な編隊空戦の戦闘法があるわけです。アメリカはその訓練を積んでるもんだから、その2機、2機のこの運動が非常に軽快で効果的なんです。零戦はそれで苦労して、けっこうやられるもんだから、なんとかあれで行こうと考えたのが翌年（18年）くらいですよ。だから、戦地の連中はこの2機、2機の訓練をやっている。かえって内地の方がこの訓練をやってないわけですよ。これはラバウル方面の戦闘から、その必要性を感じて、その効果を内地に伝えたから、ラバウルでは意外と早くからやってましたね。ですから、この戦闘法ははじめからあったんじゃないんです。長機と列機は、呼吸が合わないとうまく行かない。リーダーの1番機が非常に派手な人で、ばんばんやったりなんかすると、ついて行くのが精一杯ですよね。そうじゃなくて4機の力を集中した方が効果ありますから、慎重にやっていた方が意外と結果的に良かったりとか、あんまり華やかに敵の編隊に突っ込んだりなんかすると、2機は帰って来なかったとか、犠牲が出ますよ。すぐ結果が出ますからね、いいにしても悪いにしてもその日のうちに。日常、そういったことを意識した訓練が必要だった。無鉄砲にやられたら、後ろの者は困っちゃうし」。

第二次「ソ」作戦、落としても落としてもよみがえって来る米戦闘機隊

6月12日、米海軍VF-11「サンダウナーズ」ビル・レオナード中尉が率いる16機のF4Fはカタリナ飛行艇の掩護を終えて基地に帰ろうとしていた。ところが7時40分、レーダーが日本機の大編隊を探知したと知らせてきた。かれらは地上のレーダーの指示に従って35分も探しまわった。電探（レーダー）の性能も悪く、空中電話が機能していなかった当時の日本軍にはできない芸当だ。ワイルドキャットは、ルッセル諸島の北西、高度7千から8千メートルにとうとう数ダースもの零戦の大編隊を発見した。

第二次「ソ」作戦は、ふたたび、ガダルカナルの敵航空兵力撃滅が作戦目標であった。今回もまた零戦だけ77機が進攻する航空撃滅戦で、二〇四空24機、二五一空32機、五八二空21機が参加した。

二五一空は6時10分、ラバウルを発進。指揮官は大野竹好中尉。彼は、台南空の有名なエースで名指揮官の誉れ高かった笹井醇一中尉の再来とも言われていた。大野中尉自身、すでに5機以上を撃墜しエースとなっている。二五一空は、この日から4機1小隊戦法をとりいれ、編成をすべて4機編隊に改めて出動していた。

米陸軍航空隊、第７戦闘飛行隊のP-40。12.7ミリ機関銃６門の強火力、頑丈きわまりない機体構造と防弾装備を持ち、細かいモデルチェンジを加えられるごとにP-40は飛行性能も向上していった。後に配備された世界的名機P-51「マスタング」がやや被弾に弱かったために、この新鋭機よりも、古いP-40を好む米軍パイロットも多かった。

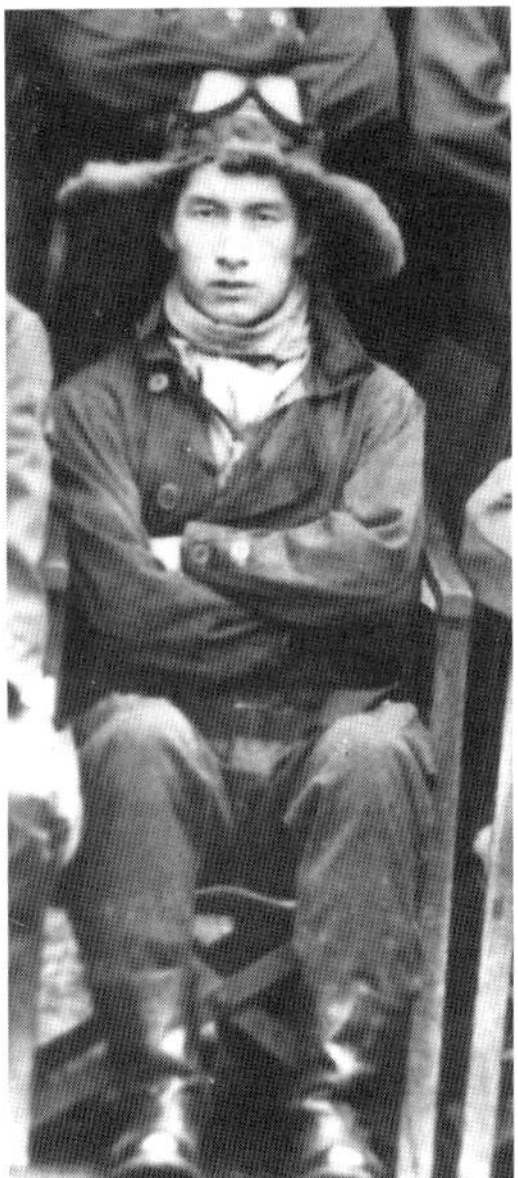

写真右：17年８月27日の初撃墜以来、11月初旬までに５機を撃墜するという腕の冴えを見せ、将来をおおいに嘱望されていた海兵68期の大野竹好中尉。

写真左：五八二空の鈴木宇三郎中尉。大野中尉と同じ、海兵68期の鈴木中尉は五八二空、二〇四空と、士官搭乗員が次々と戦死して行く中、各戦闘機隊で陣頭指揮をとりラバウル防空戦を生き抜いた。

7時に零戦1機がおそらく不調のため編隊から脱落しブインに不時着。8時20分、さらに1機がムブロに不時着してしまった。五八二空は6時30分、ブインを発進。指揮官は鈴木宇三郎中尉。五八二空は従来の3機1小隊で出動していた。二〇四空は6時55分、ブイン基地を発進。指揮官は二〇四空の要ともいえる歴戦の宮野善治郎大尉。4機1小隊戦法の推進の急先鋒である。

米軍の記録によると最初に接敵したのは、7機のニュージーランド空軍のP-40と、1機のP-39、2機のP-40F型だった。交戦したのは高度8千メートルで飛来した二五一空の零戦30機である。二五一空は、8時35分からルッセル諸島の東方海上でP-40と空戦を交えた。さらに、エンジン故障で飛行場に戻ろうとしたVMF-121のコルセア1機が、ルッセル諸島上空、高度6600メートルでこの空戦に巻き込まれた。米軍はこの劣勢にもかかわらず、零戦9機を撃墜、失ったのはパイロットたった1人だったと記録している。失われたのは、ニュージーランド空軍、第14飛行隊P-40M型、ケネス・モーペス中尉機。モーペス機はルッセル島付近、高度4800メートル付近で撃墜されて発煙、発火しながら海に落ち、中尉は戦死した。落としたのは大木芳男飛曹長である。

二五一空は20分間の空戦で、20ミリ1006発、7・7ミリは2962発を射撃。P-38撃墜確実3機、不確実1機、P-39撃墜確実1機、P-40撃墜確実1機、F4F撃墜確実1機、F4U撃墜確実4機、計11機もの戦果を報じている。だが3機が撃墜され1機が不時着して海没（救助）、計4機が未帰還となった。

二〇四空は8時25分、接敵を開始。8時37分、F4F、12機を発見。二五一空とは離れて、ルッセル諸島の西方海上で空戦に入った。相手は「サンダウナーズ」のワイルドキャット16機である。F4Fはそれまで3時間も飛んでいて燃料が乏しかった。レオナード中尉は一回だけ攻撃したら帰還するよう命じた。だが戦いに慣れた二〇四空の零戦がそんなことを易々と許すはずがなかった。クロード・アイビー中尉は、零戦の撃墜1機を報じた途端に、ラッセル諸島の近くに不時着水。レス・ウォールは20ミリの命中で負傷して、ルッセル諸島の沖90メートルに着水。ローウェル・スレイグル中尉は燃料がほとんどなくなったため、ラッセル諸島の荒れた滑走路に着陸した。

ヴァーン・グラハム中尉機は燃料が切れかかっていたが、それを無視してVMF-121のコルセア2機と手を組んで4機の零戦と戦った。グラハムはこの空戦で零戦5機の撃墜を報告。1日でエースになった。しかし燃料を完全に使い尽くし、ルッセル島の滑走路に着陸を試みた。だが主脚が撃ち壊されていたため転覆、頭蓋骨骨折の重傷を負った。二〇四空は発見から3分で空戦に入り。「1中隊は、F4F、2機、F4U、4機と交戦。弾薬消費20ミリ1163発、7・7ミ

251空　18年6月12日　ルッセル諸島攻撃　行動調書より

		1中隊	
1小隊			
1番機	大野竹好中尉	7.7ミリ60発	F4U撃墜1機　シコルスキー7機発見、一撃1機撃墜
2番機	石崎博次一飛曹	20ミリ14発、7.7ミリ180発	発動機不調、引き返す
3番機	松本勝次郎二飛曹		未帰還　F4U撃墜1機　一撃後、消息不明
4番機	三ッ村栄二飛曹	20ミリ5発、7.7ミリ82発	上空支援
2小隊			
1番機	林喜重中尉	20ミリ19発、7.7ミリ70発	発動機不調、単独帰還
2番機	米田忠二飛曹	7.7ミリ30発	P-38、2機、P-39、2機を優位に認め反撃
3番機	福井一雄二飛曹		脚折損、中破　発動機不調不時着、脚折損
4番機	末松博上飛		未帰還　F4U撃墜1機（若しくは157号） F4U、2機に対する一撃後、行方不明
		2中隊	
1小隊			
1番機	大竹秀平中尉	20ミリ80発、7.7ミリ220発	P-38撃墜1機（山崎機と協同） 上空にP-38、10機を認めうち1機を協同撃墜
2番機	山崎市郎平一飛曹	20ミリ120発、7.7ミリ250発	P-38撃墜1機（大竹機と協同）、P-38撃墜不確実1機　P-38、1機を攻撃せるも撃墜不確実
3番機	広森春二二飛曹	7.7ミリ60発	空戦半ばにして1番機と分離、敵機追撃
4番機	寺本一三上飛	20ミリ58発、7.7ミリ45発	空戦半ばにして1番機と分離、敵機追撃
2小隊			
1番機	磯崎千利少尉	20ミリ35発、7.7ミリ45発	上空支援
2番機	池田市次二飛曹	20ミリ20発、7.7ミリ80発	上空支援
3番機	浅井政雄上飛	20ミリ20発、7.7ミリ60発	上空支援、空戦半ばにして分離す
4番機	山根功雄上飛	20ミリ6発、7.7ミリ100発	P-38撃墜1機　1、2番機を奇襲せるP-38、1機を撃墜
		3中隊	
1小隊			
1番機	杉本光輝中尉	20ミリ3、7.7ミリ25発	主として上空支援、3番機と共にP-39、1機を攻撃
2番機	塚本秀雄二飛曹		四番機と共に反撃、不時着を確認、引き返す
3番機	栗山九州男二飛曹		P-38撃墜1機　1番機と機動を共にすP-39、2機と反航
4番機	小竹高吉二飛曹		不時着、機体大破沈没
2小隊			
1番機	大木芳男飛曹長	20ミリ2発、7.7ミリ100発	P-40撃墜1機　1中隊と共に突撃、P-40、2機を追撃
2番機	八尋俊一二飛曹	20ミリ21発、7.7ミリ70発	P-38撃墜1機　P-38引き上げ上昇中を一撃、撃墜
3番機	寺田幸一二飛曹	20ミリ30発、7.7ミリ130発	被弾　P-39、2機に奇襲を行なうも不成功、 この時、側上方より奇襲を受ける
4番機	竹田要次郎上飛	7.7ミリ140発	P-39、2機に奇襲を行なうも不成功、この時、側上方より奇襲を受ける
		4中隊	
1小隊			
1番機	香下孝中尉	20ミリ9発、7.7ミリ150発	F4F、2機発見、これを追撃、引き返す
2番機	西澤廣義上飛曹	7.7ミリ20発	F4F、1機、F4U、2機を協同攻撃、各1機を撃墜
3番機	原口徳行二飛曹	20ミリ25発、7.7ミリ200発	F4F、1機、F4U、2機を協同攻撃、各1機を撃墜
4番機	西倉湊一二飛曹	20ミリ44発、7.7ミリ100発	F4F、1機、F4U、2機を協同攻撃、各1機を撃墜
2小隊			
1番機	近藤任飛曹長	20ミリ46発、7.7ミリ130発	2番機とともにF4U、3機、F4F、2機と交戦。
2番機	安藤宇一郎二飛曹	20ミリ140発、7.7もミリ250発	被弾　F4F、7機と上空
3番機	中島章吾上飛	20ミリ160発、7.7ミリ180発	F4F撃墜1機　1番機の支援を受けつつ1機撃墜
4番機	上月繁信二飛曹		未帰還

204空　18年6月12日　ルッセル諸島攻撃　行動調書より

		1中隊	
1小隊			
1番機	宮野善治郎大尉	20ミリ60発、7.7ミリ185発	F4F撃墜1機
2番機	大原亮治二飛曹	20ミリ8発、7.7ミリ50発	
3番機	辻野上豊光上飛曹	20ミリ30発、7.7ミリ51発	
4番機	中村佳雄二飛曹	20ミリ60発、7.7ミリ80発	
2小隊			
1番機	大正谷宗市一飛曹		
2番機	小林友一二飛曹		
3番機	坪屋八郎一飛曹		
4番機	田中勝義二飛曹		
		2中隊	
1小隊			
1番機	森崎武予備中尉	20ミリ38発、7.7ミリ65発	
2番機	浅見茂正二飛曹	20ミリ4発、7.7ミリ26発	
3番機	中野智弐二飛曹	20ミリ165発、7.7ミリ270発	
4番機	田村和二飛曹	20ミリ185発、7.7ミリ270発	F4F撃墜1機
2小隊			
1番機	渡辺秀夫飛曹長		
2番機	人見喜十二飛曹	20ミリ38発、7.7ミリ65発	
3番機	杉田庄一二飛曹	7.7ミリ293発	F4U撃墜2機（うち1機は協同）
4番機	日高鉄男一飛曹	20ミリ56発、7.7ミリ108発	F4U撃墜1機（協同）
		3中隊	
1小隊			
1番機	日高初男飛曹長	発動機不調引き返す	
2番機	黒沢清一二飛曹	20ミリ6発、7.7ミリ36発	発動機不調引き返す（日高飛曹長付き添い?）
3番機	神田佐治二飛曹	20ミリ160発、7.7ミリ240発	F4F撃墜2機（うち1機協同）
4番機	中沢政一二飛曹	20ミリ120発、7.7ミリ592発	F4U撃墜1機（協同）
2小隊			
1番機	鈴木博飛曹長	20ミリ72発、7.7ミリ210発	F4U撃墜1機（協同・渡辺機）
2番機	渡辺清三郎二飛曹	20ミリ51発、7.7ミリ182発	F4U撃墜1機（協同・鈴木機）
3番機	白川俊久一飛曹		被弾14発
4番機	小林清和二飛曹	20ミリ116発、7.7ミリ372発	

※251空は1、3番機と2、4番機が、204空は1、2番機と3、4番機が最小の2機であったことがわかる。

リ３０９５発。損害なし」と報告している。

五八二空は、８時30分、ルッセル島上空に達した。五八二空も二〇四空とともにルッセル諸島の西側で戦った。空戦ではＦ４Ｕ撃墜確実６機、Ｐ-40撃墜確実２機、不確実１機、Ｐ-39撃墜不確実１機、Ｇ戦の撃墜不確実３機の戦果を報じている。消費弾薬数不明。だが５日に弾薬のない零戦で爆撃機を追いかけ新聞で大きく取り上げられた野口義一中尉をはじめ、沖繁国男二飛曹、藤岡宗一二飛曹など３機が未帰還になったうえ、平林真一二飛曹機が被弾した。残った零戦は11時に帰着した。

海兵隊のＶＭＦ-１２１では、シュミット大尉のＦ４Ｕが行方不明になった。

零戦隊は全部で撃墜確実25機、不確実８機もの戦果を報じたが、零戦７機と６名の搭乗員を失った。

連合軍は撃墜戦果30機を報じたが、戦闘機６機と２名のパイロットを失ったことを認めている。損害の内訳は４機のＦ４Ｆ、Ｐ-40とＦ４Ｕ各１機だった。

日本海軍は二回のルッセル攻撃で零戦17機と搭乗員15名を失ったが、米軍機計82機を撃墜したと評価。二五一空、３中隊長として、この空戦にも参加、20ミリ95発、７・７ミリ１６０発を使ってＰ-40の協同撃墜１機を報じている大野竹好中尉は、戦時中の手記に「かくて二回にわたるルッセル島大空襲は、大勝利のうちに終わった」と書いている。米軍が実際に失ったのは13機、戦死したパイロットは２名だけだった。

翌13日、五八二空の零戦12機は未帰還機の中に、どこかに不時着している機体があるのではないかと捜索に飛んだ。しかし二時間半の捜索の後、発見できないまま帰還した。捜索隊の中には、万が一の僥倖を願って、前日の空戦で行方不明となった野口中尉の忠実な列機、篠塚二飛曹も加わっていた。この日もブインにはＦ-５Ａ型がやって来た。鈴木中尉等６機が追跡したが、逃げられてしまった。

Ｆ-５Ａ偵察機は翌14日にも来た。野口中尉の報復を胸に秘めた篠塚二飛曹等がムンダの上空まで２百キロも追ったが、結局、雲の中に逃げられてしまった。

15日はブインに敵大編隊との警報が入り、五八二空の零戦18機が発進。しかしバラレを爆撃した第13航空軍のＢ-24編隊は発見できず、この邀撃は空振りに終わった。

たとえ発見できても、容易には撃墜できない四発重爆コンソリーデーデットＢ-24。しばしば「コンソリ」と呼ばれるＢ-24の生産数は１８１８１機。世界でももっともたくさん作られた重爆だった。なんと零戦よりも多い。同機の総数の７割、１万機以上がデトロイトにあったフォード社のウィロー・ラン工場で作られた。隼や零戦の搭乗員が捨身の勇気を奮って１機また１機落としている間に、ウィロー・ランでは毎月６５０機ずつ作っていたのである。

ところが、ちょうどこの頃、ウィロー・ランなどデトロイトで働いていたアフリカ系労働者が住宅問題の改善を求め、大暴動を起こしていた。当時のアメリカでの有色人種に対する偏見と差別は現在の比ではなかった。ひどい住環境のスラムで発生した騒ぎは、町中での銃撃戦に発展し、4千名もの正規軍と装甲車までが投入され、23人の死者（うち21名がアフリカ系）と6百人もの負傷者を出して、6月の24日、ようやく鎮圧された。この米国史に残る大暴動で、どの程度B-24重爆の生産が滞ったのか、それは残念ながらわからない。

「もっとジャップをよこせ！」海軍、海兵隊、陸軍の戦闘機が戦場を旋回する。

16日、第一次、第二次と実施した「ソ」作戦でかなりの数の連合軍戦闘機を撃墜したと判断した第一基地航空部隊は、この日、ガダルカナル方面艦船攻撃の「セ」作戦を実施した。だが「ソ」作戦での戦果報告があまりにも過大であったことは、もはやご存知のとおりである。

6時25分、「セ」作戦実施のため慌ただしく活動していたブインに敵戦闘機40機近接との警報が入った。五八二空の零戦15機と、二〇四空の零戦が緊急発進したが、発見できず、零戦隊は1時間後に着陸した。ブカでは7時に二五一空の零戦8機が発進。離陸から43分後、とうとう写真偵察のため単機飛来した第435爆撃飛行隊のB-17「ラッキー」を捕捉した。

昭和15年9月13日、重慶上空で起こった「新鋭機零戦」による初空戦以来の古参で、17機の撃墜を公認されているエース、第1小隊長の大木芳男飛曹長は前方攻撃で一連射、20ミリ60発、7・7ミリ14発を放ったが、避退時に燃料タンクに被弾したため、一撃で引き返した。だが、この大木機の攻撃で「ラッキー」の酸素装置と油圧装置、すべての計器が機能しなくなってしまっていた。さらに爆撃手のR・サーノスキー少尉が20ミリ弾の炸裂で重傷を負い後に死亡した。

2番機の山本末広二飛曹は数回にわたって攻撃。20ミリの全弾と、7・7ミリ弾のほとんどを撃ち尽くした。そして米重爆は発煙しつつ雲に逃げ込んだと報告。後に同重爆はブーゲンヴィル山中で不時着しているのが発見された（誤認）と報告している。第2小隊長、寺田幸一二飛曹は20ミリ160発、7・7ミリ17発を射撃、13ミリ1発被弾。2番機、米田忠二飛曹は20ミリ160発、7・7ミリ130発を射撃。3番機、八尋俊一二飛曹は発動機不調のため付近に不時着水、機体は沈没したが彼は救助された。山崎市郎平一飛曹は20ミリ160発、7・7ミリ350発を射撃、13ミリ1発を被弾した。その他2機は途中で引き返している。零戦5機が30分以上にもわたって猛撃し、全部で20ミリ546発、7・7ミリ711発を射撃、3機が被弾するほどの猛攻撃を行なったが「空の要塞」は墜落しなかった。

B-17「ラッキー」の射手は零戦の撃墜2機を報じている。

彼らは「攻撃してきた零戦は7機、空戦は45分間つづいたが、零戦は燃料が乏しくなったのか引き上げて行った」と報告している。高度7千メートルから3千メートルまで降下した「ラッキー」の機内では副操縦士と射手2名以外全員が負傷していた。「ラッキー」はフラップもブレーキも壊れた状態のままで、ニューギニアのドボデュラ飛行場に着陸した。

ちょうど正午になった時、ベララベラ島にいた連合軍の沿岸監視員は、零戦38機が南東に向かい、さらに艦爆50機、零戦30機が後続していると報告。

10時、ブインでは五八二空の九九艦爆24機と、零戦16機が「セ」作戦、ガダルカナル島の「ルンガ泊地艦船攻撃」のため発進していた。10時にブインを発進した二〇四空の零戦24機、7時20分にブカを発進した二五一空の30機もガダルカナルに向かっていた。

11時45分、五八二空はガダルカナル南西50海里でP-38、8機を発見。11時47分に日本機と遭遇したと報告している第339戦闘飛行隊のP-38である。本当は12機いた。ベララベラ島の沿岸監視員からの警報を得て、ガダルカナルと、ルッセルの基地から、P-38、12機、P-40、21機、P-39、8機など計104機の邀撃戦闘機がすでに発進して待ち伏せていたのである。

二〇四空の零戦は11時55分、ガダルカナル西方で空戦に入った。

第44戦闘飛行隊のボブ・バイヤー中尉のP-40小隊はルンガ泊地で炸裂する爆弾を見て、日本軍編隊を発見した。艦爆は12時にルンガ上空に達し、5分後、激しい対空砲火の中、急降下爆撃を開始。15分後には戦場から離脱しはじめた。それからおよそ20分間、零戦は数十機の米軍機と戦った。艦爆は輸送船3隻を損傷させ、うち2隻は座礁した。

海兵隊本部から日本軍の大編隊が来るとの知らせを受けて、VF-11「サンダウナーズ」は10時30分には28機のF4Fを緊急出動させていた。高度7500メートルで待ち受けていたF4Fは、日本軍の急降下爆撃機は9機か10機くらいの浅いV字編隊を組み、その両脇、やや高いところに零戦の縦隊が飛んでいるのを発見。F4Fは艦爆への攻撃を開始した。零戦がその空戦に割り込んで来る。

フランク・クォーディのF4Fは零戦と正面から撃ち合った。相手が煙を曳いて降下してゆくのを見ていると、3発の20ミリと7・7ミリが数えきれないほど命中した。零戦に追尾されていたのだ。彼は雲の中に逃げ込んだ。弾薬は尽き、操縦装置もひどく撃たれていたので落下傘降下を考えたが、なんとか基地まで戻ることができた。

ジョン・ラムゼイ中尉は気がつくと周りは零戦だらけで、F4Fは3機しか見えなかった。零戦は次から次へと攻撃して来た。エンジンからは発煙し、漏れたオイルが風防に飛び散っていた。落下傘降下を考えたが、周囲を零戦が飛び回っ

251空　18年6月16日　ルンガ泊地艦船攻撃　行動調書より

			1中隊
1小隊			
1番機	大野竹好中尉	20ミリ66発、7.7ミリ120発	被弾　P-38、5機発見、これに一撃を与え F4U、2機、F4F、3機と空戦中、駆逐艦機銃により被弾
2番機	坂上忠治二飛曹	20ミリ122発、7.7ミリ200発	P-38、5機発見、これに一撃を与えF4U、2機、F4F、3機と空戦
3番機	奥村四郎上飛		未帰還
4番機	赤堀壽上飛	20ミリ160発、7.7ミリ180発	奇襲せるP-38に反撃。爆撃終了　P-39、2機攻撃
2小隊			
1番機	林喜重中尉	7.7ミリ16発	F4U、6機、P-39、2機と空戦
2番機	米田忠二飛曹	20ミリ118発、7.7ミリ130発	1番機と同じ
3番機	福井一雄二飛曹	20ミリ75発、7.7ミリ48発	1番機と同じ
4番機	田謙次上飛	7.7ミリ15発	爆撃終了まで1番機に同じ、以後、単機艦爆直衛
			2中隊
1小隊			
1番機	杉本光輝中尉	20ミリ16発、7.7ミリ230発	P-38、5機を認めたるも攻撃せず、P-35乃至6機と空戦
2番機	塚本秀雄二飛曹	20ミリ48発、7.7ミリ6発	P-39撃墜1機（4番機と協同）　P-39、1機追尾撃墜
3番機	宮本公良二飛曹	20ミリ40発、7.7ミリ200発	1番機に同じ
4番機	寺田幸一二飛曹		被弾　不時着沈没　2番機に同じ。その時、敵機の攻撃を受けたため不時着
2小隊			
1番機	大木芳男飛曹長		未帰還　爆撃進入直後より消息不明
2番機	栗山九州男二飛曹	20ミリ54発、7.7ミリ10発	P-38を牽制、F4U、3機と交戦
3番機	菊田覺上飛	20ミリ100発、7.7ミリ200発	P-39撃墜1機　P-39追尾撃墜
			3中隊
1小隊			
1番機	大宅秀平中尉		未帰還　P-38、6機と交戦、消息不明
2番機	山崎市郎平一飛曹	20ミリ5発、7.7ミリ300発	F4F撃墜1機、機種不明1機撃墜 P-38反撃後グラマン2機と交戦、撃墜。艦爆を追撃する機種不明機を撃墜
3番機	国広欣弥二飛曹	20ミリ31発、7.7ミリ200発	P-38撃墜不確実1機　P-38、6機発見反撃、 P-38、7機に包囲攻撃を受け反撃
4番機	野間清爾二飛曹	20ミリ60発、7.7ミリ350発	P-38攻撃後、艦爆直掩
2小隊			
1番機	磯崎千利少尉	20ミリ160発、7.7ミリ300発	F4F撃墜確実1機、P-39撃墜不確実1機 P-38反撃後、F4F、4機追撃、撃墜、P-38、P-39数機と交戦
2番機	山本末広二飛曹		未帰還　F4Fと交戦開始後、消息不明
3番機	岩野広二飛曹	20ミリ34発、7.7ミリ200発	P-38、F4Fの包囲攻撃を受け、反撃しつつ避退
			4中隊
1小隊			
1番機	香下孝中尉		未帰還　地上砲火により
2番機	西澤廣義上飛曹	20ミリ50発、7.7ミリ600発	P-39撃墜1機　P-39延べ機数約15と交戦
3番機	清水郁造二飛曹		未帰還　地上砲火により
4番機	関口栄次二飛曹	20ミリ100発、7.7ミリ600発	被弾　P-39撃墜1機　P-39延べ機数約15と交戦
2小隊			
1番機	近藤任飛曹長	20ミリ110発、7.7ミリ250発	F4F、2機、P-40、2機と交戦
2番機	安藤宇一郎二飛曹		艦爆1機を掩護
3番機	神田浩二飛曹		未帰還　爆撃直後、小隊長に随伴以後消息不明
4番機	山根功雄上飛		艦爆1機を掩護

204空　18年6月16日　ルンガ泊地艦船攻撃　行動調書より

		1中隊
1小隊		
1番機	宮野善次郎大尉	未帰還
2番機	松本久栄二飛曹	
3番機	辻ノ上豊光上飛曹	P-39撃墜確実2機、不確実1機
4番機	中村佳雄二飛曹	重傷、被弾8発　コロンバンガラ飛行場に不時着
2小隊		
1番機	大正谷宗市一飛曹	P-39撃墜1機
2番機	田村和二飛曹	未帰還
3番機	坪屋八郎一飛曹	終始、艦爆隊の掩護せり
4番機	田中勝義二飛曹	
		2中隊
1小隊		
1番機	森崎武予備中尉	未帰還
2番機	浅見茂正二飛曹	グラマン撃墜1機　発動機不調、コロンバンガラに不時着
3番機	中野智弌二飛曹	P-39撃墜1機、グラマン撃墜1機（協同）
4番機	坂野隆雄二飛曹	軽傷　被弾　コロンバンガラに不時着
2小隊		
1番機	渡辺秀夫上飛曹	G戦6機と交戦、3機を協同撃墜
2番機	人見喜十一飛曹	G戦6機と交戦、3機を協同撃墜
3番機	杉田庄一二飛曹	G戦6機と交戦、3機を協同撃墜　グラマン撃墜1機
4番機	小林政和二飛曹	G戦6機と交戦、3機を協同撃墜
		3中隊
1小隊		
1番機	日高初男飛曹長	
2番機	黒沢清一二飛曹	グラマン撃墜1機撃墜
3番機	神田佐治二飛曹	未帰還
4番機	中沢政一二飛曹	
2小隊		
1番機	鈴木博飛曹長	P-39撃墜1機、F4U撃墜1機（2小隊協同）
2番機	日高鉄夫二飛曹	P-39撃墜1機、F4U撃墜1機（2小隊協同）
3番機	渡辺清三郎二飛曹	P-39撃墜1機、F4U撃墜1機（2小隊協同）
4番機	八木隆次二飛曹	P-39撃墜1機、F4U撃墜1機（2小隊協同）

ていたのでやめて、エンジンが止まったまま不時着した。ジョン・プレスラー機は撃たれて不時着水して救助された。さらに空戦中、ボズウェル中尉とリッカー中尉のF4F同士が空中衝突して両名とも戦死。さらにVF-11のF4F、テディ・ハル中尉機は、第44戦闘飛行隊のP-40、ジョン・テダー中尉機と空中衝突、2人ともまた戦死した。

海兵隊のVMF-122は8機を邀撃に発進させ、撃墜1機を報じたが、E・F・スティション軍曹のF4Uが未帰還となり、戦死とされた。

海軍や、海兵隊の戦闘機が零戦と死闘を演じているすきに、遅れて空戦に加入した第68戦闘飛行隊、ウィリアム・フィドラー中尉率いる4機のP-39は、掩護なしで飛んでいた艦爆の編隊を襲い、次々に6機を撃墜したと報じている。だが同じくP-39を装備する第70戦闘機隊ではノリス大尉が20ミリ機銃の射撃で両脚に重傷を負いながら帰還、僚機のワランス・ジェニングス中尉は艦爆の旋回機銃で腕に負傷した。

五八二空は20ミリ1889発、7・7ミリ29829発を射撃。古平克巳一飛曹、篠塚賢一二飛曹、石橋元臣二飛曹、福森大三一飛曹の4機の零戦が未帰還になった。

二五一空は20ミリ3085発、7・7ミリ16002発を射撃。P-38撃墜確実2機、不確実1機、P-39撃墜確実4機、F4F撃墜確実2機、不明新型撃墜確実1機を報告。しかし4中隊長の香下中尉と3番機の清水二飛曹の2機が対空砲火で落とされるなど、計6機が未帰還となり、さらに大破1機、不時着水1機、被弾2機もの損害をこうむった。結局、着水した寺田上飛曹も帰っては来ず、午前中のB-17との空戦で奮戦したエース、大木飛曹長も戦死した。

艦爆とともに急降下し、低空で掩護するという困難な任務を担った二〇四空24機のうち、17時にラバウルまで帰着できたのはわずか6機だった。翌日になってさらに11機がブカ、ブインから帰着した。激しい空戦で全機が散り散りになってしまったのだ。

被弾し重傷、軽傷を負った搭乗員の乗った3機はコロンバンガラに不時着していた。そして宮野大尉、森崎予備中尉、神田佐治二飛曹などの4機は永遠に戻って来なかった。二〇四空は士官搭乗員をすべて失ったのである。

宮野大尉に最後まで付き添っていた杉田庄一二飛曹の当時の証言によれば、宮野大尉は空戦後、集合地点にやってくる部下があまりにも少ないので、ふたたび空戦域に戻って行った。杉田二飛曹が後を追うと、グラマンが現れ、一瞬で隊長機が見えなくなったとされている。

日本海軍は撃墜確実27機、不確実5機の戦果を報じたが、15機もの零戦を喪失した。艦爆の攻撃で連合軍は商船2隻と、艀1隻が損害を受け戦死25名、負傷29名、行方不明22名の死傷者を出し、沈没を避けるため、商船と艀各1隻は座礁させる必要があったという。しかし再建されたばかりだった五八

五八二空の福森大三一飛曹（中央）。6月16日、とうとう未帰還になった彼は、17年暮れからソロモン方面の第一線で戦い続けて来た古参搭乗員だった。

二五一空の大木芳男飛曹長、17年7月、台南空に配属され、ソロモン、ニューギニア方面で活躍。6月16日に戦死するまでに撃墜17機を公認されている。

二〇四空、杉田庄一二飛曹、17年10月のソロモン進出後、活躍をつづけ、20年に戦死した際の個人感状には個人撃墜70機、協同40機と記されている。

二〇四空、神田佐治二飛曹、17年9月28日にワイルドキャット1機を撃墜したのをはじめ、18年4月1日には3機を撃墜するなど、総撃墜数は9機であった。

二空の艦爆隊は出撃した機体の半分以上の13機を失うという壊滅的な大損害をこうむった。

連合軍はこの日、邀撃に上がった計104機の戦闘機のうち74機が交戦、ソロモン海域の戦いで最大の勝利を収めた誇らしげに記録している。対空砲火で17機、空戦で79機、計96機もの撃墜戦果を報じ、6機の戦闘機と5名のパイロットを失った。うち4機は空中衝突なので、零戦が実際に落としたのはたったの2機である。

空戦直後、さらに後続の日本軍編隊が接近中との誤報が入ったため、海軍、海兵隊、陸軍の戦闘機は戦場の周囲を大きく旋回しつづけていた。「もっとジャップをよこせ」と言わんばかりの姿だった。

「進攻作戦の方が、どうして戦果があがるのかわかりますか?」
過大戦果の幻想

「ソ」作戦、「セ」作戦によって零戦34機と搭乗員31名が失われた。艦爆の損害も13機に昇った。連合軍側の損害は戦闘機19機喪失、パイロット7名が戦死。その他、日米とも被弾機、不時着機など、基地には帰れても全損になった機体が数多くあった。負傷者も出ている。従って両軍の損害は以上の数字よりも多い。日本側にとって何よりの痛恨事は二〇四空の宮野大尉、森崎予備中尉(16日)、五八二空の野口中尉(12日)、二五一空の向井大尉(15日)など、これまで陣頭指揮をとり零戦隊を率いて来た歴戦の第一線幹部や、二〇四空の神田佐治二飛曹、二五一空の大木芳男飛曹長、遠藤桝秋一飛曹などのエースを含む、実戦で鍛え抜かれてきた搭乗員を多数失ったことであった。

第一基地航空部隊では、未帰還機があまりにも多いので、不時着機が多数あったものと判断。翌17日、零戦や陸上偵察機を使って捜索したが1機も発見できなかった。

参加部隊からの戦訓は、米軍のP‐40や、P‐39の性能が向上しているように感じられ、編隊戦闘がさらに巧みになっている。もはや九九艦爆での強襲は不可能。艦爆4個中隊の進攻には掩護戦闘機が144機から164機は必要(「い号作戦」の時よりも多い)というものだった。さらに飛行場の不足を解消するため、ブインに第2飛行場を至急建設することが決まった。

結局、悲劇に終わった「ソ」作戦、「セ」作戦は、押され気味だった中部ソロモンでの劣勢を打開するためには、また「い号作戦」のような積極的攻撃が必要であるという第一基地航空部隊の判断で決行された。

連合艦隊の総力を結集して行なった「い号作戦」ですら、どんな結果になったのかを知り「零戦は防空戦では戦果を挙げるが、進攻戦では大きな損害を出しがちである」ということを、日米両軍の損害記録から熟知している後世の我々から見れば、現地部隊の兵力だけで実施する中途半端な進攻作戦を、どうして強行したのかと、強い疑問と、止めておけば良かったのに、と思わざるを得ない。しかし「い号作戦」では、犠牲を補って余りある戦果があったはずだという誤解と「攻撃は最大の防御である」という原則のもと、第一基地航空部隊本部では積極論、強硬論が優勢となり、とうとう決行が決まってしまったのであろう。

以前、零戦撃墜王として有名な、坂井三郎さんから「自分たちに有利な基地上空での防空戦より、進攻作戦での方が、どうして戦果があがるかわかりますか？」と問われたことがある。もちろん筆者になぞ答えられる訳がない。坂井さんは「防空戦では飛行時間も短いし、やられても落下傘降下や不時着で助かるということはあるが、受け身だから、どうしても気持ちが萎縮する。進攻戦では気持ちが高揚して、意気込みからして違って来るからですよ」と説明してくれた。しかし進攻作戦の際に喧伝された華々しい日本側戦果報告だけでなく、連合軍側の損害記録を合わせて調べてみると、戦果報告が地味な防空戦の方が、むしろ零戦に有利な結果に終わっていたことがわかる。だが敵方の事情まで知る由もない当時、基地航空隊の高級幹部から、現場の搭乗員の一人一人まで、やはり防空戦のみでは士気が次第に停滞していったのだろうと思う。歴史に「もし」はないと言うが、この「ソ」作戦「セ」作戦も歴史の必然の流れの中で実施された避け難い作戦だったのである。

めっきり数が減り、搭乗員の平均練度も低下した零戦隊はしばらくの間、進攻作戦はとりやめ、防空や掩護、哨戒任務に専念することとなった。押され気味の現状打破のために実施されたこの作戦で戦いに慣れた優秀な搭乗員を多数を失ったことによって生じた戦力低下は、後の中部ソロモン防衛戦の敗北をむしろ早める結果になってしまう。

「1機、そして2機目もまた撃墜」
F-5偵察機キラー、近藤任飛曹長

6月18日、8時50分、ラバウルにP-38（以下、実際にはすべてF-5A型写真偵察機と思われる）が1機来襲。4月7日に初撃墜を果たし、後に9機撃墜のエースとなる白川俊久一飛曹が率いる二〇四空の零戦5機が邀撃に上がったが、雲の中に取り逃がしてしまった。この日、ブインでも7時に、五八二空の零戦4機がP-38邀撃に上がったが、捕捉できなかった。

20日、五八二空、9時5分にP-38、1機を零戦4機で追跡したが取り逃がした。二〇四空の白川一飛曹は20日にも邀撃に上がったが、来襲機は捕捉できなかった。9時25分、零戦6機を率いてラバウル基地の上空哨戒に飛んでいた二五一空の近藤任飛曹長は、同43分、高度8千メートルでP-38を発見。追撃に入った。近藤飛曹長は13年に優等賞を受賞して乙種予科飛行練習生6期を終了した古参戦闘機乗りだった。

「ムンダを失えばラバウルは保たない」中部ソロモンの攻防戦

レンドヴァ侵攻艦隊の守り神「レンドヴァパトロール」

30日未明、呂一〇三潜水艦より「敵輸送船らしきもの7隻北西航行中」の電文が発せられた。そしてこの日の早朝、悪天候の中、日本海軍の重要な基地であるニュージョージア島のムンダ飛行場の対岸、レンドヴァ島の北端、レンドヴァ港付近へ米軍が上陸を開始した。ソロモン海域を北西へと攻め上る本格的な反攻作戦がついに始まったのである。ムンダでは朝から豪雨だった。

わずか130名からなるレンドヴァ守備隊はたちまち制圧されてしまった。上陸した米軍の損害は戦死4名、負傷5名だった。ムンダ岬の西方に浮かぶ小島、バンカ島にあった横須賀第七特別陸戦隊の平射砲台は米艦隊を射撃。駆逐艦「グウィン」に12センチ砲弾を1発命中させた。艦上で水兵3名が戦死した「グウィン」は煙幕を展張して射程外へ去った。日本側の有効な反撃はこれだけだった。

揚陸地点には、日本海軍の激しい空襲があるはずだ。米海軍、海兵隊、陸軍、そしてニュージーランド空軍の戦闘機が代わる代わる朝7時から夕方17時（現地時間、日本時間では5時から15時）まで、終日、32機の戦闘機で上空哨戒を行なった。彼らはそれを誇らしげに「レンドヴァパトロール」と呼んだ。

ムンダにいた日本軍将兵は、悪天候の中、米軍の戦闘機の編隊が何度もやって来たと証言している。最初に来たのは29機の米陸軍戦闘機だった。出動を予定していたのは決められていた通り32機だったが、ガダルカナルでの離陸の際に第339戦闘飛行隊のP-38が浮揚直後にエンジン故障を起こし錐揉みになり、滑走路で待機中だった2機のP-39の上に墜落した。たまたまP-39に乗っていたのは第13航空軍唯一のP-39エース、第70戦闘飛行隊のウィリアム・フィドラー中尉であった。そして彼と、P-38のパイロットの両名がこの事故で死亡。海兵隊のVMF-213でも、朝の試験飛行でミルトン・ペック中尉のコルセアが海に墜落、戦死している。「レンドヴァパトロール」はその幕開けから不運に見舞われていた。

米軍の予測通り、日本海軍、第一基地航空部隊は可動航空兵力の大半を用いた反撃をただちに開始した。ムンダ飛行場は、ガダルカナルがいよいよいけないという頃、突貫工事で完成。17年の12月、完成の直後に二五二空の派遣隊が進出をしたものの、あまりにも米軍基地に近いため、進出の翌日から連日のように攻撃され、とてもいたたまれず、一週間程で逃げ出してしまったという曰くつきの基地である。ただ自分

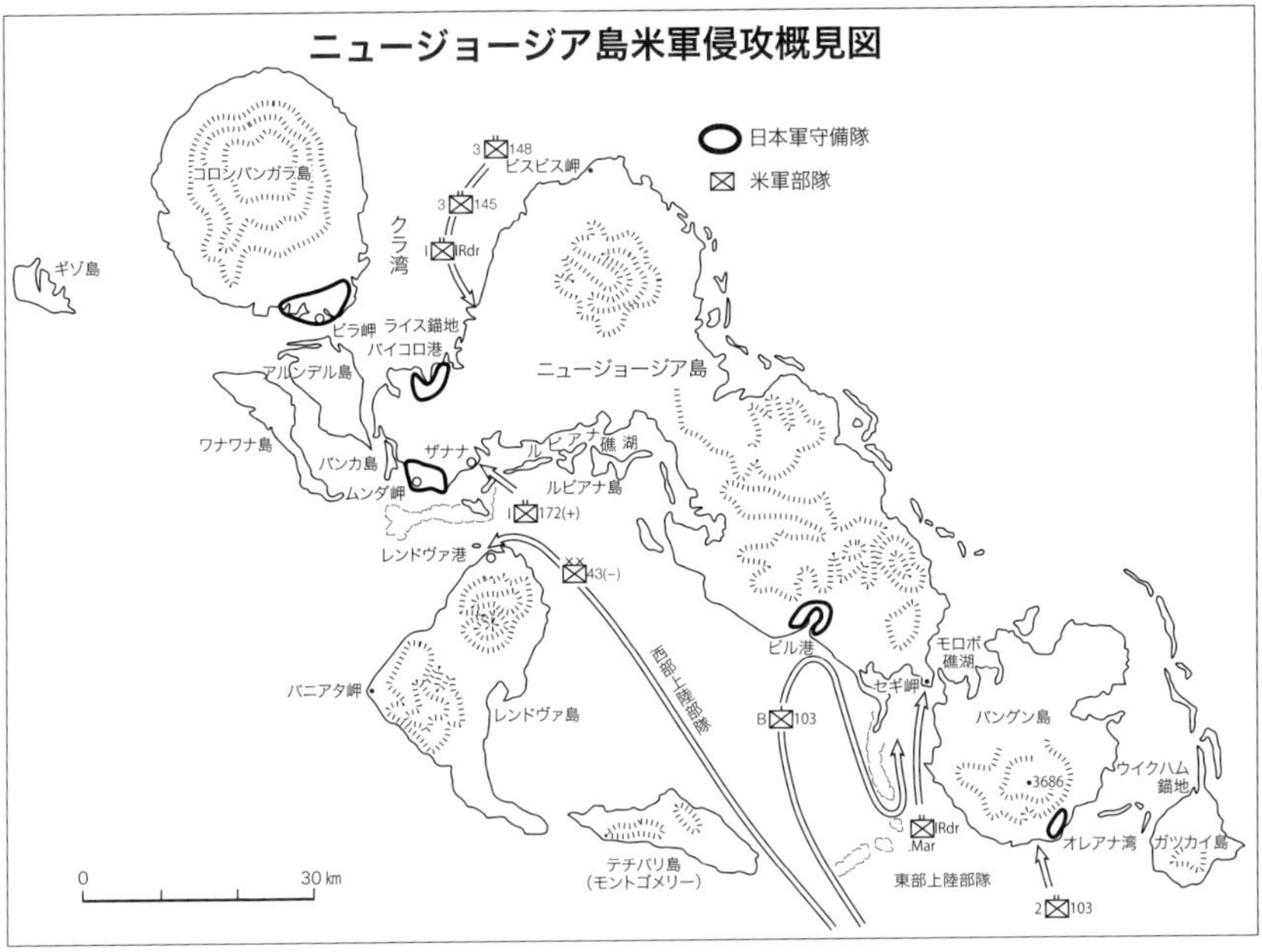

ニュージョージア島のムンダ飛行場から見たレンドヴァ島。非常に近いことがよくわかる。戦闘後の写真なので沿岸の椰子林は爆撃で丸裸になってしまっている。ムンダ飛行場は完成の直後から米軍の攻撃にさらされ、結局、日本海軍はほとんど利用できずにいた。しかし、ここを米軍に使われたら、ラバウルはとても守りきれないと言われていた。

たちでは使えなくても、ここを米軍に奪われ、航空基地として使われたら、ラバウルはとても守りきれないと言われていた。ムンダ飛行場は死守しなくてはならない。

だが悪天候を突破して、反撃の急先鋒、28機の零戦がやって来たのは米陸軍機が上空哨戒を米海軍と海兵隊の戦闘機と交代した後だった。島の北西部に飛んだVMF-121のコルセア16機、VF-11のワイルドキャット16機、計32機である。

二〇四空は渡辺秀夫上飛曹の指揮下、零戦12機が8時にブインを発進。16日の空戦で士官搭乗員が全員戦死してしまった二〇四空では23歳の下士官、渡辺上飛曹が部隊の空中指揮をとっていた。渡辺上飛曹以下の二〇四空は8時50分、レンドヴァ上空で敵戦闘機約40機と遭遇。5分後、空戦に入った。空戦は9時35分までつづき、撃墜確実14機（機種の特定なし）、不確実4機を報じ、全機が無事に帰着した。

竹中義彦飛曹長率いる五八二空の零戦16機は爆装し、8時にブインを発進。二〇四空の零戦12機とともに進撃。同40分、投下機故障のため竹中飛曹長機は引き返した。5分後、目標北方で米軍戦闘機、数十機と遭遇した。目標の南から、西海岸を北方に向けて空戦が開始された。五八二空はF4U撃墜確実6機、不確実2機、G戦撃墜確実2機、G爆（SBD艦攻と思われる）撃墜確実2機の戦果を報じたが、八並信孝一飛曹、笹本孝道二飛曹が行方不明になり、藤井信雄上飛が自爆した他、大破1機、不時着1機の損害をこうむった。

米軍の上陸地点では、まだ浜の両側に三脚に載せた50口径対空機銃を各1門ずつ設置しただけだった。そこに8機の零戦が低空で来襲、揚陸地点を掃射し、小型の対人用爆弾を投下した。50口径機銃の射手は射撃で零戦1機を撃墜。掃射も爆弾も命中せず損害はなく、零戦はもう掃射に舞い降りては来なかった。この零戦は五八二空機に違いない。失われた3機のうち1機は対空砲火で落とされた可能性もあるということを示す記録である。

空で、零戦を迎え撃ったのは海兵隊と海軍の「レンドヴァパトロール」だ。戦時日誌によると、海兵隊のコルセア、VFM-121の16機は高度3千メートル、8機は4500から6千メートル、残り8機は高度1500メートルにいた。

レンドヴァ西方、高度3500メートル付近を飛んでいたバロン大尉のコルセアは、8機から10機の零戦に上下から攻撃され、まず20ミリ数発が主翼と胴体に命中、7・7ミリ機銃弾が彼のイアホーンのケーブルを切断、最後に操縦席の側面で20ミリが炸裂。大尉の右脚と足首と、臀部を傷つけ、操縦席の中に煙が充満した。零戦は、バロン機は片付けたと思い、横転して飛び去って行った。

シューマン大尉の僚機であったデリー中尉は、レンドヴァの南西、高度4500メートルを飛行中、6機ないし8機の零戦と遭遇した。2機がシューマン大尉機の後方に回り込んだので、デリー中尉は発砲、1機を発火させた。数機がデリ

18年７月、ルオット島で撮影された二五二空の搭乗員。二五二空の派遣隊は完成直後のムンダ基地に進出したが、連日の空襲を受け、たったの一週間で全機を喪失、退却する羽目になった。四列目、右から五人目の宮崎勇上飛曹はソロモン、ニューギニア方面で活躍。17年11月に初撃墜を果たしてから戦果を重ね、最終撃墜数は13機であった。2列目左から4人目、塚本大尉、右へ柳村義種大佐（司令）、舟木飛行長。

６月30日にレンドヴァを空襲した零戦隊には士官搭乗員は１名も参加しておらず、二〇四空は若いが経験の豊かな渡辺秀夫上飛曹が指揮していた。

６月30日、五八二空１中隊２小隊の小隊長としてレンドヴァ攻撃に参加した八並信孝一飛曹（写真、後列中央）は未帰還となった。手前は司令の山本栄中佐。

ー機を追尾、7・7ミリが命中しつつあったが、たいした被害はなかった。ところが突然、下方から数発の20ミリが命中。1発は右翼を貫通、もう1発は操縦席の下で炸裂した。急降下で逃げ、ルッセル諸島に向かったが、ビル港の手前でエンジンが停止したため落下傘降下。近くを航行中だったLSTに救助された。

米海兵隊のコルセアは、撃墜確実16機、不確実4機を報告したが、4機のF4Uを失った。前記のデリー中尉の他、ゴードン大尉（行方不明）、フォックスワース中尉（救助）など3機が撃墜され、ひどく撃たれたバロン大尉は、LSTのそばに着水して救助された。

また同じ頃、レンドヴァに隣接するコロンバンガラ島のビラ飛行場を攻撃していた海軍のVT-11のTBF艦攻16機と、海兵隊のVMSB-132のSBD艦爆12機が空戦に巻き込まれた。米艦爆、艦攻はそれぞれ零戦の撃墜1機を報告しているので間違いない。

VMSB-132はこの日、SBD艦爆を実に7機も喪失している。VMSB-132の損害のうち空戦によるものは1機、対空砲火1機、原因不明1機、残る4機は燃料切れと機械故障で失われている。五八二空の零戦は「G爆」撃墜確実2機の戦果報告をしている。行方不明になったマッカーデル中尉機はどうして失われたのかわかっていない。空戦で落とされた可能性もある。

レンドヴァ上空の空戦、午前中の第一回戦は零戦の喪失4機、戦死3名に対して、米軍は空戦でワイルドキャット2機、コルセア4機、SBD艦爆1機または2機を失った。爆装零戦による爆撃は効果のないものだったが、戦闘機同士の空戦に限れば零戦は勝利を得た。

零戦の搭乗員戦死3名のうち一人は、レンドヴァの南西、高度3600メートルで3機もの零戦を立て続けに落としたと主張しているVMF-121のベーカー大尉のコルセアにやられたのかも知れない。ベーカー大尉は3機目の零戦から落下傘降下した搭乗員を射殺。本日の戦果は「零戦3機とジャップ1名」と報告している。

「雷撃隊突撃せよ」レンドヴァ侵攻船団に殺到する陸攻隊

30日の第二次攻撃は航空魚雷を搭載した陸攻隊による本格的な艦船攻撃であった。

11時50分「レンドヴァ島、敵輸送船雷撃隊直掩」のため向井一郎大尉が二五一空の零戦24機を率いてラバウルを発進した。13時45分、突入。F4F、F4U、約80機と空戦。F4F撃墜確実5機、F4U撃墜確実3機、不確実1機の戦果を報じたが、指揮官の向井大尉が自爆したのをはじめ、未帰還7機、1機が不時着大破、1機不時着水沈没するなど、零戦9機と搭乗員8名を失った上、6機が被弾するなどの大損害を受けた。戦死者には空中指揮官としての将来を嘱望されていた大野中尉、橋本中尉など、個人的に数多くの撃墜戦果を報じているばかりでなく中隊長として部隊を引っ張って来たかけがえのない幹部搭乗員がいた。

一方、二五一空の掩護で雷撃に向かった陸攻は26機中、18機が撃墜され、帰途2機が不時着（両搭乗員とも救助）するという壊滅的な損害を受けた。

雷撃隊の第一波（おそらく七〇二空の17機）を邀撃したのは高度450メートルにいたVMF-221のF4Fだった。彼らは低空で進入してくる陸攻を次々と13機も撃墜したと報告している。零戦の撃墜4機も報じている。VMF-221は、ウッド中尉機が零戦との交戦で20発以上も被弾したが、左膝に負傷しただけで、全機が無事に帰還している。

だが陸攻は輸送船「マッコーリー」8156トンに魚雷を命中させた（戦死15名）。航空魚雷は別の駆逐艦「ファーレンホルト」にも命中したが、それは不発だった。雷撃で機関室に浸水した「マッコーリー」は航行不能になり、ガダルカナルへの曳航中、米魚雷艇に誤射されて沈没した。

この空戦にVMF-122のF4Uが加入。零戦の撃墜確実3機、不確実2機、陸攻の撃墜3機の戦果を報じたが3機が未帰還となり、1機がエンジン故障で着水、行方不明となった。また被弾して基地に帰還した1機も全損となった。

12時45分から、高度7800メートルでレンドヴァ島上空を旋回していたVMF-213「ヘル・ホークス」のF4U、3機も空戦に入った。ワイセンバーガー少佐はまず零戦2機を撃墜。3機目の零戦と正面から撃ち合い発火、爆発させたが、彼のコルセアも発煙、やがて炎に包まれた。少佐は脱出、高度は240メートル、落下傘が開いたのは着水の直前だった。落ちたのが米駆逐艦「タルボット」のそばだったので、少佐はすぐに救助された。

トーマス中尉機には後方から風防を突き抜いた7・7ミリが1発命中、彼の頭のすぐ後ろだった。防弾のない零戦だったら戦死確実である。だが中尉は防弾鋼板のおかげでかすり傷も負わなかった。もう1機、ガリスン中尉もヘッドオンで零戦1機を仕留め、2機目を落とした時に、右側を曳光弾が流れるのを見た。その直後、操縦席に20ミリが命中。煙が充満したため脱出しようとしたが、そうこうするうち煙がはれたため帰還できた。だがペック中尉は撃墜されて戦死した。

14時、雷撃隊の第二波（七〇五空の9機と思われる）を迎え撃ったのは、VF-21のF4Fだった。ワイルドキャットは陸攻の撃墜12機、零戦撃墜17機を報じたが、5機のF4Fを失った。

レンドヴァ上空の空戦、第二回戦における米戦闘機の損害は12機、戦死したパイロットは7名だった。零戦の損害は10機、戦死9名。特に二五一空で鴛渕中尉以外この空戦に参加した士官が全員戦死したのは、次々に発火墜落して行く陸攻の盾になろうと低空に降り、3倍もの数の米軍戦闘機との戦いで苦戦に苦戦を重ねたからではないかと思われる。

14時、二〇四空12機はふたたび渡辺上飛曹の指揮下、ブインを発進。五八二空の零戦12機とともにレンドヴァを攻撃に向かった。30分後、五八二空の艦爆10機がそれにつづいた。15時20分、敵戦闘機約30機と交戦。空戦は22分間も続いたが、敵味方とも疲れきっていたのか、今度は両航空隊とも戦果なし。損害もなく16時20分に帰着した。艦爆にも損害はなかった。

15時40分、第44戦闘飛行隊のP-40、16機と、第12戦闘飛行隊のP-38は約30機の二式水戦に掩護された九九艦爆を邀撃。水上機の撃墜11機を報じているが、ルシアン中尉のP-40が空戦で燃料を使い切り不時着水した。

「零観小隊全滅」複葉の下駄履き機での無謀無惨な反撃

この日、九三八空と九五八空の零観13機がショートランドから、レンドヴァ泊地を襲い、60キロ爆弾26発を投下。米戦闘機延べ十数機と同航、反航戦を約10回交わし、7・7ミリ機銃1０３３０発を射撃。だが、零観7機(搭乗員2組は救助)を失い、被弾4機、軽傷4名の損害をこうむったと記録している。九三八空、後の彗星夜戦エース、中芳光二飛曹が2番機を務める4小隊の零観は15時30分、米軍戦闘機と遭遇、被弾を避けつつ、レンドヴァ島バニアタ岬海岸の米軍小艦艇を爆撃。避退中、中二飛曹機は米戦闘機6機と交戦、空戦約30分で戦場を離脱した。４小隊は全機が無事に帰還したが、米戦闘機20機と戦った5小隊の零観3機は全機が撃墜されてしまった。運動性の良い零観は空戦にも強いというような話を耳にすることがあるが、この日の無惨な結果を見れば、それが幻想であったことがわかる。いったい誰がこんな無謀な攻撃を実施させたのだろうか。

この日、零戦は四発重爆の撃墜を報じていないが、第307爆撃航空群B-24、ナサニエル・ガイバースン中尉機は、レンドヴァでの空戦に参加した米戦闘機のパイロットに、レンドヴァの1・2キロほど北方で尾部から発火しつつ着水を試みているところを目撃されて未帰還になっている。

ニュージーランド空軍の第14飛行隊は交戦しなかったが、パトロールを終え、着陸の際、2機が衝突、ガイルド少尉が戦死した。原因はともかく、米海軍と海兵隊、陸軍、ニュージーランド空軍の喪失機数の総計は33機にも達していた。

出動時の事故で1機のP-38と2機のP-39を失ったことからはじまり、間違いなく空戦で落とされた機体はコルセア8機、ワイルドキャット5機、SBD艦爆1機、対空砲火でSBD艦爆、TBF艦攻各1機、作戦中の事故で1機のP-40、SBD艦爆6機、コルセア3機、ワイルドキャット1機、またB-24が1機、原因不明で墜落。さらに先に記したニュージーランド空軍のP-40が着陸事故で2機失われている。

海兵隊の戦時日誌によると、この日の撃墜戦果はVMF-221が陸攻13機、零戦3機。VMF-121が陸攻3機、零戦15機。VMF-122、陸攻3機、零戦1機。VMF-213、零戦11機、水上機9機。VF-21、陸攻11機、零戦19機。陸軍のP-40、水上機11機。TBF艦攻、急降下爆撃機1機。合計100機、さらにSBD艦爆の射手も撃墜を報告しているので、当初は日本機101機を撃墜したと報告された。一方、当日確認された損害は「20機喪失、パイロット12名、うち何名は後日、救出されるに違いない」と記されている。だが撃墜戦果は、その後、精査した戦果として66機に減らされている。

減らしても、まだ戦果報告は過大で、実際に失われた日本機は41機だった。しかしそれでも日本軍にとっては多すぎた。当時、南東方面で使用可能であった海軍機は零戦約70機、艦爆約20機、陸攻約40機、水上機約40機、陸上偵察機5機、計170機余だった。1日の攻撃で実にその四分の一近くが失われたのである。

「中部ソロモンの航空戦最高潮に」6月の総決算

6月の一ヶ月、米海軍と海兵隊の基地航空隊は、ソロモン、ビスマルク方面で、延べ729機が出撃。2月から5月まで出撃機数は350機から450機であったから、6月に激増したことがわかる。そして、そのうち115機が空戦。これまで最高だった4月の53機の倍である。交戦した日本機の数も爆撃機66機と、戦闘機183機と非常に多い。それにともなって撃墜戦果も、日本爆撃機44機、戦闘機撃墜84機を報じている。そして損害も多かった。対空砲火で3機、日本戦闘機との交戦で30機（戦闘機、艦爆）、作戦中の事故で8機を失っている。

この方面の連合軍戦闘機コマンドの発表による6月の総戦果は撃墜254機、一方損害は、戦闘機36機（米陸軍、海軍、海兵隊、ニュージーランド空軍を含む）、パイロット13名であった。

この一ヶ月で零戦は46機が空戦（一部は対空砲火による？）によって墜落または不時着して失われ、40名ないし41名が戦死している。一方、連合軍機で空戦中に撃墜（空中衝突も含む）されるか不時着等によって全損になったのは40機。内訳は1機のB-17、2機のSBD、6機のP-40、14機のF4U、15機のF4F、2機のF5Aであった。

ほぼ引き分けに終わった「レンドヴァパトロール」との第二回戦

7月1日、6時40分、鈴木宇三郎中尉率いる五八二空の零戦12機はブインを発進。7時30分、二〇四空の零戦12機、二五一空の零戦10機と合同。同じ頃、五八二空の九九艦爆6機がブインを発進した。

8時10分、鴛渕孝中尉が率いる合同零戦隊34機は、レンドヴァ島よりムンダ西方に向けて突入。五八二空は敵戦闘機約40機と空戦、F4U、4機、G戦2機、G爆2機を撃墜したと報告。二五一空は敵戦闘機約20機と交戦、P-39、撃墜4機と報告、零戦4機を失った。二五一空が失った4名のうち3名はいずれも各小隊の小隊長であった。二〇四空も五八二空と同じく敵戦闘機約40機と交戦、撃墜確実9機、不確実2機を報じ8時35分に戦場を離脱しているが、辻野上豊光上飛曹が自爆した。

五八二空の艦爆は8時25分から爆撃を開始、5分後には帰途についた。零戦隊も8時35分には空戦から離脱した。

連合軍記録によれば、この空戦に参加したのは米海軍のF4Fが8機、ニュージーランド空軍のP-40が8機、第44戦闘飛行隊のP-40が8機、計24機であった。

8時15分、第44戦闘飛行隊のパイロット達は無線で、飛行隊のエース、ボブ・ウェストブルック大尉が叫ぶ「タリーホー(敵機発見)!」を聞いた。

発見した時、五八二空の艦爆はすでに1機、また1機と編隊を離れ、翼を翻し艦船に対する急降下に入っていた。高度1500メートルで艦船の上空掩護をしていたエルマー・ウィードン中尉のP-40小隊4機は艦爆に向かった。

一方、高度5千メートルにいたウェストブルック大尉の小隊は高度6千メートルで飛来した日本軍編隊に向かって上昇して行った。すると日本機は攻撃のため降下しはじめた。P-40もそれを追って翼を翻して降下。フランシス中尉は高度1500メートルで捕捉した零戦1機を爆発させ、ニューランダー中尉機と一緒になり、艦爆を攻撃した。ふと見るとニューランダー機は発煙する零戦を追跡していた。だが彼は上方から別の零戦に撃たれた。フランシス中尉はニューランダー機を追跡する零戦を追った。だが5分後、彼のP-40の装甲板に20ミリが命中、破片は方向舵へのケーブルを切断、フランシス中尉を傷つけた。後方についた零戦は7・7ミリで撃ちつづけ、とうとう左翼の機銃弾薬を爆発させた。落下傘降下する彼を零戦が射撃、落下傘に6つの穴を開けたが、その零戦は海軍のワイルドキャットが爆発させた。着水すると別の零戦が掃射をはじめ、フランシス中尉はワイルドキャットがその零戦も追い払ってくれるまで救命ボートの下に隠れていた。ニューランダー中尉は行方不明になった。

こうして、零戦に挑戦したウェストブルック大尉の小隊は、大尉自身を残して3機が撃墜されてしまった。落としたのはP‐39の撃墜4機を報じている二五一空か、二〇四空の零戦であろう。第44戦闘飛行隊のP‐40は、零戦11機、艦爆4機の撃墜を報じ、3機のP‐40と、パイロット1名を失った。

米軍のP‐40とF4Fが、艦艇攻撃のため低空に降りた日本の戦爆機と戦っていると、上空に、ニュージーランド空軍第14飛行隊のP‐40が現れた。彼らはただちに降下攻撃に入ったが、雲が多かったため、編隊はすぐ散り散りになってしまった。空戦開始から5分後、ジョン・バートン少尉のP‐40が炎上墜落、高度1500メートルから垂直に海に落ちた。バートン少尉は落下傘降下したが、2機の零戦が周囲を旋回しはじめた。ブラウン中尉はただちに駆けつけ、発砲して追い払ったが、ブラウン機の腹部にも20ミリが命中、被弾の油漏れでやがてエンジンが停止。ブラウン中尉は落下傘降下して数時間後に救助されたが、バートン少尉は帰って来なかった。結局、ニュージーランド空軍、第14飛行隊のP‐40M型は零戦の撃墜7機を報じたが、P‐40M型2機を失った。

米海軍のVF‐28は艦爆の撃墜確実4機、零戦撃墜確実1機、不確実3機の戦果を報告する一方、F4Fを2機とパイロット2名を空戦で、作戦中の事故でもう1機のF4Fとパイロットを失った。

撃墜22機を報じた連合軍の空戦による損害は計7機とパイロット4名。その他に作戦中の事故で2機とパイロット1名が失われている。

撃墜確実21機、不確実6機を報じた零戦の損害は5機と搭乗員5名。艦爆は1機が自爆、さらに2機が未帰還となっている。しかも日本側で戦死した零戦搭乗員5名のうち4名はいずれも小隊長を務めていた比較的練度の高い搭乗員だった。空戦は練度の低い2番機、3番機から喰われて行く弱肉強食の世界だ。どうしてこの日に限って腕利きの1番機ばかりがやられたのかわからない。いずれにせよ、その痛手は大きなものだった。

「レンドヴァパトロールを出し抜く」陸軍重爆、幸運の大戦果

7月2日、9時35分、渡辺秀夫上飛曹率いる二〇四空の零戦12機がブインを離陸。同時に五八二空の零戦12機、二五一空零戦8機も離陸、合同し「第四次レンドヴァ島方面艦船攻撃」に向かった。総指揮官はまた二五一空の鴛渕孝中尉だった。先任の士官搭乗員が次々と戦死してしまったため、若年ながら三つの航空隊の合同総指揮官を務めることになった鴛渕中尉は、ソロモン方面での航空戦を戦い抜き、本土防空戦では有名な三四三空戦闘第七〇一の紫電改に乗って、名飛行隊長として勇名を馳せることになる。

途中、故障で二〇四空1機、五八二空の2機が引き返した。

10時30分、陸軍機と空中集合する予定であったらしいが、どういう事情があったのか合同できず、行動調書によれば「零戦29機は進撃。11時40分、ニュージョージア、バヌンル間の海峡を経て、240度で突入。レンドヴァ上空に敵を見ず。12時5分、敵戦闘機7機と空戦開始。グランチ水道西に移り、敵十数機と空戦。シコルスキー撃墜確実3機、不確実1機、G戦撃墜確実1機の戦果を報じた。12時25分、戦場離脱、帰途につく」とされている。

零戦と交戦したのはVMF-121のコルセア7機であった。以下は、同飛行隊の戦闘報告書にある記述から抽出したものである。

12時22分、シューマン大尉は、レンドヴァ東方、高度3千メートルで、ベーカー大尉が「ゼロが上にいる！」と叫ぶのを聞いた。見上げると、1500メートルほど上方に20機ずつの編隊二つ、40機の零戦が見えた。零戦が突進して来ると、先頭の機が発火、爆発した。2番目のは発煙して雲の中に消えた。1機の零戦は緩横転を打つとF4Uの後方に入り、誰の機体かわからないが、1機を発火させた。

リンデ中尉機は3機か4機の零戦に追尾され、機体に20ミリが1発命中。そこで雲の中に急降下して、雲中で6千メートルまで余力上昇した。雲から出ると、6機のP-38が見えたので、彼らに応援を求めようとしたが気がつかないので、ふたたび単機で1500メートル付近にいた20、30機の零戦の編隊を降下攻撃。1機に命中弾を見舞い、上昇。そのまま帰還した。

フォード大尉はリンデ中尉機を追尾している零戦を追い払おうとして、自分も数機の零戦に追尾されていることに気付き、リンデ機につづいて雲に入った。間もなくリンデ機を見失い、上昇すると2、3機の零戦が上方にいた。20ミリの命中弾を食らい、潤滑油管を切断されたので、レンドヴァ港の少し南まで逃げ、艦船の注意を引くため発砲しながら着水。1時間後に救助された。

トレンチャード大尉のコルセアは20ミリで繰り返し撃たれ、雲の中に逃げ込んで零戦を振り切った。すでにひどく撃たれていたので、1発も撃つことなく、帰還を決意。ようやくルッセル諸島の北飛行場にたどり着いたが、機体は全損となった。

マッカートニー中尉は、バーカー中尉機が零戦に撃たれ、雲の中に逃げ込むのを見た。彼自身のコルセアにも数発の20ミリが命中、雲に逃げ込んだため、バーカー機を見失い、二度と目にすることはなかった。そして、機体がすでにひどく損傷していたため、帰還することにした。帰途、シューマン大尉機と、ベーカー大尉機が見えたので合同し、一緒に帰った。

バーカー中尉機は、結局、未帰還、行方不明となった。

以上の内容は、当初、7機と交戦したと報告している日本側の戦闘行動調書の記録と、時間が十数分ずれている以外は、ほぼ完全に一致している。優位から3倍以上もの数の零戦に攻撃され、単機で反撃したリンデ中尉以外、手も足も出ずに2機が撃墜され、3機が被弾したコルセアの一方的な負け戦の様子がよくわかる。

3時55分から7時55分までの「レンドヴァパトロール」の帰途、VMF-213のF4U、ミルトン・ヴェダー中尉機はエンジン故障を起こし、落下傘降下を余儀なくされたが救助された。

11時30分、零戦がコルセアと戦っていた頃、飛行第14戦隊の九七重爆18機が来襲した。レンドヴァ島に設置されていたSCR-602レーダーの発電機に誰かがガソリンではなくディーゼル油を入れたため一時的に電力が途切れてしまった。その間に雲と山並みをうまく利用し隼と飛燕に掩護された重爆が揚陸地点に忍び寄っていた。

1日からムンダへの射撃をはじめていた4門の155ミリ砲を指揮する海兵隊、第9防衛大隊A中隊のライヒナー大尉はレンドヴァの山並みを越えて現れた14戦隊の重爆を見て、B-25の編隊だと思った。揚陸地点にいた米兵のほとんどはそう思っていたことだろう。

重爆が投下した爆弾50発が、高度4千メートルから橋頭堡の揚陸地点に向かって落下して行く。この攻撃に参加した陸軍重爆の空中勤務者は「上陸地点から有効弾を示す大きな黒煙が立ち昇った。不思議なくらい敵の反撃はなかった」と回想している。

爆弾は155ミリ砲中隊を叩き、第24海軍設営大隊の資材であったダイナマイト5トンを誘爆させた。さらに、まだ地上戦に参加していない第169歩兵連隊に最初の死傷者を出させ、第43歩兵師団の125床ある野戦包帯所を直撃した。被害は戦死64名、負傷84名。さらに水陸両用トラクター1両を完全に破壊、2両を損傷させ、155ミリ砲と40ミリ高射砲各2門を小破した。

帰途、重爆を掩護していた68戦隊の三式戦が故障で3機が不時着したが、うちパイロット2名は救助された。

この日、日本側はまったく損害を受けることなしに「レンドヴァパトロール」のコルセア3機を葬った。陸軍重爆の爆撃戦果、零戦の一方的戦果、2日は6月30日の惨敗、1日の辛勝を覆す、日本側の圧倒的な勝利の日となった。

だが、この日の午後から夜にかけて、米軍はレンドヴァ島から上陸用舟艇で、日本軍が「鈴木浜」と呼ぶ、ニュージョージア島のザナナ海岸に、ほとんど抵抗を受けることもなく上陸した。彼らはここでに逐次、兵員、物資を送り込み橋頭堡を拡大、陸路から防備の固いムンダ飛行場の攻略を目指すことになる。

攻撃隊の出動中、ブイン基地で空襲警報が鳴った。基地に残留していた二五一空の鴛渕中尉が零戦6機を率いて9時35分、邀撃に発進。捜索2時間余り。11時40分に敵戦闘機10機を発見。空戦終了は13時15分。1時間半もの間、戦いつづけるというのはかなり長い。着陸したのは14時20分だった。この日は天候が悪く、雷鳴、強風を伴う降雨帯があちこちにあったと記録されている。二五一空の戦闘行動調書の戦果欄には戦闘機撃墜9機（内不確実3機）と書いて、それを消した跡がある。

悪天候の中、いったいどんなことがあったのか。雲の迷路の中を零戦と米軍機が追いつ追われつの混戦を演じたのだろうか。この空戦では磯崎千利少尉機が1発被弾している。ちょうど、この時間帯の12時45分、ブインに偵察に飛んだ第17写真偵察飛行隊、F-5A型、フレッド・ベアード少尉機が未帰還となっていた。米陸軍のMACR（行方不明空中勤務者報告）では目撃者も無線連絡もなく、喪失の原因はまったく不明としている。

鴛渕中尉等はこの偵察機を掩護してきた戦闘機と交戦したのではないだろうか。空戦の結果、いったんは行動調書に戦果を書きこんだが、確信がもてずに消したとも思われる。

零戦、奇襲で「ペロ8」3機を葬る

7月3日、二〇四空、11時26分、越田喜佐久中尉が率いる零戦16機。五八二空、鈴木宇三郎中尉率いる零戦16機がブイン基地を離陸。11時43分、二五一空、鴛渕孝中尉率いる零戦16機が離陸。三航空隊の零戦、計48機は鴛渕孝中尉の指揮下「ニュージョージア方面、敵機捕捉撃滅」のため合同、空中発進した。

12時41分、レンドヴァ東側にてP-38、18機と交戦。二〇四空はP-38撃墜確実3機、不確実1機。二五一空はP-38撃墜確実2機。被弾1機。五八二空はP-38撃墜3機を報告している。13時15分、零戦隊は全機が無事に戦場を離脱している。

この日、零戦と戦った「レンドヴァパトロール」は、第339戦闘飛行隊のP-38、16機であった。高度3150メートルにいたライトニングが7500メートルへと上昇中、雲の中から零戦、約30機が突然、降下襲撃して来た。P-38は落下タンクを落として圧倒的多数の零戦に応戦、被弾4機の被害をこうむりつつも高度をとり、相互支援しながら5機を撃墜したと報じている。だが実際には1機も落としていない。

一方、第339戦闘飛行隊は3機のP-38G型とそのパイロットを失った。米陸軍のMACRには、各機とも目撃者もなく無線連絡もないまま行方不明になった。「燃料切れで墜落したと思われる」と記録されている。第13航空軍戦闘機コマンドの戦記では、著者が悪化しつつあった天候の中で方位を失ったに違いないと推測している。

同じ空域で、優位から圧倒的な多数で奇襲した零戦が撃墜戦果を報告しており、たいへんな苦戦の中、目撃者も無線連絡もないまま消息を絶ったのだから、3機のP-38は零戦の

南東方面で零戦三二型、または二二型の前に立つ五八二空のトップエース、長野喜一飛曹長（最終階級）。七分袖の防暑服にサングラス、いかにも南方の飛行場を思わせる姿である。17年８月にラバウルに進出した操練56期の長野飛曹長は18年７月の五八二空戦闘機隊解散までソロモン、ニューギニア方面の第一線で戦い抜き、撃墜19機（うち不確実３機）を公認されている。

餌食になったと考えるのが自然ではないだろうか。本当に3機とも悪天候で墜落したとしても、零戦の損害は被弾1機のみだったから引き分け。仮に3機のうち1機でも実は零戦にやられたということになれば、この日の空戦も零戦隊の勝利ということになる。

海兵隊高射砲部隊の大戦果、陸軍重爆に大損害

4日「第5次レンドヴァ島敵艦船攻撃」。10時18分、ブイン基地からは島田正男中尉指揮する二〇四空の零戦12機、鴛渕孝中尉率いる二五一空零戦15機、五八二空の零戦13機、空母「龍鳳」零戦11機などが順次離陸して行った。

10時38分、合同した零戦51機は鴛渕孝中尉の指揮下、基地上空から空中発進。10時55分、ブイン基地の西方、高度3千メートルで、陸軍14戦隊の九七式重爆16機、隼17機と合同、戦闘機が先導しつつ、一路、レンドヴァへと進撃した。

11時45分、レンドヴァ港の南方より北方に向け突入。下方に反航するP-39、P-40、G戦、数十機を発見。突入。空戦を開始した。二〇四空は、撃墜確実2機、不確実1機。二五一空はP-38、P-39、P-40、各1機撃墜確実、F4U撃墜1機、不確実2機を報告。被弾した山崎市郎平一飛曹機がムンダ飛行場に不時着したが、彼自身は無事だった。五八二空はP-38撃墜1機、P-39撃墜1機。「龍鳳」の戦闘機隊は行動調書に、合同戦果、戦闘機撃墜確実7機、不確実2機（うち「龍鳳」3機撃墜）としるしている。零戦が連合軍戦闘機と格闘戦を交えている間に陸軍重爆は爆撃針路をとって目標の上空へと入って行った。

当時、海軍陸戦隊の予備少尉としてレンドヴァ島に隣接するコロンバンガラ島の守備に就いていた福山孝之氏は自著「ソロモン戦記」（光人社NF文庫）に、陸軍重爆が「敵の地上からの対空砲火の煙で空が真っ暗になっている中を、目標にまっしぐらに進んでゆく姿は、神々しいほどであった」と描写している。

この日の対空射撃は殊の外に効果的で、海兵隊の90ミリ高射砲部隊は撃墜12機を報じている。この大戦果に要した弾薬はわずか88発だったという。これには身びいきな記述がかなり多い米第13航空軍戦闘機コマンド戦記の著者でさえ「過大戦果報告？」との注記をつけている。しかし、この日の戦果に限り、海兵隊高射砲兵の報告は、米軍戦闘機隊の戦果報告ほど過大ではなかった。

14戦隊の重爆に乗って、この攻撃に参加した久保義明中尉は「射弾は正確で初弾から命中していた」と回想している。零戦隊は「12時5分、空戦終了、帰還に就かんとする時、味方重爆9機を認め反転、掩護、帰途に就く」と行動調書に記録している。この時、14戦隊は対空砲火とF4Fの攻撃で、すでに16機のうち7機が編隊から脱落していたのである。12

時25分、日本陸海軍航空部隊は戦場から離脱した。

米海軍VF-21のF4Fは零戦撃墜5機、VF-28は撃墜2機を報じているが、VF-21のヘッド中尉のF4Fが行方不明になっている。またニュージーランド空軍、第18飛行隊のP-40K型、S・キル少佐は肩を負傷、機体も空戦でひどく傷ついていたため、ルッセル諸島に不時着した。

さらに艦砲射撃のため接近中だった米軽巡「ヘレナ」から発艦した複葉の水上機カーチス・シーガル艦載観測機2機が、偵察飛行中にベララベラ島付近で空戦に巻き込まれて撃墜された。零戦は複葉水上機の撃墜は報じていないので、隼が落としたのかも知れない。

激しい対空砲火と空戦で5機の重爆が撃墜され、2機が不時着（14名のうち12名は救助）した。さらに掩護の1戦隊の一式戦3機（パイロット2名は救助）が撃墜されてしまっていた。一方、重爆の射手と陸軍戦闘隊は、1戦隊の大田剛介大尉の隼が敵機に体当たりして戦死するなど、撃墜14機を報じている。

今回の空戦では損害が陸軍機に集中し、米軍の零戦撃墜戦果報告も隼との誤認と思われる。一方、零戦も隼も、重爆の射手も多数の撃墜を報告しているので、この日失われた連合軍戦闘機を本当は誰が落としたのかは確定しようがない。いずれにせよ、この日の空戦は日本側の大きな敗北となった。

夜半、翌未明に予定されていたライス湾への上陸部隊を乗せた輸送船を護衛していた米軽巡「ヘレナ」など巡洋艦3隻、駆逐艦4隻は上陸予定地区への艦砲射撃を行なった。陸軍将兵揚陸のためクラ湾に入って来た日本駆逐艦4隻「長月」「新月」「皐月」「夕凪」がこれを発見、九三式酸素魚雷を発射して、揚陸を断念して引き上げた。この雷撃で米駆逐艦DD-557「ストロング」2050トンが撃沈され、47名が戦死した。

「ラフベリー防御円陣を崩す」零戦、P-40を圧倒

7月5日未明、連合軍はムンダの北北東25キロにあるライス湾への上陸を開始した。米軍はここからムンダへの道路をすべて封鎖し、守備隊への補給線を遮断。2日にザナナに上陸した部隊と呼応して、南北からムンダを挟撃する作戦であった。

上陸を知った日本海軍はただちに航空攻撃作戦を立案。9時5分、裏ムンダと呼ばれていた「ライス湾の敵揚陸地点攻撃」のため、まず五八二空艦爆6機、「龍鳳」艦爆3機、計9機がブインから発進した。

その10分後から、越田喜佐久中尉率いる二〇四空の零戦9機、鈴木宇三郎中尉の五八二空零戦12機が相次いでブインを離陸。9時30分からは、藤原敬吾中尉（龍鳳）の指揮下、二五一空の零戦16機が離陸。10時15分、「龍鳳」の零戦11機が

離陸。密雲のため視界が悪く、各航空隊の零戦は合同できず各個に進撃した。

10時、逸早く戦場に着いた二〇四空の零戦は、30分後、P-39、18機を発見、これと空戦。P-39撃墜確実3機、不確実1機を報じた。五八二空の零戦も同じ頃、目標西方で約40機の敵機と空戦に入った。11時30分、戦場を離脱する。

二五一空は、10時37分、目標西方に於いて、敵戦闘機40数機と交戦、空戦開始。P-39撃墜1機、P-40撃墜2機、F4U撃墜3機、11時5分、空戦終了。

最後に到着した「龍鳳」の零戦隊は11時から空戦に入り、総合戦果、撃墜確実8機、不確実2機、うち「龍鳳」の零戦による戦果は4機撃墜と行動調書にしるしている。

この日、零戦と遭遇した「レンドヴァパトロール」は第44戦闘飛行隊のP-40F型16機だった。高度6千メートルまで上昇するよう命じられたウッド中尉の小隊4機は、高度5400メートルで下方に零戦16機を発見した。零戦が機首を上げ、正面から向かってきたため、ウッド中尉は部下に小さな「ラフベリー防御円陣」を組むよう命じた。全機がひとつの円を描いて飛べば、敵機がどの機の後方についても、必ず別の味方機がその敵機の後方につくことになる。これを当時「ラフベリー防御円陣」と呼んでいた。

だが小回りの効く零戦に防御円陣は効かなかった。ウッド小隊は円陣を解き、散り散りになり、ウッド中尉の僚機、ロバート・クローン中尉はエンジンに被弾し落下傘降下を余儀なくされた。そこにジェニングス中尉の小隊が救援に駆けつけた。だが小隊のグラント・スミス中尉機は方向舵を20ミリ機銃の命中で吹き飛ばされ、戦場から離脱、基地に逃げ帰った。高度3千メートルにいたヘッド中尉の小隊は、優位にいた零戦の降下攻撃を受け、ヘッド小隊とともに大きな「ラフベリー防御円陣」を組んで零戦の攻撃をしのいだ。ヘッド中尉機の主翼付け根にも20ミリが命中、ホイーラー機も被弾したが両機とも帰還できた。

第44戦闘飛行隊は1機喪失、3機被弾の損害をこうむり、零戦の撃墜3機を報告しているが、零戦に損害はなかった。

この日の16時、B-24、8機がブインに来襲した。五八二空は竹中義彦飛曹長が率いる零戦12機を発進させた。飛来したのは第72爆撃飛行隊のB-24であった。零戦の編隊は重爆の50口径機銃の射程外を並行に飛び、前に出て行き、重爆編隊を追い越すと1機、また1機と翼を翻し、右舷前下方から突進して来た。第72爆撃飛行隊のハウザー少尉は「零戦の典型的な重爆攻撃戦法だ」と回想している。重爆を攻撃する時は「斜め前下方から主翼の付け根を狙え」と言われていたという二〇四空の大原二飛曹の証言の通りである。

「1時方向から来るぞ！　俺がやられたら代わってくれよ」

B-24「スクーティン・サンダー」の操縦士フィッツ中尉が叫んだ。副操縦士のハウザー少尉は迫る零戦から目を離さな

ソロモン、ビスマルク方面で戦っていた米第13航空軍、第43爆撃航空群のB-24。7月5日、14時、小雨が降る中、B-24は各機500ポンド（225キロ）爆弾10発を搭載して、雨雲と雷鳴の中を高度5400メートルまで上昇、爆撃目標に向かって行った。8機のB-24は爆弾70発をバラレに、10発をムンダに投下。バラレでは爆弾投下と同時に零戦が現れた。

7月5日、零戦12機を率いてB-24を邀撃した五八二空の竹中義彦飛曹長。第72爆撃飛行隊の報告を読むと五八二空も重爆に対しては正面攻撃を行なっていたことがわかる。

五八二空の司令、山本栄中佐（右手前）と、7月12日の五八二空戦闘機隊解散後は二〇四空に転勤、数少ない歴戦士官としてラバウル方面で戦い続けた鈴木宇三郎中尉。

かった「第3エンジンを狙って突っ込んで来る!」。上部銃塔の50口径機銃が咆哮し、零戦は最初の攻撃をしくじった。

五八二空機はB-24を捕捉して攻撃、3機に白煙を吹かせた。とくにうち1機は不時着確実と報告している。同じく二〇四空も16時30分に渡辺秀夫上飛曹が率いる零戦4機がブイン基地を発進。米重爆を邀撃。B-24、3機に相当の損害を与え、1機は不時着確実と報告されている。五八二空と二〇四空が攻撃したのは同一のB-24と思われるが、少なくとも「スクーティン・サンダー」は18時45分、ヘンダーソン飛行場に無事に帰っている。第72爆撃飛行隊に不時着機があったかどうかについて、ハウザー少尉は何も書き残していない。

この日の深夜、日本軍はコロンバンガラ島に送る増援部隊の陸軍将兵を乗せた駆逐艦6隻と、それを護衛する駆逐艦3隻を送り出していた。だが、その行く手にはライス湾上陸部隊を支援している米艦隊、巡洋艦3隻、駆逐艦4隻がいたのである。

ニュージョージア島北西で日米の艦隊が接触した。海戦は、かつて日本海軍が得意としていた夜戦になった。米艦はすでに精度のよい射撃レーダーを搭載していたが、戦闘開始からわずか7分、日本駆逐艦が放った酸素魚雷で13327トンの軽巡「ヘレナ」は轟沈され、168名が戦死。しかし日本側でも駆逐艦「新月」が米艦のレーダー射撃で撃沈され、290名が戦死した。また、コロンバンガラへの揚陸部隊を乗せた駆逐艦「長月」と「皐月」は歩兵第十三連隊第1大隊の将兵1600名、物資90トンの揚陸を成功させたものの、6日の0時46分「長月」は誤って座礁、航行不能となっていた。夜明けとともに、米軍機の空襲を受けるのは間違いない。

「セントバレンタインデーの再来」ブイン空襲で重爆2機未帰還

7月6日、5時45分、関谷喜芳一飛曹が率いる五八二空の零戦4機がブインを離陸。上空で二五一空13機、「龍鳳」5機と合同した。未明の「クラ湾夜戦」で、レンドヴァ島に隣接するコロンバンガラ島の海岸で座礁している駆逐艦「長月」や、その僚艦「皐月」を米軍機から守るために出動したのである。総指揮官は二五一空の林喜重中尉だった。5時55分、林中尉は両航空隊の編隊をまとめ空中発進。

6時40分、コロンバンガラ西方を航行する駆逐艦1隻を発見し、その上空掩護についた。行動調書にこの駆逐艦の艦名はしるされていないが、おそらく「長月」を曳航し離礁作業を試みていたため遅くなり、5時17分にようやく揚陸作業を終えて帰途についた「皐月」と思われる。

7時15分、零戦はB-24を発見。15分後、B-24は黒煙を吐きつつ去って行った。「龍鳳」零戦5機も、他隊との協力でB-24に相当の損害を与えたと報告している。8時30分、林喜重中尉率いる零戦隊は直衛を終了して帰途についた。

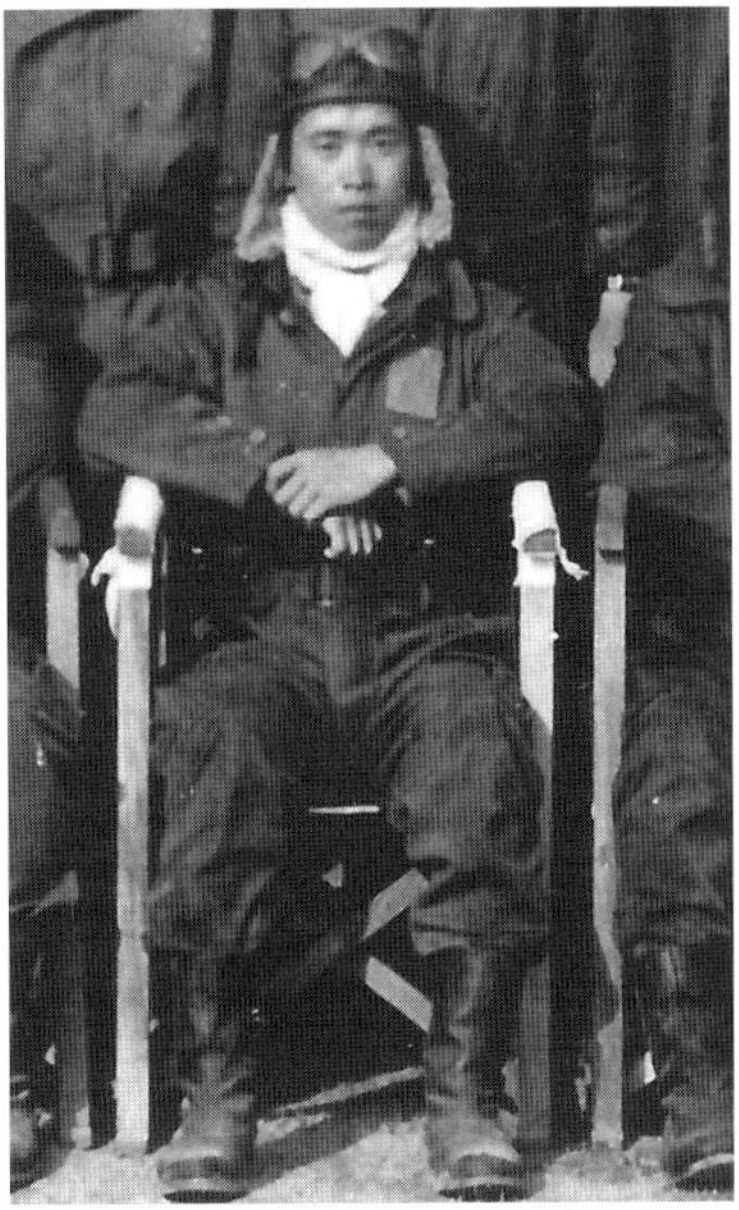

二五一空の林喜重中尉。6月7日の空戦でP-39を撃墜するなど、二五一空の南東方面進出とともに活躍。6月30日以降は鴛渕中尉とともに同航空隊を指揮してたびたび出動していた。

五八二空の関谷喜芳一飛曹、三空の搭乗員として17年6月のダーウィン攻撃で初陣を迎え空戦4回を経験した後、ラバウルの五八二空に転勤、空戦27回に参加、戦果を重ねた。18年11月、横須賀空に転勤するまでに撃墜11機を公認されている。

ブイン基地の二〇四空零戦。17年夏以来、終始一貫してソロモン方面の第一線で戦い続けて来た二〇四空だったが、消耗に消耗を重ね、6月16日には士官搭乗員がひとりもいなくなってしまった。間もなく、島田、越田両中尉が赴任して来たが、彼らが戦地慣れするまで、若いが古参の下士官である渡辺上飛曹が航空隊の空中指揮をとるという非常事態がつづいていた。

二五一空、鴛渕孝中尉率いる零戦16機は駆逐艦「皐月」の上空哨戒を行なうためブインを6時に発進した。およそ1時間後「皐月」爆撃直前のB-24、1機を攻撃。発動機を停止させたうえ黒煙が噴出したが、結局、見失ってしまった。林中尉と、鴛渕中尉の零戦隊が攻撃したB-24は同一機であろう。「日本軍勢力下の島に墜落炎上した」と報告されているVB-102の海軍型B-24、PB4Y-1重爆、アヴェリー・ヴァン・ホリス大尉機ではないかと思われる。対空砲火にやられたとされているが、零戦の攻撃で損傷してからコロンバンガラ島か、ニュージョージア島の日本軍高射砲に撃たれた可能性もある。

夜明けとともに米軍は「長月」を破壊するためB-25を出動させていた。第339戦闘飛行隊のP-38が上空掩護に飛んだ。米軍はB-25がマストすれすれの低空まで降りて、座礁した日本軍駆逐艦を攻撃したとしている。だが、ここで混乱が生じた。P-38はグラマンを零戦と見間違え、B-25は米軍の魚雷艇「PTボート」を誤って1隻撃沈、PTボートの方もB-25を日本機と間違え1機を撃墜してしまったという。

7時58分、二〇四空の島田正男中尉率いる零戦12機は駆逐艦の上空直衛にブインを発進。8時35分、コロンバンガラ「長月」の上空に着いた。8時40分、3小隊が、敵G爆撃機（SBD艦爆）6機、G戦闘機、P-39、2機、ボートシコルスキー（F4U）6機を発見、本体から分離して攻撃。F4U撃墜確実1機、不確実1機の戦果を報じたが、零戦も1機が被弾。8時50分、3小隊は引き返し、本隊に合同。9時30分「長月」の上空から去って行った。やって来たのはVMF-221と121のコルセアだった。彼らの任務も日本側と同様、未明の海戦で沈んだ軽巡「ヘレナ」の生存者救助に当たっている2隻の米駆逐艦の上空哨戒だった。

零戦と交戦したのはクラ湾に向かうTBF艦攻の掩護で飛来したVF-11のワイルドキャットだった。彼らは零戦の撃墜3機を報じたがジム・ソープ中尉のF4Fが6機か8機の零戦に追い回され、ひどく被弾。なんとか帰還したが機体は全損となった。

16時40分、空襲警報でまた二〇四空の渡辺秀夫上飛曹率いる零戦10機が発進。16時50分、敵双発機種不明3機を発見、攻撃。2機のB-25と1機のB-24に相当の損害を与えた。しかし着陸時、零戦2機が大破してしまった。渡辺上飛曹等の零戦隊が、重爆に肉薄して、かなり激しく戦った証拠ではないかと思う。この日、ブインを攻撃したのは第307爆撃航空群のB-24、2個飛行隊なので、二〇四空のB-25という報告はB-24との誤認と思われる。

1日の戦爆99機による大空襲が空振りに終わってから、第307爆撃航空群はブインへの昼間大空襲の機会がまた訪れるのを窺っていた。しかし、連日の悪天候に阻まれ、今日まで実施できずにいた。ようやく天候は回復したが、戦闘

７月6日の未明、駆逐艦「長月」はコロンバンガラ島沖で陸兵用陸作業中に座礁。天明とともにB-25の低空攻撃を受け、零戦隊の上空掩護にもかかわらず大損害を受けて放棄された。写真は７月28日、ニューブリテン島のグロチェスター岬沖で座礁してB-25の低空攻撃を受ける駆逐艦「有明」ではないかと思われるが、「長月」の最後の有様もおそらくこんな状況であったと思われる。

機の掩護は得られなかった。そこでB-24重爆は夕暮れに奇襲することになったのである。日本軍の見張り所に発見されないよう、編隊は大きく北に回ってやって来た。邀撃に上がって来た零戦は少数で、間もなく夕闇が視界を閉ざした。しかし1機の零戦が暗くなる直前に2機のB-24に対し三回にわたって攻撃を反復していた。二〇四空の攻撃で、行動調書に「相当の損害をこうむった」と表現され、とうとう未帰還になってしまった重爆は、エンジンから発火し、編隊から脱落、その後、行方不明となった第424爆撃飛行隊のB-24D型、ドン・F・ハザウェイ中尉機であった。また第370爆撃飛行隊のB-24D型、ジョセフ・R・リトルページ中尉機も、ブイン、バラレ基地攻撃の帰途、チョイセル島上空で目撃されたのを最後に行方不明となっている。2月13日に3機を失った第307爆撃航空群は、5ヶ月ぶりの攻撃でも2機を失ってしまったのである。

零戦隊の上空直衛にもかかわらず駆逐艦「長月」は米軍の航空攻撃で大きく損傷し、翌日には、ついに放棄されることになった。

「過大戦果の応酬のみが活発」徐々に下火になる空中戦闘

7月7日、ムンダ飛行場から東南東から6キロにあるルビアナ島に上陸していた米軍部隊を爆撃する七〇五空の陸攻6機を掩護するため、二〇四空8機、二五一空8機、「龍鳳」16機、計32機がブイン上空で合同し、レンドヴァに向かった。しかし密雲のため途中で陸攻を見失ったため、零戦のみの進攻になってしまった。

零戦隊は12時頃、相次いでレンドヴァ上空に突入して行った。VMF-121のトレンチャード中尉はレンドヴァ上空で6機から10機の零戦と遭遇。ヘッドオン（反航戦）で撃墜1機を報じた。さらにマッカートニー中尉もヘッドオンで撃墜1機を報告しているが、側面から数機に襲われ、右翼に20ミリが命中、帰還を余儀なくされ、ようやくルッセル基地にたどりついた。

またVMF-122のロング中尉は12時20分、レンドヴァ上空で陸攻の撃墜1機を報じるなど、海兵隊のコルセアは陸攻撃墜6機、零戦の撃墜10機を報じたが、エウィング中尉が未帰還となった(後に救助された)。零戦は約10分間の空戦で、P-39撃墜確実1機、F4U撃墜確実8機など、総戦果として撃墜確実13機、不確実2機もの戦果を報じ、零戦3機と搭乗員3名を失い、陸攻も2機が行方不明になったが、1機の搭乗員は後日、生還した。

レンドヴァ上空の戦いも一週間を越え、過大戦果の応酬だけは相変わらずだが、双方とも空戦の駆け引きに慣れてきたのか、容易に大きな損害は出さなくなってきた。

8日、夜半から未明にかけて、コロンバンガラ島から対岸のニュージョージア島のバイロコに歩兵第十三連隊の第3大隊が渡海。米軍に気づかれることなく、逆上陸に成功、ライス湾の海軍基地を奪回した。歩兵第十三連隊は中国大陸で精鋭の誉れも高かった第六師団の所属で、米軍と戦うのはこれが初めてではあったが、戦闘に慣れた歴戦の部隊だった。

ザナナに上陸、ムンダへの侵攻を開始した米第172歩兵連隊は、5日頃から踏破困難な熱帯雨林の自然を巧みに利用した歩兵第二二九連隊、第11中隊の日本軍陣地に突き当たった。珊瑚と椰子の丸太で作られた日本軍の掩蓋陣地は偽装が完璧で、見つけても堅牢で容易には破壊できなかった。また夜間は斬り込み隊が米軍陣地に浸透。たった1個中隊の日本兵に、8日まで前進を阻止されつづけた米軍歩兵連隊では戦争神経症患者が出はじめた。

「レンドヴァパトロール」に対する空しい勝利

7月9日、3時50分。未明のブイン飛行場でエンジンが轟き、二〇四空の零戦6機が排気管から青白い炎をほとばしらせながら次々に離陸して行った。指揮は日高初男飛曹長であった。明け方の奇襲で、レンドヴァ島の地上目標を銃撃しようという作戦だった。行動調書には特記されていないが、爆装機も混じっていたかも知れない。4時30分、レンドヴァ島着、しばらく獲物を物色して回る。4時35分、大型の大発（上陸用舟艇）十数隻を発見して攻撃。1隻が炎上、1隻が傾斜したと報告している。

11時30分、藤原敬吾中尉（龍鳳）の指揮下、零戦38機（二五一空14機、二五三空8機、龍鳳16機）が「レンドヴァ敵機邀撃撃滅」にブインを発進した。今度は零戦の機数を揃えて白昼堂々と進攻し、地上目標を叩くと同時に、米軍機をおびき出して撃ち落とそうという作戦だった。

12時20分、突入、P-39、8機、F4U、8機、計16機と空戦。二五一空はP-39撃墜2機（総合戦果、P-39撃墜2機、F4U撃墜3機）。「龍鳳」零戦は3機の撃墜を報じている。行動調書には「総合攻撃、レンドヴァ港外、大発群。総合戦果（銃撃による）大発3隻に相当の損害を与えたり」と記されている。13時、帰途に就く。

一方、第68戦闘飛行隊のP-39は12時25分、レンドヴァ港上空で零戦の撃墜1機を報告。12時40分、VF-11「サンダウナーズ」のF4Fが零戦3機をレンドヴァ上空で撃墜したと報じている。だがVF-11のヴォーゲル中尉の僚機、サイラス・カーリー中尉機は撃たれ、レンドヴァ沖の海中に垂直に墜落。ヴォーゲル中尉機も主翼に20ミリ2発が命中していた。

いずれにしても零戦は全機が帰着したので、この日の空戦も零戦の勝利となった。

レンドヴァへの上陸「Dデイ」プラス9日のこの日までに「レンドヴァパトロール」は損失32機と引き換えに日本機1

90機を撃墜したと報告している。一方、日本側もレンドヴァ上陸から7月9日までの撃墜戦果を188機、損害は47機と新聞紙上に発表している。日本側の損害の半分は爆撃機であった。

筆者の集計では、上陸から9日、8回行われたレンドヴァ上空の空戦で26機（零戦23機、隼3機）と搭乗員21名（零戦20名、隼1名）が失われた。一方、連合軍は戦闘機35機とパイロット19名を失っている。戦闘機同士の戦闘だけに限って見れば、むしろ零戦隊の勝利であった。米軍の集計と筆者の集計に3機の差があるのは、米軍が3日に失われた3機のP-38を零戦の戦果と認めていないからだろう。

だが日本軍による連日の空襲にもかかわらず、揚陸地点にいた艦船に対する航空魚雷、爆弾の直撃は作戦全期間を通じ、わずか3発だった。「レンドヴァパトロール」の活躍によって、2万9千名の将兵が上陸、3万トンに達する食糧、弾薬、燃料、その他物資の揚陸にも成功したのである。さらにニュージョージア島西部のセギに設営中だった9百メートルの飛行場が、この日からほぼ使用可能となった。ムンダからの距離はわずか60キロ、これで空戦中に被弾損傷したり、燃料切れになった米軍機もずいぶん助かることになる（だが、滑走路が短かったので事故率は高かった）。

空戦での零戦隊の勝利と、陸海軍爆撃隊の大きな犠牲は空しいものとなった。米軍の増援を阻止できず、頑強な抵抗で米軍の侵攻を阻んでいた守備隊への補給を妨げられ「ここを失ったらラバウルが保たない」と、海軍が絶対保持を主張するムンダ飛行場をニュージョージア島の歩兵第二二九連隊と、海軍陸戦隊が守り抜くのはもはや難しくなりつつあった。

この日の夜、コロンバンガラ島から、バイコロに歩兵第十三連隊の第1大隊が渡海した。しかし大隊の兵力は定員の7割に過ぎず、歩兵砲、重機関銃なども定数の半分に過ぎなかった。しかし士気は旺盛で、前日すでに上陸していた同連隊の第3大隊とともに熱帯雨林の中を、反撃のため米軍の上陸地点ザナナ「鈴木浜」へと南下して行った。

一方、ザナナに上陸していた米第43歩兵師団の2個歩兵連隊は、ようやくムンダを防衛する第二二九連隊の主陣地線への攻撃発起点に展開。未明から攻撃準備射撃を行なった。まず重砲3個大隊が1時間にわたり5800発を射撃。駆逐艦4隻による艦砲射撃は2344発。TBF艦攻、SBD艦爆が爆弾70トンを投下した。守備隊の陣中日誌には「砲撃及び駆逐艦7隻の艦砲射撃を加え多数の照明弾を交え宛然白昼の如く熾烈を極む。なお重砲の射撃は天明後、日没まで防空陣地及び後方陣地に対し間断なく行なわれる」としるされている。日高飛曹長、藤原中尉等の爆装零戦による地上攻撃とはまったく桁違いの暴威だった。

善戦健闘する守備隊。米陸軍戦史に残る苦戦と、零戦隊の奮戦

7月10日、ムンダを巡る地上戦闘では、米軍も決して楽な戦いをしていたわけではなかった。米第43歩兵師団は海兵隊、海軍、航空隊など様々な部隊に支援され、ニュージョージアの日本軍守備隊など簡単に制圧し、ムンダ飛行場を占領できると楽観していたが、戦況は膠着。重砲、艦砲射撃や空爆、戦車まで投入しても、日本軍歩兵の巧妙で頑強な抗戦を打ち破れず、攻撃部隊の損害は増加しつつあった。

この日、南太平洋方面軍司令官のウィリアム・ハルゼー提督は、南太平洋方面第14軍団司令官のオスカー・グリスウォルド少将に参謀将校を連れて飛行艇でレンドヴァに飛び、NGOF（ニュージョージア作戦部隊）を直接指揮するよう命じた。

7時15分、五八二空の村上房義上飛曹は石原進上飛曹とともにブインを離陸。偵察に来たF-5A型を邀撃した。7時45分、捕捉、八撃を加え、左エンジンから燃料を噴出させ、不時着概ね確実と報告しているが、該当機は特定できなかった。

11時15分、岡嶋清熊大尉率いる「龍鳳」の18機が「レンドヴァ方面敵機掃討」のためにブインを離陸。他部隊の9機(二五三空か？）と合同、うち7機は爆装機だった。

12時30分、敵上空突入、敵戦闘機約20機と空戦。13時15分避退。15時、帰着。戦闘機4機の撃墜確実、不確実2機。「龍鳳」の零戦による戦果はなし。行動調書には「エノガイ敵陣地に相当の損害を与えたるものの如し」と記されている。

岡嶋大尉の零戦隊は「レンドヴァパトロール」と交戦したようだが、海軍機なのか、海兵隊か陸軍かは不明である。零戦の銃撃や爆装機の攻撃など、米軍の空襲に比べるとまことに非力なものだが、日中は爆装零戦による強襲、夜間には少数の陸攻や水上機による爆撃と、海軍は航空攻撃を粘り強くつづけいた。

ムンダを防衛する歩兵第二二九連隊の将兵も9日、10日と米軍の攻撃を阻止。米軍の右翼大隊は、前進を阻止していた日本軍の小部隊に対して、4千発の集中砲撃を実施したが、米軍歩兵が前進をはじめるとふたたび日本軍の射撃がはじまり、ついに夕方まで進むことができなかった。

米軍にとって、レンドヴァ周辺の空戦も地上戦闘同様、計画通りに進んでいなかったが、戦闘機用のセギ飛行場から陸軍の弾着観測用の軽飛行機が離発着できるようになったことはひとつの大きな進展であった。米軍砲兵の射撃精度は画期的に向上。観測機はよくエンジンを止めて滑空し、日本兵に気づかれぬまま、日本軍本部や、補給所を探り出し弾幕射撃を誘導した。

「日本海軍も快勝に気づかず」レンドヴァ上空、久々の大空中戦

7月11日、日曜日。陽光のまぶしい快晴の朝だった。ブインでは、各隊の合同零戦隊48機が8時45分から55分の間に次々に離陸。上空で陸攻7機と合同して、エノガイの米軍陣地攻撃へと空中発進した。

第1中隊は「龍鳳」の零戦16機。第2中隊は二五一空の16機。第3中隊は二〇四空。第3中隊にはさらに二五三空の8機が加わった。総指揮は「龍鳳」の藤原敬吾中尉。8時59分、離陸早々に零戦3機（二〇四空、二五一空、「龍鳳」各1機）が不調で引き返した。

海兵隊のVMF-221では7時55分にスウィート大尉と、ショッカー中尉が率いる各小隊がレンドヴァに向けて発進していた。だが哨戒中、燃料切れや故障で3機が引き返して来ていたため、クラ湾上空で日本海軍の戦爆編隊と交戦したVMF-221機はコルセア5機だった。

二〇四空の零戦は9時40分、G戦4機を発見。9時50分攻撃。4機のF4Uと交戦した。VMF-221の5機と思われる。二〇四空は撃墜2機を報じた。

ショッカー中尉は陸攻を1機撃墜。この撃墜を目撃した列機、チャンプマン中尉のF4Uはひどく被弾、左かかとを負傷した。セイジ中尉は行方不明になった。編隊からはぐれて単機になってしまっていたシーガル中尉のF4Uはまず陸攻に向かって行った。最初の攻撃で、おそらく陸攻からの20ミリ数発が命中、彼のコルセアのエンジンは馬力が目立って落ちた。だが陸攻の追跡は止めなかった。その時、彼を落とそうと躍起になって迫って来た零戦の20ミリが操縦室で炸裂。彼は破片で負傷。しかしそれに屈せずに反撃、零戦3機を撃墜した。だがコルセアがもはや戦える状態にはなくなると、執拗に追跡して来る零戦からの射撃をジグザク飛行で回避しつつ、ニュージョージア沖に向かって降下して行った。

またスウィート大尉機は、12時30分、燃料が切れる時間となっても帰って来なかった。だが翌日にはシーガル中尉、その夜にはスウィート大尉も救助された。救助されたハロルド・シーガル中尉の戦果は「零戦3機とアホウドリ1羽」。ゴムボートで漂流中に捕まえたのだ。しかしセイジ中尉はとうとう帰って来なかった。

二五一空は、9時48分、約30機と空戦。F4F撃墜1機、F4U撃墜1機、P-39撃墜2機、P-48（ママ）撃墜1機を報告している。数分の間に米軍機の数が増えている。海兵隊のVMF-213のコルセアが空戦に加わったのだ。零戦に撃たれたVMF-213のA・R・ボーグ中尉は脱出の際、尾翼にぶつかったが後に救助された。さらにトレフォア中尉のF4Uが未帰還となり、T・トーマス中尉はエンジン故障

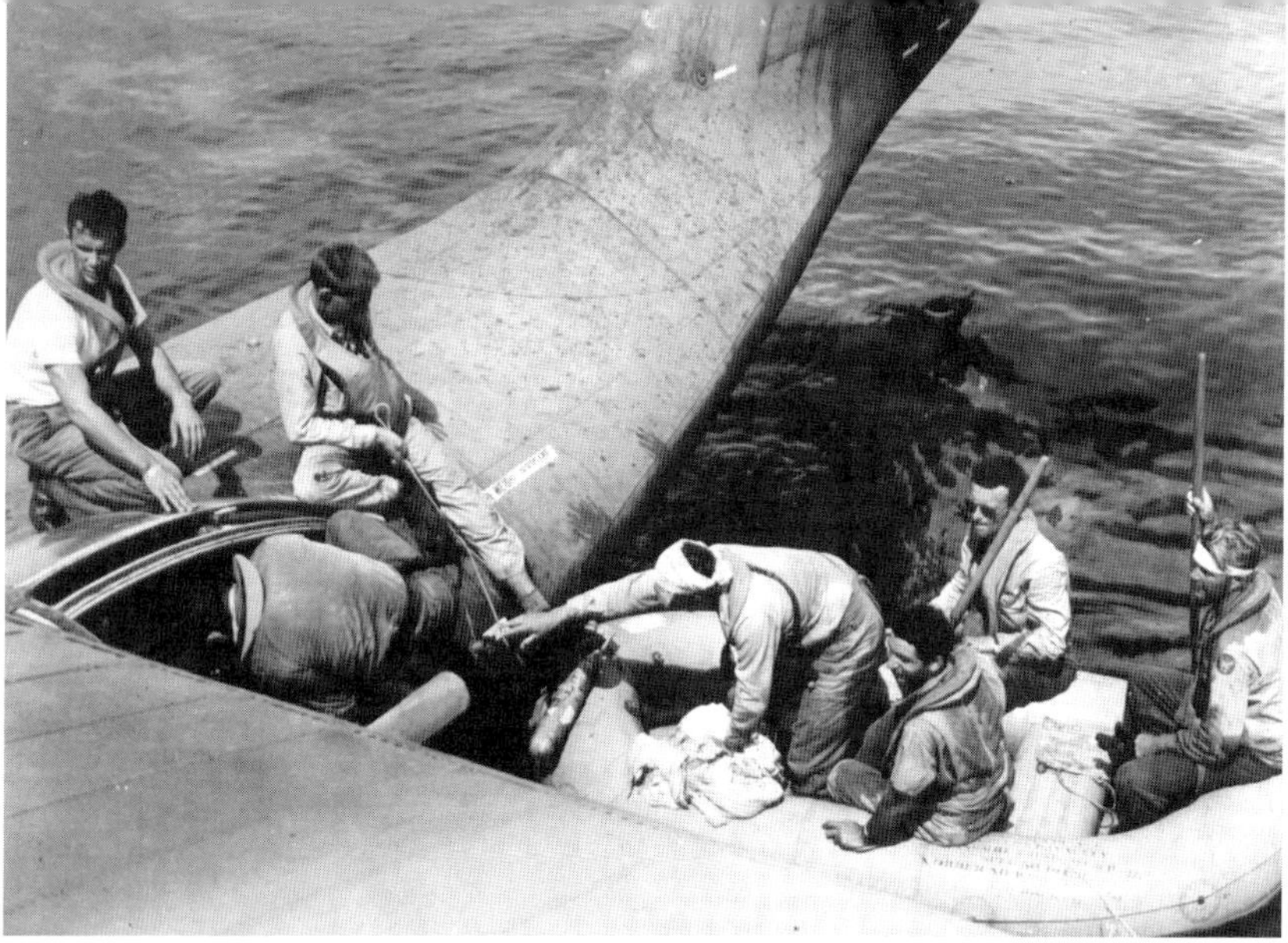

18年のソロモン戦域で、救命ボートで漂流した後、カタリナ飛行艇に救助される墜落した米軍爆撃機の乗員。日本海軍も水上機などを使って、不時着搭乗員の救助にはできる限りの努力はしていたが、特に単座戦闘機は空中無線がうまく機能しなかったこともあり、そもそも不時着機がどこに降りたかもよくわからず、救助しようがないことが多かった。

おそらく海難救助訓練中の米兵。鏡を使って救助機に信号を送っているところであろう。米軍は単座戦闘機にも写真のような黄色い個人用ゴムボートを搭載していた。墜落するコルセアから脱出したVMF-221のシーガル中尉はこんなゴムボートの横に潜って隠れ、頭上を飛ぶアホウドリが油断してボートの上にとまるのを待って捕まえたという。

で着水、一時、行方不明になったが救助された。

「龍鳳」零戦は5機撃墜、2機不確実を報じたが陸攻の直掩についていた岩瀬治助二飛曹が未帰還となった。この時期の戦闘行動調書が保存されていない二五三空については、藤井月次郎二飛曹機が未帰還となった以外はわからない。七〇五空の陸攻8機も20ミリ232発、7・7ミリ1945発を撃って、撃墜確実1機、不確実3機を報じている。VMF-221のシーガル機は陸攻と零戦の協同撃墜ということになるのかも知れない。参加航空隊全部の総合戦果は21機撃墜であった。

この最初の攻撃で零戦2機と搭乗員2名、陸攻1機が失われ、陸攻3機が被弾した。一方、米軍は陸攻の撃墜1機、零戦撃墜8機の戦果を報告。6機のコルセアとパイロット1名か2名を失った。

12時13分、五八二空の鈴木宇三郎中尉が率いる零戦16機は、二〇四空の8機と合同して、ふたたびエノガイ陣地攻撃に発進した。12時25分、零戦1機が引き返す。

13時15分、エノガイ島上空着、敵戦闘機20数機と空戦。この日、二度目の攻撃では撃墜確実3機、不確実2機を報じたが、五八二空の大沢芳夫二飛曹機が不時着し行方不明となった。彼は捕虜になっており、戦後生還した。

午後、零戦と戦ったのは、米陸軍機「レンドヴァパトロール」だった。第68戦闘飛行隊のP-39、エドワード・ホワイトマン中尉は12時50分、クラ湾の北方で零戦1機、大沢芳夫二飛曹機を撃墜した刹那、別の零戦に撃たれ落下傘降下を余儀なくされた。この日、撃墜戦果を報じているP-39は1機だけ、落とされた零戦も1機だけなので間違いない。ちなみに陸攻の場合も同様で、未帰還になった七〇五空の福田上飛曹機を落としたのはショッカー中尉のコルセアである。

この日の空戦では、計3機の零戦と陸攻1機が未帰還となったが、米軍は7機を失っている。零戦の明確な勝利であるが、日本海軍も自分たちの過大戦果報告に幻惑されていたせいか、この日の勝利について特別に言及している資料はない。

この日、ムンダへの前進が滞っていた米軍の右翼連隊、第169歩兵連隊長が更迭された。また陣頭指揮を執るためにレンドヴァに飛来した第14軍団司令官のグリスウォルド少将は第43歩兵師団だけではムンダ占領は不可能と判断、さらに第25歩兵師団と、第37歩兵師団の投入を命じた。

五八二空戦闘機隊、最後の空戦、最後の悲劇

7月12日、4時、岡嶋清熊大尉の率いる「龍鳳」零戦12機は「ライス湾方面敵増援兵力攻撃」のため、艦爆7機とともにブインを離陸。鴛渕孝中尉が率いる二五一空の16機。五八二空、鈴木宇三郎中尉以下12機の零戦、艦爆12機、二〇四空、二五三空とも合同して基地を発進。発進の直後、1機が故障

７月２日、ニュージョージア島防衛のため派遣された空母「龍鳳」の飛行隊長、岡嶋清熊大尉。小柄で童顔だが、岡嶋大尉は海兵63期、第29期飛行学生を13年５月に終了した老練な戦闘機乗りだった。

７月11日、ニュージョージア島上空の空戦で、米陸軍、第68戦闘飛行隊のP-39、ホワイトマン中尉機に撃たれて不時着、捕虜になった五八二空の大沢芳夫二飛曹。その直後、ホワイトマン中尉機も撃墜され、彼も落下傘降下するはめになった。

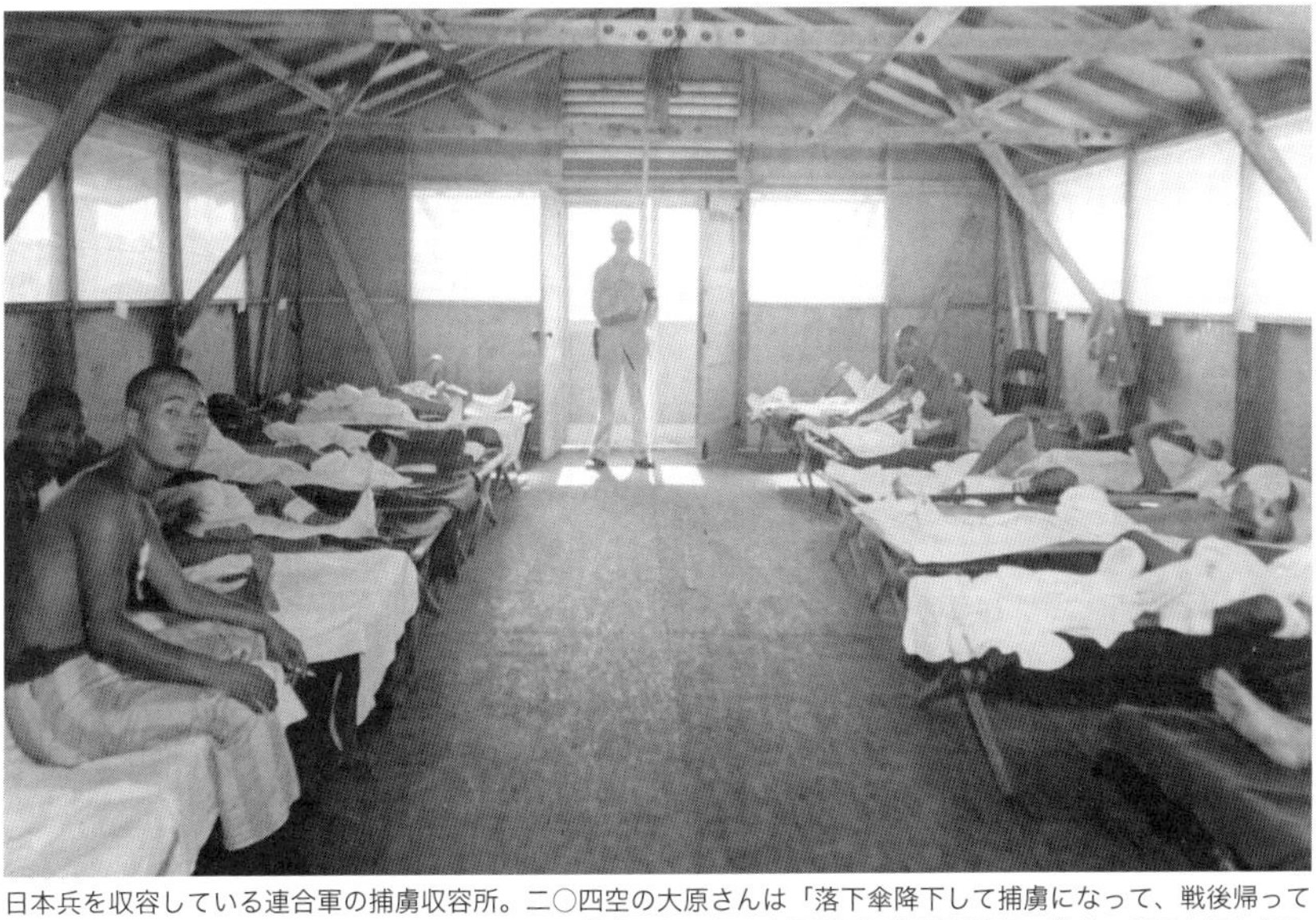

日本兵を収容している連合軍の捕虜収容所。二〇四空の大原さんは「落下傘降下して捕虜になって、戦後帰って来た人もけっこういたんですよ」と言っていた。捕虜となった日本軍将兵は投降を恥じ、偽名で身元を隠し通した者も多かった。また落下傘降下や不時着した後、沿岸監視員や親米現地人に殺害された搭乗員もかなりいたはずである。

のため着陸した。

5時40分、接敵、だが密雲のため目標の手前でぐるりと一回りしたが進入できなかった。5時52分、諦めていったん反転。5時55分、ヴィスヴィス角へ、西南より進入した。五八二空の零戦はクラ湾の南方海面で敵戦闘機10機と交戦。撃墜1機を報じたが、零戦2機が行方不明となった。二五一空は敵機約20機と交戦、P-40撃墜確実1機、不確実1機、F4U撃墜確実1機の戦果を報じたが、零戦2機が未帰還となった。

この日、行方不明になった二五一空の辻岡一飛曹は、6月30日にも不時着水して救助されている。この日も墜落か、不時着から生延びた。だが捕虜になり、戦後生還した。

零戦隊と交戦したのは6時15分に零戦の撃墜3機を報じているVMF-122のコルセアと、6時25分から30分の間にムンダ飛行場上空で同じく零戦の撃墜3機を報じている第44戦闘飛行隊のP-40、8機である。同飛行隊のウィリアム・アーレンマン少尉のP-40のコクピットに20ミリが命中、彼は脚に負傷して不時着水した。

艦爆隊はヴィスヴィス角付近の陣地に250キロ爆弾11発、60キロ爆弾22発を使って爆撃。6時10分、戦場離脱、帰途に就く。7時10分に帰着した。

二〇四空は、日高初男飛曹長が零戦8機を率いて12時15分、ブインを発進。

13時10分、午前中、密雲のため艦爆隊が攻撃を果たせなかったライス湾の米軍揚陸地点、通称「裏ムンダ」の上空に着いた。13時15分、攻撃。14時30分、帰着。行動調書には「ムンダ敵陣地、直撃、効果大」と記されているので、爆装機を伴って行ったのだろうか。

この日の空戦では零戦4機もが未帰還となり、艦爆1機がブイン付近に不時着した。米軍が空戦で間違いなく失ったのはP-40、1機だけである。

五八二空は、この12日の空戦を最後に戦闘機隊を解散し、純粋な艦爆隊になった。最後の空戦で2名を失った五八二空の戦闘機搭乗員13名は二〇四空に転勤になり、南東方面で戦いつづけることになった。

18時40分、コロンバンガラ島に増援兵力を送る駆逐艦4隻の輸送隊がブインを出航した。この輸送隊を守るため、軽巡「神通」と駆逐艦5隻からなる警戒隊が先行した。23時、警戒隊はコロンバンガラ沖で巡洋艦3隻、駆逐艦10隻からなる米艦隊と遭遇、魚雷戦で米駆逐艦「グウィン」を大破炎上させ、巡洋艦「リンダー」「セントルイス」「ホノルル」にも魚雷を命中させたものの「神通」が撃沈されてしまった。その間に輸送隊は無事コロンバンガラ島に1200名の兵員と弾薬20トンを揚陸した。

翌13日の夜明け、4時10分、空母「龍鳳」ブイン派遣隊の藤原敬吾中尉は零戦8機を率いて発進した。揚陸を終え、一路ブインに帰航するコロンバンガラ輸送隊、駆逐艦4隻を米軍機の空襲から守るため、上空警戒に向かったのである。5時、コロンバンガラ島北方海面に到着。上空哨戒に入った。だが接敵することはなく、一時間後、帰途についた。7時、帰着。

鴛渕孝大尉が率いる二五一空の零戦16機は5時38分「神通上空哨戒」のためブインを発進した。6時20分、グラマン4機を発見、そして4機とも撃墜。鴛渕大尉はコロンバンガラの北方沖で大破炎上中の「グウィン」を見つけ「敵艦大破」と報告している。

6時50分、林喜重中尉の2中隊がグラマン4機と交戦。7時20分には「敵艦沈没」と記入。米駆逐艦「グウィン」1630トンはとうとう沈没したのである（戦死61名）。

7時45分、グラマン3機に突入。このグラマン3機も撃墜を報じた。8時50分、帰着。総合戦果は、グラマン5機撃墜確実、不確実2機、F4U撃墜確実1機。零戦の損害は被弾1機のみだった。

二五一空の零戦と交戦したのはVF‐21と、VF‐28のF4Fと思われる。彼らは7時45分から50分までの間に零戦を6機撃墜したと報告している。零戦に損害はなく、米軍の損失はVF‐28のF4F、アーネスト・インゴールド機（救助）のみであった。

7時45分、龍鳳の藤原敬吾中尉は「神通」沈没現場付近にいるという米巡洋艦の攻撃に飛ぶ艦爆5機を掩護するため零戦8機を率いてブインを離陸した。五八二空、二五一空、二五三空の零戦とも合同して、基地を発進。9時25分、予め指定されていた索敵線上を捜索したが、目標を発見できずに引き返した。

13時45分、松本秀頼飛曹長が率いる「龍鳳」の零戦8機は「神通」の乗組員救援の中攻を直掩するためブインを離陸。14時、中攻隊と合同。14時50分、予定地点到着。陸攻は救命筏を投下した。16時、帰着。

14時、二五一空の零戦16機は鴛渕中尉の指揮で「龍鳳」の8機とともに遭難機を捜索する中攻掩護のためブインを離陸。15時30分、帰途、P‐38を見かけたが空戦にはならなかった。

「どうしてこんな大損害に耐えられるのか」過大戦果に幻惑される米戦闘機隊

7月14日は雨で、ひどく天気が悪かった。9日、ザナナ「鈴木浜」への反撃を企図して裏ムンダのバイロコから道路もない熱帯雨林の中を地図も持たずに行軍、行き迷っていた増援部隊、歩兵第十三連隊の第1、第3大隊の将兵は密林を抜け、ようやく波の音を聞いた。

17時、両大隊は攻撃発起位置へと展開。18時、日没を迎え、匍匐前進をはじめた日本軍歩兵2個大隊の行動に気づいた米軍は激しい射撃で攻撃を阻止しようとしていた。頭も上げられないような凄まじい射撃だった。だが突然、豪雨が降りはじめた。大隊長が即座に突撃を命じる。反撃は成功し、日本軍はザナナ海岸の物資集積所に突入、第43歩兵師団司令部を包囲。米軍の後方から第一線への補給路を遮断した。

15日、夜明けとともに、ザナナ浜に出た歩兵第十三連隊は米軍の弾幕射撃に曝された。とてもいたたまれず、実は米軍の心臓部へと迫っていたことも知らず、連隊長以下、ふたたび密林の中へと退避した。

海軍はザナナ沖にある小島、ルビアナ島に米軍がニュージョージア本島侵攻のための物資を推進集積していると判断、陸攻での爆撃を計画した。11時40分、七五一空の陸攻8機は掩護の零戦47機（「龍鳳」12機、二〇四空12機、二五一空16機、二五三空19機）と合同した。この時、二〇四空と二五一空の各1機が不調のため引き返したが、1機が、その後行方不明となってしまった。

零戦45機に掩護された陸攻8機。久しぶりに現れた日本軍の大編隊に「レンドヴァパトロール」は色めき立った。陸軍、海軍、海兵隊の戦闘機が次々に飛来した。

12時45分、ルビアナ島上空に達し、250キロ10発、60キロ30発が目標に向かって投下されると同時に、まずG戦8機が現れ、鴛渕中尉が率いる二五一空零戦が向かってゆき撃退した。大島中尉の「龍鳳」機も約50機の米戦闘機と交戦に入った。米軍記録によれば、邀撃戦闘機の数は44機だった。

陸攻がコロンバンガラ方向に旋回して避退中、同島の南方で米戦闘機20数機の攻撃を受け、鈴木中尉の二〇四空の零戦が空戦のため陸攻隊から分離してしまった。直掩機をなくした陸攻には被害が続出、米軍戦闘機は遠くベラベラ島の北方まで執拗に追跡してきた。13時10分、25分間つづいた空戦は終了した。陸攻は指揮官機を含む5機が撃墜され、1機が不時着（1名を除いて救出）、残った2機も被弾、機上戦死1名、軽傷2名を生じ、生き残った陸攻2機だけで、20ミリ96発、7・7ミリ880発を射撃していた。

二〇四空は撃墜確実8機、不確実3機。損害なし。二五一空はグラマン撃墜確実4機、シコルスキー8機、P-39撃墜2機、P-40撃墜1機。損害なし。「龍鳳」隊の戦果は4機、鈴木泰二二飛曹機が未帰還となった。二五三空では、斉藤三郎中尉以下3名もが未帰還となった。

この日の総合戦果は、戦闘機28機撃墜、不確実3機。損失は零戦5機（空戦での損害は4機）と陸攻6機。

一方「レンドヴァパトロール」は陸攻15機、零戦30機、計45機もの撃墜戦果を主張している。損害は、第44戦闘飛行隊のP-40、海兵隊VMF-213のF4U、海軍VF-21のF4F各1機など、戦闘機3機とパイロット3名を失ったのみだった。

米戦闘機コマンドは公式記録で「これほどの損害を受けつ

づけたら、航空戦を継続することはできないはずだ。しかし日本の航空指揮官は失敗から教訓を得ていないのか、40機から50機による攻撃を繰り返している。この規模の攻撃を継続するためにはラバウルにはかなりの予備兵力があるはずだ。実際、ブイン、ブカ、ラバウルの掩体は戦闘機でいっぱいだ。今、雨季を迎えて航空戦が低調になったいるビルマ戦域から兵力をソロモンに転用したとも考えられる」としている。米軍は高速の写真偵察機で毎日のように日本軍基地を克明に偵察しているだけに状況をよく知っていた。しかし自分たちの過大戦果報告をまったく疑わなかったので矛盾が生じ、ビルマからの増援などということを持ち出して、なんとか辻褄を合わせようとしているのだ。実際、雨季の間、ビルマの陸軍戦闘機は後方に下がっていたがラバウル方面には来ていなかった。

日本海軍機の実際の損害は米軍が報告していた数にはほど遠かったが、この日の損害はあまりにも重大で、レンドヴァへの大規模な昼間進攻はこれが最後になった。

「初めて防空戦で敗北」日本軍の機先を制したブイン大空襲

7月17日、6時50分、米軍大編隊接近中の警報に接して、ブインから二〇四空の零戦18機は、「龍鳳」の8機、二五一空、坂上忠治上飛曹以下3機とともに発進した。

7時5分、「隼鷹」零戦19機がラバウルからレンドヴァ、ムンダ方面への進攻のためブインに進出してきた。ラバウルを5時30分に離陸した藤巻久明中尉が率いる「隼鷹」機は、着陸のためブイン上空を旋回中に米軍機の来襲に出くわした。

まず藤巻中尉等「隼鷹」零戦は、P-38、P-39、計30機に掩護された7機のB-24が在泊の駆逐艦を爆撃しているのを認めた。次いで66機のG戦、F4Uに掩護されたSBD艦爆48機が飛来。「隼鷹」の零戦19機は泊地の船団を狙って急降下爆撃中のSBD艦爆に向かって突入、空戦となった。

その10分後、二〇四空は大型7機、戦闘機30機と交戦に入った。

「龍鳳」のブイン派遣隊の零戦8機は、大嶋末一中尉の指揮下、二〇四空と同じく、7時15分から空戦、戦闘機撃墜2機を報じたが、手塚政治上飛曹が米軍機に有効な打撃を与えたが被弾、落下傘降下を試みたが開傘せずに戦死した他、2機が未帰還となった。

二五一空は大型12機、戦闘機約30機を発見して交戦。さらに爆撃機50機、戦闘機80機が来襲して空戦となり、撃墜戦果を報じることもできず1機が未帰還になった。

ショートランド湾上空で空戦していた藤巻中尉の「隼鷹」第11小隊の4機は全滅。藤巻小隊は、米軍の大編隊に真っ先に突入し、多数の戦闘機に包囲されたのであろうか。福田澄夫中尉の第12小隊4機は2機が被弾し大角文雄二飛曹が軽傷を負ったが、G戦1機の撃墜を報じた。川崎正八二飛曹の第13小隊3機は、2機が撃墜されて落下傘降下。両名ともに救助されたが、1名（氏名不詳）が軽傷を負っていた。上野哲士中尉の第14小隊（4機）は2機が被弾、開戦時に千歳空で活躍した阿武冨太上飛曹が軽傷を負った。

「隼鷹」機の損害をまとめると、戦死1名、行方不明3名、軽傷3名、機体喪失6機、被弾5機。8時45分、零戦13機、満身創痍の「隼鷹」零戦隊はようやくブインに着陸した。他部隊よりも10分早く、たった19機で百機近い米軍大編隊に挑んだ「隼鷹」の零戦の消費弾薬は20ミリ40発、7・7ミリ200発。激戦の割に少ないのは、撃ちまくり奮戦した機体ほど未帰還になっているからだろうか。

二〇四空は米軍編隊をベララベラ島の上空まで追撃。SBD撃墜1機、P-38撃墜1機、協同3機、P-40撃墜3機、G戦撃墜3機、F4U撃墜5機（協同1機）の戦果を報じた。しかし2機が自爆、中野智弌二飛曹は空中接触して大破、被弾1機という大きな損害をこうむった。8時10分、帰途に就き「8時35分、19機帰着」と行動調書には書かれている、着陸の際、他の部隊の零戦も合同したのであろうか。

日本の防空戦闘機の発進はとにかく遅過ぎた。コルセアはブインから高度をとろうと苦闘する零戦を優位から圧倒したのである。8機でTBF艦攻を掩護してブインへ進攻したVMF-121は8時15分、ベララベラの西方でリンデ中尉機が、ホワイタカー大尉を追跡中の零戦を撃墜。グラスコック中尉はブイン上空で落下傘降下中の2名を狙っている零戦を撃墜。ポーター大尉はブイン上空、2千メートルから600メートルの間を2機の零戦が2機のF4Uを追跡しているのを発見。1機を撃墜したが、追われていたコルセア1機もベララベラの60キロほど西で海中に落ちたと報告している。

九三八空の零観は空襲を受けて空中退避中、先発した6機はグラマン、コルセアなど延べ15機の攻撃を受け、2機が被弾、軽傷1名の損害を受けたが7・7ミリ890発を使って撃退した。8時15分に空中回避中だった藤井貞次一飛曹機も米戦闘機3機と遭遇。藤井一飛曹は7・7ミリ130発を使って1機の撃墜を報じている。

九三八空の零観2機がベララベラ島、西海岸の不時着現場に飛び、16時55分、着水、搭乗員（氏名不詳）を無事収容した。

この日、来襲したのは第13航空軍のB-24、7機とTBF艦攻35機、SBD艦爆36機、掩護の戦闘機は海軍、海兵隊、陸軍の総計114機。邀撃に向かった零戦計40機には手に余る圧倒的な大編隊だった。

海兵隊のF4Uは零戦の撃墜36機、零観1機、二式水戦1機の撃墜戦果を報告。海兵隊のSBD艦爆2機も零戦の撃墜各1機、海軍のSBD艦爆とTBF艦攻も3機の零戦を撃墜、第339戦闘飛行隊のP-38は7時25分から40分までの間に零戦の撃墜6機を報じている。米軍の戦果報告の合計は、零

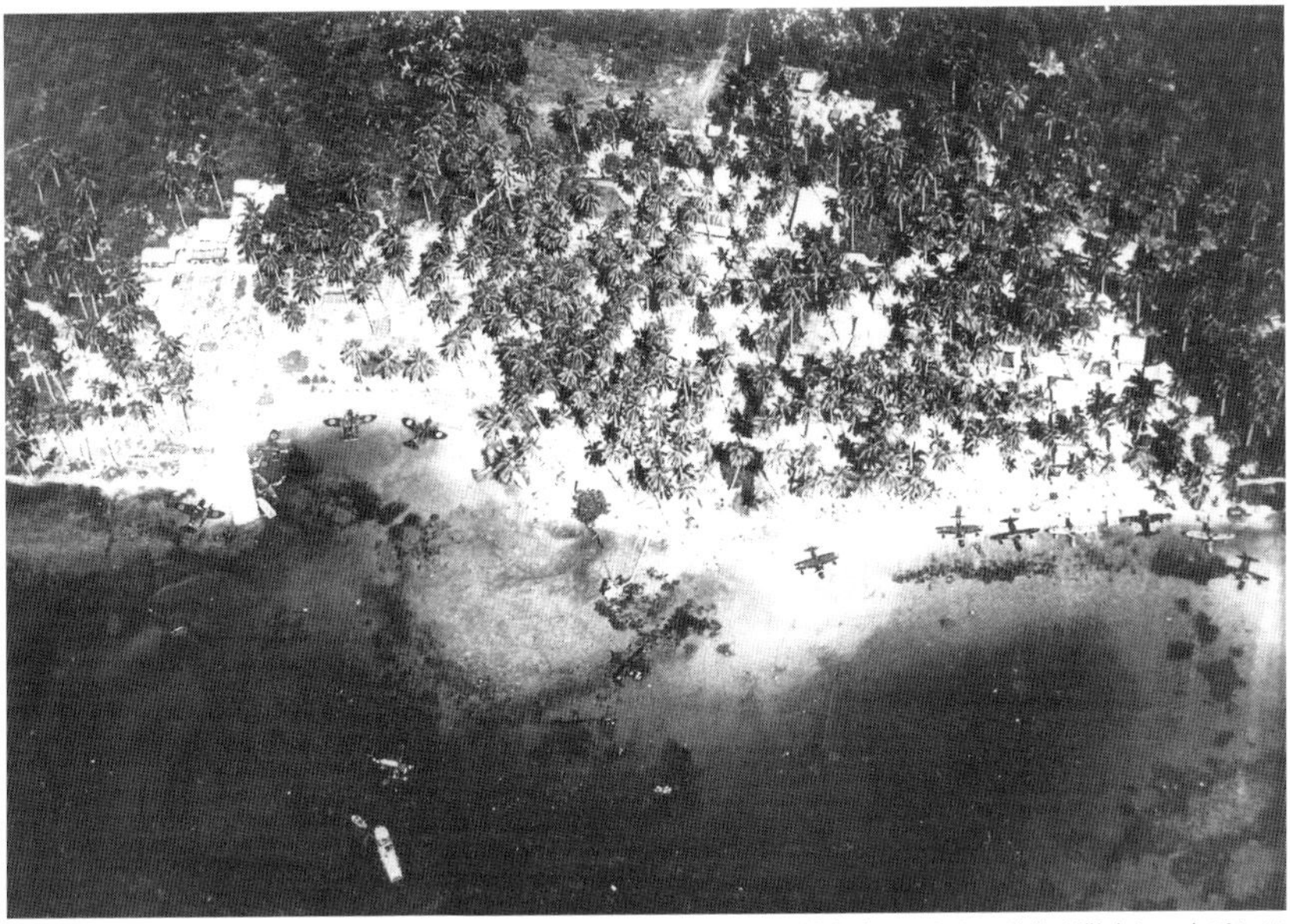

ショートランドの日本軍水上機基地。岸辺の椰子林の中には宿舎や機材倉庫と思われる建物が散在し、左手には零式三座水偵、中央から右には複葉の零式観測機。右端には二式水上戦闘機が見える。ソロモン方面の水上機部隊は対潜哨戒や、偵察、不時着機の捜索や救助、夜間爆撃、魚雷艇狩りなど、地味ではあるが多種多様な任務をこなしていた。

福田澄夫中尉は、18年４月、空母「隼鷹」飛行隊の戦闘機搭乗員として「い号作戦」で初めて実戦に参加。同年７月中旬、「隼鷹」の艦戦隊はニュージョージア島を巡る戦いに参加するためブインに派遣された。福田中尉は９月に「隼鷹」の艦戦隊搭乗員が全員、現地で基地航空隊に転勤になった際に二〇四空に配属され、ラバウル方面で空中指揮官として奮戦。６機の個人撃墜戦果（うち２機は不確実）を報じている。

戦を少なくても44機、水上機4機を撃墜というものであった。

米軍の損害は、VT-21のTBF艦攻、VMSB-132のSBD艦爆各1機。さらにVMF-213のF4Uが1機、空戦で炎上墜落して行方不明となり、第339戦闘飛行隊のP-38G型が1機空戦で落とされ、もう1機のP-38G型、ベンジャミン・H・キング少尉が帰路の7時40分頃、零戦に追撃されて発煙、ベラベラ沖に着水するなど、計5機であった。

日本側では、12機の零戦と10名もの搭乗員が失われた。さらに爆撃で、ブインに物資を揚陸中だった駆逐艦「初雪」1980トンが撃沈され、「皐月」「水無月」が小破した。

このブイン防空戦は零戦隊の大きな敗北となり、またこの空襲によって、海軍航空部隊によるレンドヴァ、ムンダ方面への進攻は中止された。

この日、ムンダの主防衛線、歩兵第二二九連隊右翼、第2大隊陣地には戦車5両（海兵隊戦車小隊のM3軽戦車）に支援された約6百名の米兵が攻撃を繰り返し、この戦闘によって、同方面の機関銃はすべて使用不能となり、連隊砲、大隊砲の弾薬も尽きた。しかし米軍の前進は阻止された。

米第43師団師団長ハスター少将は、軍団司令部から、もはや攻撃前進はやめ、現在位置を確保するよう命じられた。攻撃は増援の2個師団、第25歩兵師団と、第37歩兵師団が到着してから再開されることになる。また膨大な死傷者が出ることを予測して、ガダルカナルから250床の第17野戦病院を丸ごとレンドヴァに移動させ、また海軍の医療要員多数を待機させたLSTも配備された。

零戦隊「腕利き多数を増援」ブイン防空でふたたび勝利

翌7月18日、米第13航空軍のB-24重爆21機と、TBF艦攻とSBD艦爆35機が、134機もの戦闘機に掩護されてブインに来襲した。17日の大損害で邀撃する零戦の数はさらに3機減って、37機であった。しかし、二〇四空には老練な日高初男飛曹長をはじめ、杉田庄一二飛曹、大原亮治二飛曹、中沢政一二飛曹など、若年だが実戦経験豊富なエースがラバウルからブインに進出していた。前日の損害を補って余りある大きな戦力である。

二〇四空18機、「龍鳳」8機、「隼鷹」11機の零戦は7時にブインを発進。20分後はバラレ、ブインに来襲したB-24、23機、爆撃機約40機、戦闘機約90機を発見。空戦に入った。

この日、零戦は高空を飛ぶB-24は狙わず、米軍の艦爆、艦攻だけを攻撃した。高空掩護についていたVMF-121と、VMF-221のコルセアは零戦とはほとんど交戦しなかった。この日、零戦と死闘を演じたのは艦爆、艦攻を掩護するために低空に降りて行った海軍VF-28のワイルドキャットと、同じく艦爆、艦攻を掩護していた海兵隊、VMF-213と、VMF-122のコルセアであった。特にVMF-

17年10月から二〇四空で戦い続けた日高初男飛曹長は、操練24期、12年11月11日に初撃墜を果たしたという古参中の古参で、マラリアで９月に内地に送還されるまでに11機の撃墜を公認されている。

二〇四空の中沢政一二飛曹。中沢二飛曹も若年ながら日高飛曹長や、杉田二飛曹、大原二飛曹と同じく17年10月からソロモンの第一線で空戦の場数を踏み、撃墜戦果を重ねて来た古参であった。

ブイン基地の沖にあった小島バラレにあったバラレ基地。島全体が基地になっているように見える。島が小さいだけに爆撃されると逃げ場がないようにも見えるが、度重なる米軍の爆撃に耐えていた。

122ではエースパイロットのアーネスト・パウェル大尉が行方不明になるという痛手を受けた。

二〇四空は、日高初男飛曹長の指揮のもと、G戦の撃墜8機（協同2機撃墜）、シコルスキー3機、艦爆1機もの撃墜戦果を報じているが、井上末男二飛曹が自爆、17年の10月から戦い続けて来た歴戦の中沢政一二飛曹が未帰還になってしまった上、大原二飛曹機が被弾した。この空戦での弾薬消費は記録されていない。

「龍鳳」の8機は、藤原敬吾中尉のもと戦闘機の撃墜4機を報じている。損害なし。

「隼鷹」の11機は20ミリ380発、7・7ミリ1550発を消費、G戦撃墜4機、F4U撃墜2機を報じたが、川崎正八二飛曹が未帰還になり、2機が被弾、下鶴美幸二飛曹が軽傷を負った。上野哲士中尉の第11小隊は、G戦撃墜2機、F4U撃墜1機を報じ、大型機、およびSBD、約30機を攻撃したが効果不明。福田澄夫中尉の第12小隊4機はF4Uを1機撃墜するとともにG戦20数機と交戦したが効果不明。川崎二飛曹の第13小隊3機はG戦撃墜2機。報告戦果が大きいわりには、また消費弾薬が少ない気がする。

22機の撃墜戦果を報じた零戦の損害は3機であった。

米軍は18日の進攻で、撃墜戦果21機を報じたが、戦闘機9機と、TBF艦攻1機の喪失を認めている。もっとも大きな損害をこうむったのは「G戦」F4F6機を失った海軍のVF-28であった。零戦の圧倒的な勝利ではあるが、米軍は戦闘機が盾となり艦爆、艦攻を守り抜いたとも言える。

また注目すべきは、空戦で10機を失った米軍機のうち、救助されたパイロットがチョイセル島の近くに着水、零戦5機の機銃掃射から生き残ったVMF-213のレッド・ハル中尉、たった1名だったということである。そしてVMF-213のチャールズ・ウィニア中尉が捕虜になった以外、全員が戦死したのである。

VMF-121のローデス中尉は帰途、ブインとショートランドの間の海面にF4Fが着水、機体はしばらく浮いていた。パイロットが救命ボートを取り出しているのを目撃。漏れた滑油で機首を真っ黒にしていたVC-26、ミッチェル少尉のTBF艦攻も着水、乗員3名がボートを膨らませようとしていたと報告されている。しかし以上、全員が行方不明となった。さすがの米軍も日本軍基地上空で落とされたパイロットは救助しきれなかったのである。

今後、航空戦は日米で攻防のバランスが逆転したことによって、零戦の防空戦が増えてゆく。米軍の勢力圏内への進攻戦で数多くの搭乗員を失った日本海軍航空隊の苦衷を今度は米軍が味わうことになるのである。

爆撃によってブインで駆逐艦「望月」が損傷したが、数少ない零戦で圧倒的な大編隊に挑んだにもかかわらず、ブイン防空戦、第2ラウンドでは零戦が勝利を収めた。18年以降のソロモンの航空戦では、高速と重武装、手厚い防護装備を備えた米軍戦闘機が少数で日本軍の大編隊に暴れ込み、（米軍戦記に書かれているほどではないが）勝利を収めたことは度々ある。一方、進攻戦が多く不利な条件が多かったこともあるが、数的に劣勢な零戦隊が優勢な米軍機にこれほどの勝利を収めた例はこれまでなかった。ブイン防空戦での零戦の強さは、今後、展開されることになる「ラバウル防空戦」で発揮される善戦敢闘を予期させるような快勝だった。

日付は不明だが、九三八空の則田忠雄一等整備兵は、ブイン空襲の帰途、被弾して燃料を噴出していた米軍戦闘機が編隊から脱落、ショートランドの南方に着水したと追いかけていた零戦から連絡があり、大発を出して漂流中の米軍パイロットを収容した回想している。その夜、捕虜は本部の柱にゆるく縛り付けておいた。水偵の搭乗員は寛容に接していたが、翌日、捜索に来たのか4機のコルセアが飛来。水上機基地を掃射していった。捕虜は間もなく九三八空の副長、山田少佐が平射砲陣地に引き出し、衆人環視の中、斬首してしまった。これが捕虜にはなったが、戦後も帰らなかったウィニア中尉だったのかも知れない。

勝利は得ても、防空戦に終始したブインの零戦隊はこの日もレンドヴァ、ムンダ方面への進攻は実施できなかった。

歩兵部隊による積極的な進攻作戦は中断したものの、米軍はムンダ防衛線に対する砲兵射撃と航空攻撃は継続していた。ムンダ周辺の日本軍陣地は「敵重砲の射撃は逐次後方に伸延され司令部、宿営地付近に弾着激しくジャングルはすでに裸山化せり」という状況だった。米軍の航空攻撃や、砲兵射撃から陣地を隠していた緑の遮蔽が消失し、守備隊はさらに苦境に陥っていた。

米軍の戦闘機コマンドは、同方面の攻撃兵力を結集して「17日、18日と連続で日本戦闘機隊の巣窟、ブインを叩き、そうとうな損害をこうむったものの、65機の零戦を撃墜した」と評価していた。ところが19日にブインを空中偵察すると、まだ70機もの在地機がいた。15日の邀撃と17、18両日の進攻で合計95機は落としたはずなのに、どうしてこんなにたくさんいるのか。米軍は悩んだ挙げ句「日本軍は、ラバウル、ソロモン方面の兵力を強化するため、ニューギニアのウエワク基地から戦闘機を後退させたに違いない」と結論している。もちろん、ウエワクの陸軍機がブインに飛来したなどという事実はない。

誰も気づかなかった「カモ番機」の最後

7月21日、13時、二〇一空、新井友吉中尉が率いる零戦15機と、二〇四空、渡辺秀夫上飛曹率いる零戦15機は「レンドヴァ攻撃の艦爆直掩」のため、ブインを離陸した。トラック島、ラバウルを経由して、ブインに到着したばかりの二〇一空にとっては、初めての実戦だった。この日、指揮をとった新井友吉中尉は、海軍戦闘機隊の伝説的な戦闘機指揮官、南郷茂章大尉とともに南京、南昌の空戦で戦果を挙げたという超ベテランであった。

15時15分、レンドヴァ上空突入。15時20分、艦爆爆撃開始。15時25分、高度1500メートルの雲の間からシコルスキー、グラマン、十数機が後上方から攻撃してきた。だが、この日の「レンドヴァパトロール」にはいつもの積極性がなく、二〇一空の零戦が攻撃を試みると、雲の中に逃げてしまった。

一方、二〇四空はP-38、2機、G戦、P-39など十数機と遭遇。多少交戦したが効果不明と記録している。この日、レンドヴァ上空で日本機と交戦したのはVF-26、VF-28のワイルドキャットで、14時40分から15時にかけて、零戦の撃墜3機を報じている。VF-28はF4F-4を1機失っているが、原因は作戦中の機械故障とされており、空戦で落とされたのではなさそうだ。

五八二空と「龍鳳」艦爆7機は250キロ7発、60キロ爆弾各14発を投下。爆弾の1発は実際に米軍のLSTに命中した。

零戦は、空戦後、米軍の揚陸物資集積所があった鈴木浜（ザナナ）を銃撃。16時5分離脱。空戦ではまったく損害を受けなかったが、ブインに帰還した二〇四空の人見喜十二飛曹は着陸時、ちょうど爆発した時限爆弾で戦死してしまった。

米軍は爆撃の際、瞬発信管の爆弾に6時間後、12時間後に爆発するような時限爆弾も混ぜて投下していた。爆撃による撹乱効果を長引かせ、飛行場の補修を妨害するためであった。人見二飛曹はその犠牲になってしまったのである。

二〇一空も、この日の攻撃で福田小三郎上飛が未帰還となったという同航空隊の山口慶造飛曹長の回想がある。行動調書には未帰還機があったとは書かれていない。しかしその後、8月の上旬までの二〇一空の搭乗割に福田上飛の名前はまったく出て来ない。編隊での彼の位置は、米軍の言うところのテイルエンド・チャーリー（最後尾のカモ）だった。誰にも気づかれないまま、ワイルドキャットによる奇襲の餌食になってしまったのだろうか。

空戦には勝ったが、優秀艦「日進」の上空掩護には失敗

7月22日、あくまでムンダの絶対保持を主張する海軍は、独自に地上兵力を増強するため、中部太平洋にいた海軍陸戦隊、南海第四守備隊のニュージョージア島への増援を計画。高速の甲標的母艦「日進」に兵員と重火器を搭載、駆逐艦3隻の護衛のもと「ブイン輸送隊」を編成、ショートランドへと送り出した。

二〇四空の零戦7機は「日進および十戦隊の上空警戒」に出動。12時まで艦隊上空を哨戒した。12時5分、入れ替わり

19年春頃の横須賀航空隊の搭乗員達。後列の左から二人目、二〇一空から来た志賀正美上飛曹、右へ阿武富太上飛曹（P.202参照）、五八二空から二〇四空を経て転勤して来た関谷喜芳一飛曹、前列左端から二〇四空の大原亮治一飛曹、明慶幡五郎一飛曹など、ソロモンの激戦を生き延びたベテランが揃っている。

18年7月、二〇一空とともにブイン基地にやってきた志賀正美上飛曹。千歳空以来の古参で、19年2月、横須賀空に転勤するまでラバウル防空戦で活躍、撃墜16機という戦果を記録している。

18年ソロモン戦域で撮影された、船舶、物資、車両で溢れかえる米軍の揚陸地点。

に「隼鷹」零戦8機が飛来。13時30分、次の当直、二〇一空、志賀正美上飛曹率いる零戦8機が来着。「隼鷹」零戦がまだ引き上げていなかった13時45分に、まずB-17約20機、B-24、12機、P-38、P-39約40機が来襲。だが第5爆撃航空群のB-17と、第307爆撃航空群のB-24の水平爆撃は命中しなかった。その直後、13時48分、零戦はSBD約40機、戦闘機約50機を発見。零戦は艦隊を守るため猛然と艦爆に向かって行ったが、VF-21のワイルドキャットがその行く手を遮る。間もなく18機のTBF艦攻、18機のSBD艦爆の攻撃で爆弾6発が命中、「日進」は撃沈されてしまった。乗組員479名と、南海守備隊の陸戦隊員570名もが戦死した。

二〇一空はグラマン6機の撃墜確実、不確実1機、艦爆撃墜1機の撃墜を報じた。14時10分「隼鷹」零戦は戦闘機の撃墜確実1機、不確実1機、艦爆の不確実撃墜1機を報じて、戦闘を離脱した。15分、二〇一空は戦闘終了、船団警戒。15時15分全機が帰着した。

この日、ガダルカナルから発進した海軍のVF-21は13時35分頃、ブーゲンヴィル島南部およびショートランド諸島上空で、零戦撃墜5機を報じたが、F4F-4を4機とパイロット3名ないし4名を失った。戦死したトーケルスン中尉はVF-21で6機撃墜のスコアをもつエースパイロットであった。

零戦は1機も失わず、一方的にワイルドキャット4機を撃墜(うち2機は空中衝突による損失と記録されている)。しかしワイルドキャットは「日進」を攻撃する爆撃機を零戦の攻撃から完璧に守り抜いたのである。

空戦では勝利を収めたものの1万1317トンの優秀艦「日進」を失ったことは海軍に大きな衝撃を与え、これ以上艦船を失うことは、今後の作戦全般を不利にするとして、ムンダ確保のための水上艦艇での作戦を今後ためらわせるきっかけとなった。

ニュージーランド空軍、不幸なハドソンの最後

7月24日、ガダルカナル島を11時30分に離陸したニュージーランド空軍第3飛行隊、アリスン大尉のロッキードA-29「ハドソン」双発哨戒爆撃機は、ブーゲンヴィル、ニュージョージア間の海上を哨戒中、零戦8機に襲われた。射手のガンリー軍曹は零戦1機に命中弾を見舞い、海に撃墜したと報告。しかし、零戦の最初の一撃でベングーフ中佐が戦死。ガンリー軍曹も臀部に重傷を負った。ハドソンは繰り返し零戦の射撃を受け、火災を起こしては消し、とうとう消火剤がなくなっても飛び、60キロあまりも逃げた。アリスン機長は機体がまだ操作できるうちに着水しようと決意、ベララベラ西岸のバガ島沖2キロ付近に不時着水した。機体から5名の乗員が泳ぎ出ると、零戦が10分間にわたって機銃掃射を反復、

一人残らず射殺したと確信して去って行った。だが、ガンリー軍曹だけは生き延びていた。彼はベララベラ島の沿岸監視員に救われ、米軍のPTボートに収容されて帰って来た。

日本側の記録を調べると「龍鳳」の行動調書に、大嶋末一中尉率いる零戦8機は、13時30分、ベララベラ島北西海上でロッキードハドソン1機を発見、13時45分、これを撃墜、戦場離脱。との記述があった。しかし二〇四空の行動調書には、12時30分に発進した羽切松雄飛曹長指揮の二〇四空の零戦8機が「チョイセルからベララベラに向け、ギゾ島上空を通過帰還中、B-25、1機を発見。全機攻撃に入り、各機五、六撃を加え撃墜。着水したB-25より搭乗員6名が逃泳中、海面掃射により射殺」、この攻撃により1機が被弾したとされている。二〇四空の報告は、ハドソンという機種以外は、ニュージーランド側の記録と完璧に合致する。ハドソンとB-25は同じ双尾翼の双発機である。おそらく、この不幸なハドソンは「龍鳳」、二〇四空の零戦計16機がよってたかって撃墜したのであろう。

米海軍のワイルドキャット、ソロモンの戦場を去る

7月25日、早朝、第307爆撃航空群のB-24、2個飛行隊が、堅牢に作られた防御陣地で日本兵が未だ頑強に抵抗をつづけている第43歩兵師団の攻撃正面地区、ムンダ飛行場周辺の防御陣地を絨毯爆撃した。さらにTBF艦攻、SBD艦爆、B-25などによる近接支援航空攻撃が実施され、駆逐艦7隻による艦砲射撃も開始された。

損害続出のため、米軍の攻撃は7月中旬から停滞していた。そして第43歩兵師団に加えて、第25歩兵師団、第37歩兵師団の来着を待って、この日、ふたたびムンダへの総攻撃に出ようとしていたのだ。

その頃、ブインでは二〇四空8機、二〇一空16機、二五一空15機、「龍鳳」7機、「隼鷹」9機、計55機の零戦が「レンドヴァ邀撃」のため発進の準備をしていた。6時35分、各航空隊は離陸を開始した。

7時20分、進攻部隊のうち、まずレンドヴァの対岸、ムンダ上空に入ったのは二〇四空の8機と「龍鳳」7機であった。零戦15機は相川（バリケ川、東方5百メートルの小流の日本側名称。ルビアナ島の北方対岸）、ニアイ方面からムンダ付近で、米軍の舟艇を捜索した。これらの零戦は舟艇を狙う任務のため爆装していたのかも知れない。だが、二〇四空機は目標を発見できず、空戦もなく反転、9時15分にはブインに帰着した。

一方「龍鳳」の7機は、ニュージョージア島の上空にB-24、1機、B-25、1機と、戦闘機約50機を発見。空戦を交えたが、7時40分には戦場を離脱。8時40分に帰着。戦果も損害もなかった。

一方、二五一空は7時20分、コロンバンガラ方面から来襲して来た、大型1機、戦闘機約50機を発見。二〇一空はその10分後の7時30分からレンドヴァで攻撃を開始。シコルスキー1機、グラマン3機、P-40、2機を撃墜。B-24に燃料を噴出させる戦果を報じる一方、倉永稔二飛曹が未帰還となった他に、大浦武飛長が自爆、被弾2機の損害をこうむった。16機で飛来した二〇一空は短時間の激戦で多数の撃墜を報じる一方、4機が被弾または墜落した。空戦は手早く8時に切り上げ、「龍鳳」の零戦から5分遅れて、8時45分にはブインに帰着している。

「隼鷹」零戦、上野哲士中尉率いる1小隊4機は7時30分、ムンダ付近でB-25、B-24、各1機と、戦闘機約50機と交戦。G戦撃墜3機を撃墜、P-39、B-25各1機の不確実撃墜を報じた。損害は被弾1機。2小隊は、ニュージョージア、コロンバンガラ、レンドヴァ方面の上空哨戒をしていたが接敵はしなかった。8時40分、第2小隊のうち1機はバラレに着陸したが燃料補給の上、ブインに帰着。だが着陸時に発火してしまった。搭乗員は無事だった。

今回の進攻の主力である二五一空の15機は7時40分から空戦を開始した。発見してから20分間も何をしていたのかはわからない。空戦ではグラマン6機、シコルスキー2機、P-39、5機などの戦果を報じているが、国広欣爾二飛曹機が未帰還となった他、3機が被弾した。二〇四空と同じ、9時15分に帰着した。

第339戦闘飛行隊のP-38、バーナード・フレミング少尉機は、8機編隊の一員としてニュージョージア島上空で零戦と交戦。海上で零戦1機を捕捉、180メートルから発砲、翼内タンクを破裂させて撃墜した。しかし、その刹那、彼のエンジン1基が発火、落下傘降下するには高度が低過ぎたので、降下加速を利用して高度をとったが、脱出を試みる間、零戦に射撃され、尾翼に衝突、左足を骨折しつつ落下傘降下した。

第13航空軍の戦闘機、第44戦闘飛行隊のP-40は7時45分から8時15分にかけて、ムンダ、レンドヴァ間で零戦5機の撃墜を報告している。さらに第70戦闘飛行隊のP-39も戦闘に参加。損害はフレミング少尉のP-38のみだった。

ガダルカナルから発進したVF-21は7時30分、ムンダの周辺で零戦の撃墜8機を報じ、2ないし3機のワイルドキャットを喪失しているが、詳細は不明。

この頃からソロモン戦域で戦いはじめた「ザ・ファイティング・コルセア」のニックネームをもつ海兵隊のVMF-215が、トムズ少佐のF4U-1を失っているが、間違いなく空戦で失われた機体かどうかはわからない。

日本側は、零戦6機と搭乗員5名を失った。米軍の損害は1機のP-38と、2機か3機のF4Fと、パイロット2名であった。さらにコルセアも1機失ったかも知れない。損害の

ブインを離陸する二〇四空の零戦。零戦は多勢に無勢で勝ってきたような誤解があるが、両軍のデータを調べてみると18年中盤まで、交戦の際の機数はたいがい互角か、零戦の方が多く、その中で勝敗があった。第26航空戦隊参謀の奥宮正武中佐によればラバウルの零戦保有機数が100機を切ると、損害が急激に増大したという。やはり戦争は数なのである。

二五一空の西澤廣義上飛曹。17年２月3日、ラバウル上空で初撃墜を報じて以来、台南空時代、すでに撃墜30機を公認され、最終的には87機を撃墜。太平洋戦域、日米を通してのトップエースと言われている。

二〇四空、羽切松雄飛曹長。15年８月、完成したばかりの零戦を漢口に空輸したベテラン。本書で紹介した3号爆弾の投下実験ばかりではなく、横須賀航空隊で反跳爆撃の実験などにも携わる一方、実戦にも参加し、総撃墜数13機もの戦果を記録している。

合計は、最低3機、最大5機ということになる。米軍は、日本軍の艦爆は目標に達する以前に爆弾を投棄して退避せざるを得なくなったと報告している。しかし、この日は零戦54機(途中2機が引き返した)だけの進攻だった。米戦闘機を発見した零戦が増槽を捨てたのを見誤ったのでないかと思われる。

内地から転勤になり、ブインに来たばかりの羽切松雄飛曹長の指揮で発進した二〇四空の8機は、この日は戦運がなく、まったく交戦しないまま帰還した。ところが帰ってみると2機足りない。編隊の最後尾にいた仁平哲郎一飛曹機と、根本兼吉二飛曹機「カモ番機」が消えていた。米軍の一撃離脱の奇襲で落とされてしまったのだろうか。21日の空戦で、知らぬ間に編隊の最後尾機を失った二〇一空の新井中尉と同じ悲劇が、同じく支那事変以来の経験も豊富で技倆抜群の羽切飛曹長をも襲ったのである。羽切飛曹長は、気づかぬうちに部下を失った責任を改めて痛感するとともに、米軍の手強さに戦慄した。ソロモンでの米軍機との空戦は、彼らの長い実戦経験でもカバーしきれないほど苛酷なものであった。

この日を最後に米海軍の戦闘機隊VF-11、VF-21、VF-26、VF-27とVF-28はソロモン海域の戦場から姿を消した。これらの飛行隊は旧式のF4Fワイルドキャットを、グラマン社の新型、F6Fヘルキャットに装備改変するため米本土に帰って行ったのである。

同日、攻撃開始線から前進をはじめた米第37歩兵師団の第148連隊は、右翼に鈴木浜での反撃で活躍した精鋭、歩兵第十三連隊の主力が配置されていることを知らぬまま進みつづけていた。

一方、左翼を進む、米第43歩兵師団の第172歩兵連隊は「清水山」の手前で強力な日本軍陣地に遭遇、双方が接近しすぎていたため砲兵支援は要請できなかった。代わりに海兵隊のM3軽戦車4両が呼び寄せられた。しかし日本軍速射砲の射撃でたちまちロバート・ボット軍曹車と、カーデル軍曹車の2両が炎上。残った2両は後退し、擱座戦車は日本軍に捕獲された。

「ザ・ファイティング・コルセア」を追いつめ、1機また1機と撃墜

7月26日、第307爆撃航空群のB-24、10機の爆撃に先立って、海兵隊のコルセア21機がブインを機銃掃射した。このブイン空襲を零戦76機で邀撃した。

6時40分に「進撃哨戒」のために発進していた二〇四空の羽切松雄飛曹長率いる零戦10機は上昇中、7時、高度4千メートル付近でブイン基地の上空で「B-24、14機と、20機のF4U」を発見。全機が空戦に入ったが、進攻編隊の高度が高く、下方からでは有効な攻撃はできなかった。そこで爆撃終了後に追撃した。ベララベラ島と、コロンバンガラ島の中

間あたりまで追い、後方に取り残されていたF4Uを捕捉して撃墜1機を報じた。8時に全機が帰還したが、着陸時に2機が大破してしまった。

大島末一中尉の「龍鳳」の零戦4機は、7時にB-24、24機、戦闘機30機来襲の警報で、あらかじめ上がっていた二〇四空機につづいて緊急発進した。7時30分から空戦に入り、8時10分、空戦は終了。各隊の総合戦果はF4Uの撃墜3機と報告している。「龍鳳」は9時40分に帰着した。

さらに7時15分、林喜重中尉が率いる二五一空の零戦16機は零戦58機とブインを合同発進した。二五一空は敵、8機を捕捉して攻撃、しかし戦果はなし(行動調書の戦果欄に、F4U撃墜4機と書いて消した跡がある)と記録されている。8時40分、54機が帰着。9時10分、深追いしていたのか遅れていた4機が帰着した。

二〇一空の零戦17機も7時15分に発進したが、敵を見ず、8時45分に帰着した。「隼鷹」の零戦は記録なし。日本側の記録を見ると、たまたますでに離陸していた二〇四空の零戦10機が、上空のB-24と、さらにその上にいたコルセア21機に向かって行き、その空戦中も零戦は次々に離陸。不利を悟って、逃げにかかったコルセアを多数機で追跡して1機、2機と撃墜していったようだ。

海兵隊では、VMF-215「ザ・ファイティング・コルセア」が、F4U-1を2機失った。VMF-221のコルセア8機もこの攻撃に参加。戦時日誌には「B-24は滑走路の端にみごとに爆弾を弾着させた」と書いてあるだけなので、VMF-221は零戦と交戦していない。こうして、この日のブイン邀撃戦も零戦の一方的な勝利となった。

14時45分、二〇四空、羽切松雄飛曹長率いる零戦8機、ブイン基地上空発進。15時45分、駆逐艦上空到着、哨戒。16時、哨戒中、B-24、1機発見。ただちにキエタ北東30海里で左発動機から黒煙を吐かせた。B-24撃墜不確実1機を報告。17時に、全機が帰着した。このB-24の所属部隊、そしてその後、どうなったのかはわからなかった。

座礁駆逐艦を巡る「死神」との空中戦

7月27日の深夜、駆逐艦「有明」と「三日月」は陸兵5百名、物資50トンを搭載、大発1隻を曳航しツルブに向かって、ラバウルを出航した。しかし23時、両艦ともグロセスター岬沖で座礁してしまった。夜が明けたら、米軍に空襲されるのは間違いない。

米軍のムンダ進攻、主攻撃の先鋒である第148連隊は目標であるムンダ飛行場を見下ろすビビロ高地に向かって未だ順調に前進していた。

28日、ラバウルを発進した二〇四空、鈴木宇三郎中尉率いる零戦16機は一直、二直の二回にわたって船団の上空哨戒を実施した。渡辺秀夫上飛曹（行動調書による。羽切松雄飛曹長は自著に自分が指揮していたと記している）が率いる二直の8機が哨戒中、7時40分に、B-25、16機、P-38、18機を発見。8時に戦闘を開始。P-38撃墜5機、B-25撃墜1機（うち1機撃墜不確実）を報じたが、小隊長の列機であった浅見茂正二飛曹が自爆した。8時30分、戦闘を離脱。9時30分に帰着した。

交戦したのは第3爆撃航空群のB-25と、掩護の第49戦闘航空群のP-38である。第3爆撃航空群「グリム・リーパーズ（死神）」のB-25がグロセスター岬付近で日本軍船舶の攻撃を終えた頃、ラバウル方面から隼の大編隊が接近して来た。第49戦闘航空群機は、主にニューギニアで隼と戦っていたので、零戦を見ても、また隼が来たと思ったのだろう。3機のP-38がまず高度2400メートルで編隊に一撃を加えた。後に米国のトップエースとなるリチャード・ボング大尉のP-38は後方から降下突進してきた日本機に撃たれ、7・7ミリ機銃弾5発が主翼に命中した。このことからも米軍が報告している「隼」が「零戦」であったことがわかる。米軍の損害はボング機の被弾だけで、P-38はこの空戦で撃墜3機を報告している。

「隼鷹」の零戦7機は12時40分から、グロセスター岬沖で座礁した駆逐艦「有明」、「三日月」の上空哨戒を開始。14時、駆逐艦の高角砲の発砲で、零戦はB-25、30数機が来襲するのを発見、迎撃に向かった。B-25撃墜2機、不確実1機の戦果を報告する一方、被弾3機、不時着1機の損害をこうむった。「隼鷹」零戦の奮戦にもかかわらず、駆逐艦は両舷共に直撃弾を受け「有明」は沈没、「三日月」は離礁不能になり、やがて放棄のやむなきにいたった。

攻撃に飛来したのは第3爆撃航空群のB-25であった。この戦闘でニコルス中尉のB-25C型「ジョニー・ポンポン／イーガー・イーグル」が撃墜された。同機はニューギニア沿岸まで飛び、墜落する前に乗員4名が落下傘降下した。空戦でやられたのか、対空砲火なのか、詳細は不明である。

15時15分、零戦6機、基地、帰着。1機が被弾のためツルブ飛行場に不時着したが、人員に異常なし。翌29日、ラバウルに帰投した。

二〇一空の零戦8機が15時にツルブ上空へ到着、座礁した駆逐艦の上空哨戒を実施した。しかし、もはや米軍機は来襲しなかった。

地上では、ビビロ高地に向かっていた米第148連隊の糧秣集積所が攻撃され、銃撃戦となった。また補給路を走る車両が射撃で停滞した。歩兵第十三連隊の一部が右翼から、米第148歩兵連隊の後方地区へと浸透してきたのである。

29日、この日も第13航空軍はB-24によるブインへの空襲を予定していたが、悪天候によって中止になった。ムンダ飛行場を見下ろすビビロ高地の争奪戦では、補給線を確保する

7月28日、グロセスター沖で座礁した駆逐艦「三日月」1445トン。第３爆撃航空群のB-25の低空攻撃による至近弾の水柱が上がっている。直撃弾を受けた「三日月」は沈没こそしなかったものの、離礁不能となり翌日、放棄された。昭和２年に竣工した「三日月」はミッドウェイ作戦に参加した後、ソロモン諸島戦域での強行輸送作戦に参加していた。

米国のトップエース、リチャード・ボング少佐(最終階級)は、17年９月に第49戦闘航空群、第9戦闘飛行隊に配属され、同12月27日、ニューギニアで初撃墜戦果を報じた後、もっぱらP-38で撃墜戦果を重ね、19年４月には、それまでの米国のトップエース、リッケンバッカーが第一次大戦中に樹立した撃墜26機を追い抜いた。最終撃墜戦果は40機であった。

ため米第148連隊は一部を後退させたが、結局、夕刻までに歩兵第十三連隊によって、米連隊の補給線は切断されてしまった。

「白燐爆弾は飛行機を落とすためのものでない」本格的に使われ始めた空対空爆弾

7月30日、連合軍は、海兵隊のコルセア、ニュージーランド空軍のP-40、8機など、戦闘機62機で、9機のB-24を掩護してブイン攻撃に向かった。しかしブインが雲に覆われていたため、バラレ飛行場を攻撃した。

12時40分「B-24、7機、P-38、G戦、F4U、約30機来襲」との警報で、零戦46機（二〇四空16機、二五一空16機、「龍鳳」6機、「隼鷹」8機）が、バラレ基地を合同発進した。

P-40のパイロットは、滑走路から離陸する零戦を遠望しつつ航進。12時45分から空戦に入った零戦は邀撃高度まで上がると「白燐爆弾」を2発投下したと報告している。二〇二空がチモール島付近の防空戦でさかんに使っている対重爆用の空対空兵器の3号爆弾である。

二〇四空の羽切松雄飛曹長は、8月のある日、玉井司令（ママ。杉本丑衛大佐の誤りか？）から「3号3番」という空対空爆弾の使用法を指導するよう依頼されたと、自著「大空の決戦」（朝日ソノラマ航空戦史文庫）で回想している。3番とは30キロ爆弾のことである。羽切飛曹長は横空でこの爆弾を空対空兵器として活用するための投下実験を担当していたので、使用戦術の教官にこれ以上の人材はなかった。

2月下旬から使っていた二〇二空からはだいぶ遅れて、二〇四空が3号爆弾を使い始めたのは18年の8月からだったらしいが、この日も実験的に使ったのかも知れない。あるいは別の航空隊か、詳細は不明である。

二〇四空の羽切飛曹長によると、3号3番を落とす時には、高度差3百メートルで、敵の前上方から接近。米軍重爆の主翼がOPL（光像式）照準器の一番内側の目盛り一杯（距離千メートル）になったら投下。すると3秒の時限信管で、米軍編隊の頭上40、50メートルで爆発するという。

羽切飛曹長はブインでの初使用時、横空での実験通りの完璧な照準で投下。爆発が編隊を包んだように見えたが、退避の急上昇中に振り返ってみると1機も落ちていなかった。しかし、そうとうびっくりしたようで、爆弾の狙いは飛行場から外れて、みなジャングルの中に落ちていたと回想している。

ニュージーランド空軍のパイロットは「日本軍の白燐爆弾は飛行機を落とすためのものでなく、高射砲部隊に標的を示す信号弾である」と解説している。そうしてみると、最初は驚いたようだが、その後、連合軍機はこの兵器にあまり脅威を感じてはいなかったことがわかる。横空で投下実験を担当した技倆抜群の羽切飛曹長でも当てられないくらいだから、平均的な搭乗員が効果的に使用するのは難しかったのだろう。

ニュージーランド空軍のP-40は爆撃機を守るため、攻撃して来る零戦に向かって行ったが撃墜を報じることはできず、M・T・ヴァンダーパンプ中尉機は昇降舵を半分撃ち飛ばされ、T・M・ドデンネ大尉機は主翼に4発被弾した。

零戦隊は、来襲機を遠くムンダ付近にいたるまで追撃した。五二八空から転勤して来た鈴木宇三郎中尉指揮の二〇四空の零戦は、13時30分、ベララベラ南方でF4Uを2機撃墜した。二五一空の零戦は戦果なし。

B-24の近接掩護を命じられたVMF-221は「2個小隊を11時5分に発進させて、爆撃後、帰途につくと、零戦はベララベラ付近まで追跡して来た。ハッキング機とシュナイダー機だけが応戦したが、シュナイダー機は主翼に20ミリ機銃弾1発を被弾した」と戦時日誌に記している。

第72爆撃飛行隊のB-24の副操縦士、ハウザー少尉は零戦が重爆の編隊と並行して飛び、コルセア1機が零戦に撃墜されて海に落ちるのを目撃したが、この日は掩護戦闘機の数が多く零戦も手を出しかねているようで、重爆への攻撃は短時間で終わったと回想している。重爆を狙って落とされた3号爆弾には気づいてもおらず、対空砲火が凄かった（3号爆弾の爆発がそう見えた？）としか書いていない。

ハウザー少尉が見た墜落するコルセアは、まだ戦闘経験の浅いVMF-215「ファイティング・コルセア」のF4U-1である。VMF-215は、7月下旬、立て続け4機のコルセアを失っている。

行動調書によれば、13時40分、空戦終了。総合戦果はF4U撃墜2機、G戦撃墜不確実1機。各隊の零戦は14時30分から16時10分までに順次帰着した。損害なし。

ブカ基地から飛来した島田正男中尉の率いる二〇四空の零戦10機もこの空戦に参加した。13時からB-24、7機、シコルスキー、P-38、約30機を発見。シコルスキー撃墜1機を報告。14時、いったんブインに着陸し、15時、ブカに帰着している。

零戦隊は長時間追跡し、何機かに命中弾を見舞ったが完全に撃墜できたのはコルセア1機だけだった、しかし零戦に損害はなく、一方的な勝利となった。

ムンダの側面、ビビロ高地の手前で、日本軍に包囲され、機関銃と迫撃砲の射撃に曝されていた米第148連隊では水が欠乏、夜間に降り始めた雨を鉄帽に貯めて渇きを癒していた。しかし包囲している側の歩兵第十三連隊も、米軍の空爆と砲兵射撃を受けて損害が続出、包囲下にある米連隊の殲滅は果たせずにいた。

一ヶ月にわたる激戦の末、ムンダ飛行場からついに撤退

7月31日、4時40分、ニュージーランド空軍、第16飛行隊のP-40M型12機がガダルカナルの飛行場を離陸した。任務

はムンダ飛行場を攻撃する爆撃機の掩護である。爆撃は終わり、掩護任務を終えたP-40がニュージョージア島東部のセギ飛行場へと着陸しようとしていた時、ムンダに接近中の日本軍の大編隊を邀撃せよとの指令が入った。P-40は4機ずつ、三段になってムンダへと戻って行った。

5時、ブインを44機の零戦が発進した。二〇一空13（または16）機、二〇四空15機、二五一空16機が合同、任務は「レンドヴァ港上空、敵機撃滅」だった。零戦は6時40分に戦場上空に達したが、連合軍機は見当たらなかった。だが15分後、二五一空が約30機、二〇四空は10から12機と報告している戦闘機を発見。だが二〇四空は交戦せず、二五一空の16機だけが空戦に入り、P-40撃墜2機を報じた。二〇一空は敵機の姿を見ることもなく7時には帰途に就いていた。

最初に零戦の攻撃を受けた4機のP-40を、別のP-40小隊が救援しようとすると、太陽の中から別の零戦が襲いかかって来た。この一撃でL・W・ウィリアムズ曹長機が撃墜され、落下傘は密林の中に落ち、それきり彼は行方不明になった。数分後、S・G・シャープ軍曹のP-40が撃たれた。20ミリ機銃弾数発がエンジンを打ち砕いたのだ。彼は空戦域から逃れ、レンドヴァ海峡に米軍のPTボートが見えたので、そばに落下傘降下した。第16飛行隊の損害記録は、二五一空の戦果報告、P-40撃墜2機に完全に合致している。

敵機の姿が見えないので7時に戦場を離れた二〇一空は7時45分（また戻ってきたのか）、高度5千メートルでP-39、4機を発見した。古参の相曽幸夫飛曹長が率いる1中隊、1小隊、1、2、3番機が攻撃。一撃を加えると発動機から黒煙を噴出し、パイロットは落下傘降下、機体は雲の中に突入した。二五一空の零戦に撃たれ、すでにエンジンが停止した状態で飛んでいたシャープ軍曹機を、二〇一空の零戦がふたたび射撃したのだろうか。この日、別に落とされたP-39の損害記録を探したが、それは見つからなかった。

いずれにしても、7月最後の「レンドヴァパトロール」と零戦の空戦は、戦果は小さいながら、ふたたび零戦隊の一方的な勝利に終わった。

7月の一ヶ月で、米海軍と海兵隊の基地航空隊はソロモン、ビスマルク海方面でなんと延べ３１１９機が出撃。2月以来最高だった6月ですら延べ出撃機数は７２９機だった。その4倍以上である。交戦も倍増し、延べ２６０機が空戦。遭遇、交戦した日本機の数も、爆撃機が95機、戦闘機は6月の3倍以上に達する５７７機であった。そして日本爆撃機36機、戦闘機の撃墜戦果１５０機を報じている。一方、対空砲火で7機、日本戦闘機との交戦で38機、作戦中の事故で8機を失っている。

筆者の集計によると、7月に空戦で失われた米海軍、海兵隊、陸軍、ニュージーランド空軍機は計66機。内訳は20機のＦ４Ｆ、14機のP-40、13機のＦ４Ｕ、6機のP-38、ＴＢＦ、

８月4日に占領した、ニュージョージア島のムンダ飛行場に着陸する米陸軍航空隊のP-40。飛行場を囲む椰子林が砲火で荒廃し、この飛行場を巡る激戦を偲ばせる。特に右側のビビロ高地から連なる高台は、米軍の猛砲火で完全に丸裸になっている。ムンダ飛行場は米軍のブーゲンヴィル島、そしてニューブリテン島攻撃のための重要な基地となった。

ガダルカナル島の海岸に不時着、放棄された零戦の残骸。浜辺には大発の残骸らしきものも見える。ガダルカナル撤退が開始された18年２月１日から、ムンダ飛行場が失われた７月31日までのあいだに、このソロモン戦域で零戦は空戦で205機の連合軍機を撃墜または不時着させて全損にしたが、零戦も151機が失われた。

PB4Y、B-24各2機、SBD、P-39、F5A、B-25、SON-1、SOC-3、ハドソン各1機。一方、失われた日本戦闘機は45機（零戦42機、隼3機）だった。しかし零戦がかかわった空戦の中で9機もの陸攻、7機の陸軍重爆（一部は対空砲火）、4機の艦爆が失われた。合計すると日本側の損害は計65機。喪失機数からみた7月の空戦はほぼ互角であったといえる。

この戦域の連合軍戦闘機コマンドは6月30日の上陸から32日間、17回あったレンドヴァ上空と、4回のブイン邀撃戦で撃墜戦果316機を報じたが、戦闘機71機とパイロット40名を失ったことを認めている（作戦中の事故機4機を含む）。

以上のデータを収録している1946年9月に米陸軍航空本部の戦史部が作成した研究報告書「第13航空軍1943年3月から10月」では「日本側の損害が多いのは、装甲と自動防漏（セルフシーリング）燃料タンクの欠如のためである。連合軍パイロットは50口径機銃弾の命中で零戦や陸攻が爆発し、空中分解してしまうのを一度ならず目撃している。日本の搭乗員の技倆は様々だ。優れた者もいるが、そうでない者もいる。しかし射撃の腕前はたいがいお粗末だった」と、もっともらしく分析している。

だが同期間中、実際に失われた日本軍戦闘機は62機（零戦59機、隼3機）、米軍戦闘機の損害より少ない。しかし人的な損失は、連合軍戦闘機パイロット40名に対して55名（零戦は52名戦死、捕虜2名。隼1名戦死）と逆に多い。

重慶爆撃の際、十数トンもある九六陸攻が、たった十数グラムの7・7ミリ焼夷弾1発で火だるまにされてしまったことを聞き「空中戦闘とは互いに相手の燃料タンクを撃って点火し合うことだ」と捉えていた海軍の堀輝一郎技術少佐は、捕獲したB-17の燃料タンクを調査して驚いた。それは機銃弾が当たるとゴムの層が閉じて燃料タンクの穴を自動的に塞ぐ作りになっていたのだ。だが堀少佐は、米軍の物と同じ内袋式の自動防漏燃料タンクさえ18年には実用に耐える試作品ができたと回想している。セルフシーリング機能がやや劣る外袋式なら開戦前からあった。

しかし海軍は装甲による重量増加を厭い、タンクの容積が減り航続距離が短くなることを嫌ってゴム張りの自動防漏燃料タンクを零戦には使わなかった。堀少佐は「航空技術の全貌」（日本協同出版1953年刊）の中で海軍機の防弾防火艤装についての章を「斯様にすれば良いと云うものは兎に角出来ていたのだ」と結び、南海の空に散った搭乗員を想い「海軍が防弾艤装を死荷重と考えていた傾向」を嘆いている。

この7月最後の日、ムンダ飛行場攻撃の右翼、ビビロ高地への前進中に補給線を切断され包囲、射撃に曝されていた米第148連隊は、いよいよ状況が切迫。車両や、携行できない物資を爆破し、包囲を強行突破することになっていた。

ムンダ制圧、次はブインだ

8月1日、米第148連隊は全員に着剣を命じ、最後の突撃を敢行した。30分間の戦闘で、ようやく包囲を突破。将兵は米第161歩兵連隊に収容された。第148歩兵連隊は、この3日間の苦戦で戦死43名、負傷147名の損害をこうむっていた。

しかしこれまでの激戦で、日本の守備隊も消耗しきっていた。ムンダ飛行場の正面陣地にいた歩兵第二二九連隊の兵力は三分の一以下になり、この前日すでに防御線の再編を決めていた。後退した同連隊第2大隊は、激しい砲爆撃を避けて、ムンダ飛行場に臨む山麓に掘られた航空部隊用の大型防空壕に一時退避した。そのために開いた戦線の小さな隙間から米軍が後方に浸透。後方の日本軍高射砲部隊を壊滅させ、連隊本部との連絡を遮断した。

4日、歩兵第二二九連隊には再度の後退が命じられた。翌5日、米軍はついにムンダ飛行場を占領した。少なくとも戦闘機同士の戦いにおいて、零戦隊は「レンドヴァパトロール」に対し、ほとんどの場合、損害よりも僅かながら戦果の多い辛勝を収めていた。しかしこの勝利は、地上での血戦死闘を助け、米軍のニュージョージア島進攻を阻止する力にはならない徒花だった。

「ムンダの守備隊はガダルカナルの日本兵よりもずっと賢明で、果断、攻撃的だった」。米軍は長期間にわたってムンダの占領を妨げた後、残存兵力を首尾よくコロンバンガラ島へと撤退させた日本軍将兵の勇戦と巧みな戦術を高く評価している。しかし大きな犠牲を払いながら、連日連夜、粘り強い攻撃をつづけた海軍航空隊への讃辞はない。過大な戦果報告をもとに、米軍は「レンドヴァパトロール」が海軍航空隊に圧勝したと信じていたうえ、日本海軍機の攻撃で受けた艦船および地上部隊の損失が、戦況に影響を与えるにはほど遠いものだったからである。互いに戦果として主張していたほどではないが、制空権を巡る戦いの犠牲は決して小さなものではなかった。実際、昭和18年2月1日から7月31日までに空戦で失われたのは零戦が151機。零戦との空戦で墜落、または不時着等で全損になった連合軍機は205機である。こうして中部ソロモンは失われた。

ムンダではただちに滑走路の修理と拡張工事、周辺施設の整備がはじまった。そして9日後には早くも、宿敵「ザ・ファイティング・コルセア」など、海兵隊の戦闘飛行隊2個がムンダ飛行場に進出してきた。ハルゼー提督の次の目標は、ラバウル航空要塞の無力化であった。

その前に、邪魔なブイン基地を潰さなくてはならない。

南東方面、零戦の損害と空戦戦果一覧
昭和18年2月1日−7月31日

註記・飛行機隊戦闘行動調書に記載されている零戦の「自爆」は被撃墜が目撃された損害である。同「未帰還」は空戦での被撃墜をはじめ、対空砲火、機械故障、操縦ミス、航法ミス、悪天候による損害も含むと思われる。ただし空戦に参加せず「未帰還」になった零戦は記載していないので、本リストの「未帰還」の多くは空戦で撃墜された損害と思われる。米軍機の場合は、当時の資料で損害の原因が細かに分類されている。そこで原則として空戦で撃墜されたとされる損害のみを記載している。しかし「作戦飛行中に行方不明」など、米軍は空戦による喪失としてはいないが、空戦があった地域で失われ、実際には空戦による喪失の可能性もあると筆者が判断した損害については、一部併記している。

2月1日

42nd BS B-17E(41-9151) Maj Earl O. Hall, Jr.　空戦で喪失、全員戦死　ブイン
42nd BS B-17E "Eager Beavers" (41-9122) Capt Frank L. Houx　空戦でブーゲンヴィル南部に墜落、全員戦死
42nd BS B-17E "Yokohama Express" (41-2442) Capt Harold P. Hensley　空戦でショートランド湾に墜落、全員戦死
72nd BS B-17E Capt Thomas　空戦で被弾、ガダルカナル島に不時着、救助

五八二空　2中隊1小隊3番機　大沢芳夫飛長　被弾　ルンガ泊地
五八二空　2中隊2小隊2番機　堀田三郎二飛曹　未帰還　ルンガ泊地
五八二空　3中隊2小隊2番機　森岡辰男二飛曹　未帰還　ルンガ泊地

VMF-112 F4F-4(11657)　Lt Moran　空戦で喪失、救助　ルンガ泊地

MAG-11 F4F-4(11687)　パイロット名不明　作戦中の事故、喪失原因不明　ソロモン

「瑞鶴」　1中隊14小隊2番機　田中作治二飛曹　未帰還　ルンガ泊地
「瑞鶴」　2中隊19小隊1番機　千葉壮治上飛曹　未帰還　ルンガ泊地

VGS-12 F4F-4(11882) L.A. Bliss　作戦中の事故、喪失原因不明、救助

67th FS P-39D Lt Robert L.(判読不能)　15時5分から17時15分、空戦で喪失、戦死　ニュージョージア付近

44th FS P-40 Lt Elmer Wheadon　空戦で被弾、不時着、負傷　ガダルカナル

VMSB-131 TBF-1(00560) M/Sgt Julien　空戦で喪失、戦死　ガダルカナル
VMSB-131 TBF-1(05901) Capt Molvik　空戦で喪失、行方不明　ガダルカナル
VMSB-131 TBF-1(01742) Lt Dalton　零戦の20ミリで負傷　帰還　全損　ガダルカナル
VMSB-131 TBF-1(00415) Capt Dean　空戦で被弾　帰還　全損　ガダルカナル
VMSB-131 TBF-1 Capt Smyth　空戦で被弾　帰還　ガダルカナル
VMSB-131 TBF-1 Capt Maguire　空戦で尾部に20ミリが1発命中　帰還　ガダルカナル

VMSB-234 SBD-3(06650) Lt Williams/Hawks　艦船の対空砲火で喪失、行方不明　ガダルカナル
VMSB-234 SBD-4(06782) Capt Moore/Reed　陸上の対空砲火で喪失、ルッセル島上空で落下傘降下　ガダルカナル
VMSB-234 SBD-4(06793) Lt Abram Moss/Henze　陸上の対空砲火で喪失、戦死　射手は救助(戦傷死)　ガダルカナル

2月2日

二五二空　1小隊3番機　中別府隼雄飛長　行方不明　バラレ

44th FS P-40 Lt Jhon Wood 空戦の被弾で脚に負傷　帰還　バラレ

2月4日
「瑞鶴」2中隊16小隊　重見勝馬飛曹長　未帰還
ガダルカナル
68th FS P-40F 2/Lt Michael J.Carter 15時、F4Fの誤射で落下傘降下　行方不明　ニュージョージア西岸沖

VMSB-234 SBD-4 (10351) Lt Russell/Stanley　陸上の対空砲火で喪失、行方不明　ガダルカナル
VMSB-234 SBD-4 (06862) Lt Murphy/Williamson　艦船の対空砲火で喪失、着水、救助　ガダルカナル

VF-72 F4F-4(11869)　パイロット名不明　空戦で喪失　ニュージョージア島

VF-6 F4F-4(11717)　パイロット名不明　戦闘地域で操縦ミスで墜落　ソロモン

2月7日
五八二空　2中隊2小隊1番機　武本正実二飛曹　自爆　ガダルカナル
五八二空　2中隊2小隊2番機　福森大三二飛曹機　被弾　ガダルカナル

MAG-12　F4F-4(03416) Capt Wyatt B. Carneal　捜索飛行中に機械的故障で墜落、救助　ソロモン

2月8日
VSG-11 TBF-1(05963)　パイロット名不明　空戦で喪失　ソロモン

2月9日
二〇一空　1番機　山下佐平飛曹長　B-17との交戦で行方不明　ナウル島沖

B-17F "My Lovin' Dove" (41-24450)　Capt Thomas Classen　二〇一空の零戦が撃墜、着水、救助　ナウル島沖

2月11日
VF-6 F4F-4(11736) Ens Hugh D. Mcintosh　七〇五空の陸攻が撃墜、行方不明　ソロモン

2月13日
二五二空　一直1小隊1番機　岡林保二飛曹　被弾　帰還　ブイン
二五二空　一直1小隊3番機　北村之保飛長　被弾　帰還　ブイン
二五二空　二直1小隊3番機　鈴木茂一飛長　被弾　帰還　ブイン
二五二空　二直3小隊1番機　高野幸太郎二飛曹　自爆　ブイン

二〇四空　1小隊3番機　中沢政一飛長　B-24の反撃で右翼に1発被弾　帰還　ブイン
二〇四空　2小隊3番機　山本一二三飛長　B-24の反撃で自爆　ブイン

424th BS B-24D (41-23597) Lt. Harold G. McNeese　高射砲と零戦、着水、5名救助　ブイン
424th BS B-24D (41-23980) 1/Lt. George K.Trager　高射砲の直撃で空中分解、全員戦死　ショートランド
424th BS B-24D (41-23975) 1/Lt. Russell W. Rowe　高射砲で炎上墜落、全員戦死　ブイン

339th FS P-38G 2/Lt Robert Parker Rist　10時30分、空戦で喪失、行方不明　ブーゲンヴィル付近
339th FS P-38G Morton　空戦で喪失、救助　ブイン
339th FS P-38G Cramer　空戦で喪失、救助　ブイン
339th FS P-38G Lockridge　空戦で喪失、救助　ブイン

68th FS P-40F(41-14110) 1/Lt Raymond A. Morrissey　8時45分、ブイン旋回中、零戦に撃墜される
68th FS P-40F (41-14825) Capt Albert L. Johnson　9時、空戦で喪失、行方不明　バラレ島付近

2月14日
17th FRS F-5A(42-12678) 2/Lt Ardall A. Nord　二五二空の零戦が撃墜　行方不明　バラレ

VB-101 PB4Y-1(31948) Lt Jay Darwin Bacon　空戦で喪失、全員戦死　ブイン
VB-101 PB4Y-1(31970) Lt Stuart Trumble Cooper　空戦で喪失、全員戦死　ブイン

339th FS P-38G 2/Lt Joseph Finkenstein　零戦追跡中Huey機と空中衝突、戦死　ブイン
339th FS P-38G 2/Lt Wellman Howard Huey　零戦追跡中Finkenstein機と空中衝突、落下傘降下、捕虜　ブイン
339th FS P-38G 2/ Lt Donald G. White　空戦で喪失、戦死　ブイン
339th FS P-38G John R. Mulvey, Jr　零戦が撃墜、ルッセル島の近くに着水　救助

VMF-124 F4U-1(02187) 1/Lt George L. Lyon　零戦と空中衝突、戦死　ブイン
VMF-124 F4U-1(02249) Lt Harold R. Stewart　空戦で被弾、着水、戦死　ブイン

二五二空　2小隊2番機　吉田善男二飛曹　F4Uと空中衝突？未帰還　ブイン
二五二空　2小隊1番機　花房亮一上飛曹　被弾、負傷　帰還　ブイン

PATSU-1 PBY-5A(02965)　パイロット氏名不明　空戦で喪失　ソロモン

2月19日
321st BS B-24D "Lady Luck" (41-11901) 2/Lt Howard F. Carlson　二五三空零戦が撃墜　スルミ

二五三空　3小隊1番機　剣持楊一中尉　B-24との交戦で自爆　スルミ

2月23日
MAG-14 SBD-4(06743)　パイロット名不明　空戦で喪失　ソロモン

VMSB-132 SBD-3(03296)　パイロット名不明　空戦で喪失　ソロモン
VMSB-132 SBD-3(03288)　パイロット名不明　艦船からの対空砲火で喪失　ソロモン
VMSB-132 SBD-3(06674)　パイロット名不明　陸地からの対空砲火で喪失　ソロモン
VMSB-132 SBD-3(03306)　パイロット名不明　陸地からの対空砲火で喪失　ソロモン
VMSB-132 SBD-3(06687)　パイロット名不明　捜索飛行中に戦闘以外の原因で喪失　ソロモン
VMSB-132 SBD-3(03297)　パイロット名不明　捜索飛行中に戦闘以外の原因で喪失　ソロモン
VMSB-132 SBD-3(03872)　パイロット名不明　捜索飛行中に戦闘以外の原因で喪失　ソロモン

2月25日
VMF-? F4F-4 (02049)　パイロット名不明　空戦で喪失　ソロモン

ComAirPac F4F-4(11694)　パイロット名不明　空戦で喪失　ソロモン
ComAirPac F4F-4(11774)　パイロット名不明　空戦で喪失　ソロモン
ComAirPac F4F-4(11796)　パイロット名不明　空戦で喪失　ソロモン

VMF-121 F4F-4(11715)　パイロット名不明　空戦で喪失　ソロモン
VMF-121 F4F-4(11722)　パイロット名不明　空戦で喪失　ソロモン

VMSB-132 SBD-3(4687)　パイロット名不明　空戦で喪失　ソロモン
VMSB-132 SBD-3(06516)　パイロット名不明　空戦で喪失　ソロモン

VMSB-? SBD-4(06703)　パイロット名不明　空戦で喪失　ソロモン

2月27日
68th FS P-40F Lt Jackson B. Lewis　14時15分から15時30分、格闘戦で海に墜落　戦死　ベララベラ島付近

339th FS P-38G Lt Fred S.Brown　15時45分、空戦で喪失、戦死　サンタイザベル南方32キロ

VMF-124 F4U-1(02191) Lt George L.Gately　捜索飛行中の事故で喪失、原因不明、戦死　ソロモン
VMF-124 F4U-1(02171) Lt Walter A. Franklin　作戦中の事故で喪失、原因不明、戦死　ソロモン

3月2日
二五三空　1小隊3番機　小林市平飛長　　未帰還
二五三空　3小隊2番機　野田徳晴二飛曹　スルミ基地付近に不時着水　救助

43rd BS B-17　Capt Holsey　乗員5名が負傷、機上で火災が発生　帰還

3月3日
43rd BS B-17 Lt Woodrow W. Moore　空戦で喪失、牧正直飛長機の体当たりで墜落、全員戦死
43rd BS B-17 Lt Easter　空戦で被弾、無線手、機関士、射手が負傷。機長も頭部と胸に被弾　帰還
43rd BS B-17 Capt Halcutt　空戦で被弾、機長、機関士が負傷　被弾多数　爆撃せずに帰還
43rd BS B-17 Cat Crrawford　空戦で被弾、機長、射手2名、爆撃手が負傷　被弾多数　帰還

「瑞鳳」1小隊2番機　壇上滝夫上飛曹　自爆
「瑞鳳」3小隊3番機　牧正直飛長　Moore中尉のB-17に体当たり戦死

二〇四空　1中隊1小隊3番機　中沢政一飛長　左翼に1発被弾　帰還
二〇四空　1中隊2小隊2番機　矢頭元佑飛長　不時着水　救助　戦傷死
二〇四空　2中隊2小隊1番機　西山静喜二飛曹　行方不明

39th FS P-38F　Lt Robert Faurot　空戦で喪失、行方不明
39th FS P-38F　Lt Hoyt A. Eason　空戦で喪失、行方不明
39th FS P-38F Lt Fred B. Shifflet, Jr　空戦で喪失、行方不明

90th BS B-25　パイロット氏名不明　空戦で喪失

No.30SQ Beaufighter F/L Ted Jones　空戦で被弾、発火、帰還、胴体着陸

3月6日
五八二空　1中隊2小隊1番機　樫村寛一飛曹長　SBDの後部機銃が撃墜　ルッセル

VMSB-144 SBD T/Sgt Ballard　空戦で被弾、後部射手負傷、帰還　ルッセル

3月8日
65th BS B-17 Lt Lloyd Boren 零戦に襲われ4名が負傷　帰還　ガスマタ

3月10日
五八二空　1中隊3小隊2番機　沖繁国男飛長　被弾で燃料コック損傷、イザベル島レカタ東方に不時着　救助
五八二空　3中隊1小隊2番機　松永留八一飛曹　自爆　ルッセル
五八二空　3中隊1小隊2番機　有村正則一飛曹　自爆　ルッセル

3月11日
「瑞鳳」2中隊1小隊2番機　北岡誠一一飛曹　行方不明　ブナ
「瑞鳳」2中隊1小隊3番機　小山弘飛長　自爆　ブナ

8th FS P-38 Lt Bill Hanning　黒煙を曳いて墜落。落下傘降下　救助　ブナ
8th FS P-40 2/Lt Leo Mayo　計器の半分を吹き飛ばされ、負傷して帰還　ブナ

3月28日
二五三空　2中隊1小隊2番機　上片平金行二飛曹　未帰還　オロ湾

二五三空　3中隊1小隊1番機　井上朝夫飛曹長　未帰還　オロ湾

8th FS P-40 2/Lt Cecil Dewees　空戦で喪失、風防を20ミリで粉砕され、戦死　オロ湾

3月31日

VMF-124 F4U-1(02179) パイロット氏名不明　空戦で喪失　ソロモン
VMF-124 F4U-1(02180) パイロット氏名不明　空戦で喪失　ソロモン

4月1日

二〇四空　1中隊1小隊1番機　川原茂人中尉　未帰還　ルッセル
二〇四空　2中隊2小隊1番機　杉山英一二飛曹　未帰還　ルッセル

五八二空　1中隊2小隊2番機　一本津留美二飛曹　未帰還　ルッセル

二五三空　1中隊2小隊2番機　川畑一郎二飛曹　未帰還　ルッセル
二五三空　2中隊1小隊2番機　小野清二飛曹　未帰還　ルッセル
二五三空　2中隊2小隊2番機　田中泉二飛曹　未帰還　ルッセル
二五三空　2中隊3小隊1番機　清水日出夫一飛曹　未帰還　ルッセル
二五三空　3中隊1小隊3番機　泉義春飛長　未帰還　ルッセル
二五三空　3中隊3小隊3番機　水野末男上飛兵　未帰還　ルッセル

VF-26 F4F-4 (03410)　パイロット氏名不明　空戦で喪失　ソロモン
VF-26 F4F-4 (03535)　パイロット氏名不明　空戦で喪失　ソロモン

VF-28 F4F-4 (12046)　パイロット氏名不明　空戦で喪失　ソロモン
VF-28 F4F-4 (03485)　パイロット氏名不明　空戦で喪失　ソロモン

VMF-124 F4U-1(02206) Lt Johnston　空戦で喪失、救助　ルッセル

339th FS P-38J (42-67175)　Joseph Young　零戦が格闘戦で撃墜　ルッセル

VMSB-143 TBF-1(06084) Winsted　陸上の対空砲火で喪失、行方不明　ルッセル
VMSB-143 TBF-1(05905) Lt Palmer　陸上の対空砲火で喪失、行方不明　ルッセル
VMSB-143 TBF-1(05897) Lt Lehow　陸上の対空砲火で喪失、行方不明　ルッセル
VMSB-143 TBF-1(05944) Lt Frazier　陸上の対空砲火で喪失、救助　ルッセル

4月7日

VMF-214 F4F-4(11905) Capt Burnett　五八二空零戦に撃墜され落下傘降下、救助　エスペランス岬
VMF-214 F4F-4(11721)、Scarborough　「隼鷹」零戦第7小隊、被弾発煙、胴体着陸　全損　ルンガ上空

VMF-221 F4F-4(12084) Lt J.E.Swett　「瑞鶴」艦爆が撃墜　救助　ガダルカナル
VMF-221 F4F-4(11890) 2/Lt P.P.Pittman　空戦で喪失　救助　ガダルカナル
VMF-221 F4F-4(03529) Lt G.W.Roberts　「瑞鶴」零戦が撃墜　救助　ガダルカナル
VMF-221 F4F-4(12013) Lt E.A.Walsh　「瑞鶴」零戦が撃墜　救助　ガダルカナル
VMF-221 F4F-4(02143) Lt W.H.Hallmeyer　空戦で喪失　救助　ガダルカナル
VMF-221 F4F-4(11716) Lt Winfield　空戦でフラップとブレーキが壊れ、着陸時逆立ち、全損　ガダルカナル
VMF-221 F4F-4(12049) Capt Payne　空栓で被弾　胴体着陸　全損　ガダルカナル
VMF-221 F4F-4 Lt Schocker　「隼鷹」零戦の7.7ミリを60発被弾　エンジン停止　帰還　ガダルカナル
VMF-221 F4F-4 S/Sgt Pittman　空戦でフラップを破損、方向舵と補助翼に20ミリ被弾　帰還　ガダルカナル
VMF-221 F4F-4 Lt Baldwin　空戦で右翼に20ミリ1発命中　左翼などに7.7ミリ命中　帰還　ガダルカナル
VMF-221 F4F-4 T/Sgt Volker　空戦で風防に被弾　帰還　ガダルカナル
VMF-221 F4F-4 Lt Woods　空戦の被弾で穴だらけ　帰還　ガダルカナル
VMF-221 F4F-4 Lt Chapman　空戦中、機首から尾翼、両翼の端から端まで被弾　帰還　ガダルカナル

VMF-221 F4F-4 Lt Moore　空戦で20ミリと7.7ミリ被弾、帰還　ガダルカナル

VMF-124 F4U-1 Lt Kennesh A Walsh　零戦との格闘戦で着水　救助　ガダルカナル

70th FS P-39K(42-4274) Maj Waldon Williams　13時45分「瑞鶴」18小隊の零戦が撃墜　ガダルカナル

12th FS P-38　パイロット氏名不明　二五三空の零戦に撃墜され落下傘降下　救助　ガダルカナル

VMSB-142 SBD-4(06754) Lt Weber　行方不明(零戦に撃墜された可能性あり)　ツラギ沖

五八二空　2中隊2小隊3番機　本田秀正飛長　行方不明　エスペランス岬

「瑞鳳」5小隊3番機　石田文治一飛曹　行方不明　フロリダ島上空

「飛鷹」2中隊2小隊　1番機　松山次男飛曹長　未帰還　シーラーク水道

「隼鷹」2中隊5小隊1番機　射手園四郎中尉　未帰還　ルンガ上空
「隼鷹」2中隊5小隊1番機　小林松太郎上飛曹　未帰還　ルンガ上空
「隼鷹」2中隊5小隊1番機　二宮一平飛長　未帰還　ルンガ上空
「隼鷹」2中隊6小隊2番機　四元千畝一飛曹　自爆　ルンガ上空
「隼鷹」3中隊8小隊1番機　片山正三飛曹長　未帰還　ルンガ上空
「隼鷹」3中隊8小隊2番機　安藤勇治二飛曹　未帰還　ルンガ上空

二五三空　3中隊1小隊2番機　福田六郎二飛曹　第339戦闘飛行隊のP-38と交戦、自爆　ガダルカナル
二五三空　3中隊1小隊3番機　金光保雄飛長　第339戦闘飛行隊のP-38と交戦、未帰還　ガダルカナル

二〇四空　2中隊3小隊3番機　村田真飛長　被弾発火　自爆　ガダルカナル

4月11日
8PRS B-17「666」Josh Barnes　被弾損傷　帰還　カビエン

二五三空　1小隊3番機　関谷尊飛長　B-17邀撃で被弾　カビエン
二五三空　2小隊3番機　岩城貞和二飛曹　B-17邀撃で自爆　カビエン

「瑞鶴」15小隊1番機　岡本泰蔵中尉　未帰還　オロ湾
「瑞鶴」17小隊2番機　上沼周竜一飛曹　未帰還　オロ湾

4月12日
二〇四空　杉原繁弘飛長　B-17を単機で追撃　未帰還　ラバウル

41st FS P-39D (41-38351) 1/Lt Richard Culton　零戦が撃墜　落下傘降下　救助　ポートモレスビー
41st FS P-39D (41-38402) 2/Lt Richard D. Kimball　零戦が撃墜　落下傘降下　救助　ポートモレスビー
41st FS P-39 Lt. Keating　零戦が撃墜　落下傘降下　救助　ポートモレスビー
41st FS P-39 Lt. Ferguson　零戦が撃墜　落下傘降下　救助　ポートモレスビー

80th FS P-38G Lt Campbell P. M. Wilson　被弾　胴体着陸　ポートモレスビー
9th FS P-38 Lt Martin P. Alger　被弾して片発となり不時着、全損　ポートモレスビー

4月14日
「瑞鶴」1中隊13小隊1番機　光元治郎飛曹長　未帰還　ミルン湾
「瑞鶴」3中隊19小隊2番機　今村幸一二飛曹　ワイド湾に着水　救助

五八二空　3中隊2小隊1番機　榎本政一二飛曹　米軍機と空中接触して小破(生還)　ミルン湾

9th FS P-38G-5 (42-12849) 1/Lt William D. Sells　被弾で片発が停止　着陸失敗　戦死

No.77SQ P-40K Lt Mark Ernest Sheldon　零戦に撃墜されて戦死　ミルン湾
No.77SQ P-40K 2/Lt Norman Sherwood 空戦中に錐揉み状態 不時着 全損　ミルン湾

No.75SQ P-40E Sgt James McLaren Stirling　被弾で右脚に負傷　帰還　ミルン湾

4月18日
339th FS P-38G Lt Raymond K. Hine　空戦で喪失、戦死　ブイン

VMF-213 F4U-1(02396) Lt Hines　空戦で喪失、行方不明　ソロモン

4月20日
VS-54 OS2N-1(01493) Alvin Laycester　空戦で喪失、行方不明　ソロモン

4月25日
VMF-213 F4U-1(02399) Lt Eckart　空戦で喪失、戦死　ガッカイ島
VMF-213 F4U-1(02413) Lt Vedder　空戦で喪失、落下傘降下、救助　ガッカイ島
VMF-213　F4U-1 Lt Peck　空戦でエンジンに被弾　帰還　ガッカイ島
VMF-213　F4U-1 Maj Peyton　空戦で被弾　左腕と膝に負傷して帰還　ガッカイ島

4月29日
12th FS P-38G(43-2218) 1/Lt Gordon Whitaker, Jr　五八二空の角田飛曹長が撃墜、戦死　ブイン

4月30日
VF-72 F4F-4(11665)　パイロット氏名不明　空戦で喪失　ソロモン
VF-72 F4F-4(11676)　パイロット氏名不明　空戦で喪失　ソロモン
VF-72 F4F-4(11791)　パイロット氏名不明　空戦で喪失　ソロモン

FAW-1 PBY-5A(2488)　パイロット氏名不明　空戦で喪失　ソロモン

5月7日
63rd BS B-17F "The Reckless Mountain Boys" (41-24518) Capt Byron Heichel　不時着水　8名捕虜　カビエン

二五三空　1番機　上村清次郎一飛曹　B-17との交戦で戦死　カビエン

5月13日
二〇四空　1中隊1小隊3番機　大原亮治飛長　空戦で被弾、コロンバンガラ不時着、帰還　ルッセル
二〇四空　2中隊1小隊1番機　野田隼人飛曹長　行方不明　ルッセル
二〇四空　2中隊3小隊2番機　刈谷勇亀二飛曹　行方不明　ルッセル

五八二空　1中隊1小隊3番機　伊藤重彦二飛曹　被弾　ルッセル
五八二空　1中隊3小隊2番機　佐々木正吾二飛曹　行方不明　ルッセル
五八二空　2中隊1小隊3番機　明慶幡五郎二飛曹　被弾　ルッセル

二五三空　5番機　谷垣溜二飛曹　未帰還　ルッセル

VMF-112 F4U-1(02170) Lt Seifert　空戦で喪失、行方不明　ルッセル
VMF-112 F4U-1(02188) Lt Wilcox　空戦で被弾、帰還、全損　ルッセル
VMF-112 F4U-1 Capt Baesler　空戦で被弾、ルッセルに不時着
VMF-112 F4U-1 Capt Donahue　空戦で被弾、帰還　ルッセル

VFM-124 F4U-1(02178) Maj William Gise 空戦で喪失、行方不明(捕虜) ルッセル
VMF-124 F4U-1(02370) Lt Dale 空戦で喪失、落下傘降下、救助 ルンガ岬
VMF-124 F4U-1(02314) Lt Cannon 空戦で被弾、ツラギ沖まで帰還、主脚が出なかったので着水、救助

12th FS P-38G(43-2292) Lt James Gill 10時55分、空戦で喪失、戦死 ルッセル

No.15 SQ P-40(NZ 3080) F/O I.R.McKenzie 空戦で被弾、帰還 ルッセル

5月14日
49th FS P-38 2/Lt Arthur R.Bauhoff 撃墜され行方不明 ニューギニアのオロ湾
49th FS P-40 Lt Jhon Griffith 7.7ミリ15発、20ミリ1発を被弾 帰還 全損 ニューギニアのオロ湾

二五一空 1中隊1小隊3番機 八尋俊一二飛曹 13ミリ被弾1発 ニューギニアのオロ湾
二五一空 3中隊2小隊3番機 小竹高吉二飛曹 13ミリ被弾3発 ニューギニアのオロ湾
二五一空 4中隊1小隊1番機 大野竹好中尉 13ミリ被弾2発 ニューギニアのオロ湾
二五一空 4中隊1小隊2番機 米田忠飛曹 13ミリ被弾4発 ニューギニアのオロ湾
二五一空 5中隊2小隊1番機 近藤任飛曹長 13ミリ被弾1発 ニューギニアのオロ湾

5月15日
二五一空 1中隊1小隊1番機 木村章大尉 B-25との交戦で未帰還 フオン湾
二五一空 2中隊1小隊2番機 中山義一二飛曹 B-25との交戦でスルミに不時着、行方不明 フオン湾
二五一空 2中隊2小隊2番機 寺田幸一二飛曹 B-25との交戦でジャキノットに不時着水、救助 フオン湾

13th BS B-25C "Miss Snafu"(41-12487) 1st Lt Nelson P. Ingram Jr.フオン湾へ向かい行方不明 4名戦死

5月21日
8th PRS F-4A-1 "Dotin' Donna" (41-2177) Robert M. Blackard 行方不明 ワウ

5月24日
435th BS B-17E "Gypsy Rose" (41-9193) 1/Lt Raymond S. Dau ニューギニア北部で着水 全員救助

6月1日
64th BS B-17E "Texas #6" (41-9207) 1/Lt. Ernest A. Naumann 発火、墜落 4名捕虜 ワイド湾上空

6月5日
五八二空 4番機 長野喜一二飛曹 被弾 ショートランド
五八二空 5番機 山本留蔵二飛曹 被弾 ショートランド
五八二空 6番機 田中強二飛曹 被弾 ショートランド
五八二空 8番機 篠塚賢一二飛曹 被弾 ショートランド
五八二空 14番機 小川覚一飛曹 未帰還 ショートランド
五八二空 15番機 伊藤重彦二飛曹 未帰還 ショートランド
五八二空 18番機 馬場伝次郎二飛曹 未帰還 ショートランド
五八二空 19番機 竹中義彦飛曹長 被弾 ショートランド
五八二空 21番機 牧山百郎二飛曹 被弾 ショートランド

VB-21 SBD-3 (06520) Charles Theodore Larson 空戦で喪失、レカタ湾に着水、救助 ショートランド
VB-21 SBD-3 (06524) Lt(jg) David A. Beck 戦闘出撃中に事故で墜落、戦死 ショートランド

44th FS P-40F(41-19838) Lt Ralph J.Sooter 13時、零戦に一撃で撃墜される ブイン
44th FS P-40 Lt Jack Bade 空戦で被弾、負傷 帰還 ショートランド

VMF-124 F4U-1 Mutz 零戦との交戦で被弾、負傷、ルッセルに着陸 ショートランド

VP-54　PBY-5A(08078)　パイロット氏名不詳　空戦で喪失、海没または、戦闘空域を飛行中故障で墜落　ソロモン

6月7日

VF-11 F4F-4(11871) Lt Dan Hubler　空戦で喪失、落下傘降下、救助　ルッセル
VF-11 F4F-4(11751) Lt Terry Holberton　空戦で喪失、着水、救助　ルッセル
VF-11 F4F-4(11923) Lt Ed Johnson　空戦で喪失、バングヌ島の空き地に不時着、救助　ルッセル

VMF-112 F4U-1(02393) Maj R.B.Fraser　空戦で喪失、ペブブ島の岸から90メートルに着水、救助　ルッセル
VMF-112 F4U-1(02349) Lt W.S.Logan　空戦で喪失、落下傘降下、救助　ルッセル
VMF-112 F4U-1(02331) Lt Percy　空戦で喪失、落下傘が開かず降下、重傷、救助　ルッセル
VMF-112　F4U-1 Lt Johnson　空戦で被弾、方向舵をほとんど撃ち飛ばされる　帰還　ルッセル
VMF-112　F4U-1 Lt Synar　空戦で被弾、オイルクーラーを撃たれる　帰還　ルッセル

VMF-124 F4U-1(02220)　パイロット氏名不明　空戦で喪失　ソロモン

No.15SQ P-40 Fo Owen　空戦で被弾、エンジンをひどく撃たれルッセルに不時着
No.15SQ P-40 Po Davis　空戦で被弾、補助翼を半分撃ち飛ばされ、肩に負傷、ルッセルに不時着

44th FS P-40 Lt Henry Matson　空戦で喪失、遠藤機と衝突、落下傘降下　救助　ルッセル

二〇四空　1中隊2小隊1番機　日高義巳上飛曹　未帰還　ルッセル
二〇四空　1中隊2小隊2番機　山根亀治二飛曹　未帰還　ルッセル
二〇四空　3中隊2小隊3番機　岡崎靖一飛曹　自爆　ルッセル
二〇四空　1中隊1小隊4番機　柳谷謙治二飛曹　被弾、重傷　ムンダ不時着　ルッセル

二五一空　1中隊1小隊1番機　向井一郎中尉　燃料切れでブカ手前で不時着水、機体沈没　救助　ルッセル
二五一空　1中隊1小隊2番機　増田勘一二飛曹　自爆　ルッセル
二五一空　1中隊1小隊3番機　福井一雄二飛曹　不時着、機体大破　ルッセル
二五一空　1中隊2小隊2番機　松吉節二飛曹　未帰還　ルッセル
二五一空　1中隊2小隊3番機　関口俊太郎二飛曹　未帰還　ルッセル
二五一空　2中隊1小隊2番機　遠藤桝秋一飛曹　Matson機と衝突、未帰還　ルッセル
二五一空　3中隊2小隊3番機　中島良生二飛曹　自爆　ルッセル
二五一空　3中隊3小隊2番機　辻岡保一飛曹　被弾13発　帰還　ルッセル
二五一空　3中隊1小隊3番機　深町豊二飛曹　自爆　ルッセル

6月12日

No.14SQ P-40M　Fo Kenneth Morpeth　空戦で発火墜落、戦死　ルッセル

VF-11 F4F-4(12119) Ens Vern Graham　空戦で被弾、着陸時に転覆大破、重傷　ルッセル
VF-11 F4F-4 Lt Claude Ivie　空戦で被弾または燃料切れ、ルッセル付近に着水
VF-11 F4F-4 Les Wall　空戦で被弾、20ミリ機銃で負傷、着水　ルッセル
VF-11 F4F-4 Lt Lowell Slagle　燃料欠乏でルッセル島の荒れた滑走路に着陸、全損

VMF-121 F4U-1(02456) Capt Schmitt　空戦で喪失、行方不明　ルッセル

五八二空　1中隊3小隊2番機　平林真一二飛曹　被弾、帰還
五八二空　2中隊1小隊1小隊　野口義一中尉　未帰還　ルッセル
五八二空　2中隊2小隊2番機　沖繁国男二飛曹　未帰還　ルッセル
五八二空　3中隊1小隊3番機　藤岡宗一二飛曹　未帰還　ルッセル

二五一空　1中隊1小隊3番機　松本勝次郎二飛曹　未帰還　ルッセル
二五一空　1中隊2小隊4番機　末松博上飛　未帰還　ルッセル

二五一空　3中隊1小隊4番機　小竹高吉二飛曹　不時着水、機体沈没　救助
二五一空　3中隊2小隊3番機　寺田幸一二飛曹　被弾、帰還
二五一空　4中隊2小隊2番機　安藤宇一郎二飛曹　被弾、帰還
二五一空　4中隊2小隊4番機　上月繁信二飛曹　未帰還　ルッセル

6月16日
8th PRS B-17E (41-2666)"Lucy" Capt Jay Zeamer, Jr.　機上戦死1名、3名を除き全員負傷　帰還　ブカ

二五一空　2小隊3番機　八尋俊一二飛曹　発動機不調、不時着水、機体沈没、救助　ブカ

VF-11 F4F-4 (4095) Lt George Ricker　Boswell機と空中衝突、戦死　ルッセル
VF-11 F4F-4 (03442) Lt Chandler Boswell　Ricker機と空中衝突、戦死　ルッセル
VF-11 F4F-4 (11899) Lt Teddy Hall P-40と空中衝突、戦死　ルッセル
VF-11 F4F-4 (11937) Lt Jhon Pressler　空戦で喪失、着水　救助　ルッセル
VF-11 F4F-4 Lt Jhon Ramsey 空戦で被弾、帰還　ルッセル

VMF-122 F4U-1(02332) T/Sgt E.F.Stathion　空戦で喪失、戦死　ルッセル

44th FS P-40 Lt Jhon Tedder F4Fと空中衝突、戦死　ルッセル

70th FS P-39 Capt Norris　20ミリで両脚に重傷、帰還　ルッセル
70th FS P-39 Lt Wallance Jennings　艦爆の旋回機銃で腕に負傷、帰還　ルッセル

二五一空　1中隊1小隊3番機　奥村四郎上飛　未帰還　ルッセル
二五一空　2中隊1小隊4番機　寺田幸二上飛曹　被弾、不時着水、機体沈没、未帰還　ルッセル
二五一空　2中隊2小隊1番機　大木芳男飛曹長　未帰還　ルッセル
二五一空　2中隊2小隊4番機　大宅秀平中尉　未帰還　ルッセル
二五一空　3中隊2小隊2番機　山本末広二飛曹　未帰還　ルッセル
二五一空　4中隊1小隊1番機　香下孝中尉　対空砲火、未帰還　ルッセル
二五一空　4中隊1小隊3番機　清水郁造二飛曹　対空砲火、未帰還　ルッセル

五八二空　1中隊2小隊3番機　古平克己一飛曹　未帰還　ルッセル
五八二空　2中隊1小隊3番機　篠塚賢一二飛曹　未帰還　ルッセル
五八二空　2中隊2小隊2番機　石橋元臣二飛曹　未帰還　ルッセル
五八二空　2中隊2小隊3番機　福森大三一飛曹　未帰還　ルッセル

二〇四空　1中隊1小隊1番機　宮野善治郎大尉　未帰還　ルッセル
二〇四空　1中隊1小隊4番機　中村佳雄二飛曹　被弾、重傷、帰還　ルッセル
二〇四空　1中隊2小隊2番機　田村和二飛曹　未帰還　ルッセル
二〇四空　2中隊1小隊1番機　森崎武予備中尉　未帰還　ルッセル
二〇四空　2中隊1小隊4番機　坂野隆雄二飛曹　被弾、軽傷、帰還　ルッセル
二〇四空　3中隊1小隊3番機　神田佐治二飛曹　未帰還　ルッセル

6月18日
VMF-122 F4U-1(02430) Lt Ernest Powell (7月18日と重複?)空戦で喪失、行方不明　ソロモン

6月20日
8th PRS F-5A Capt Arthur L. Post　落下傘が開かず墜死　ワイド湾　二五一空　近藤任飛曹長が撃墜

6月26日
8th PRS F-5A(F-4) Lt Kenneth J.Murphy　戦死　マーカス岬南方　二五一空　近藤任飛曹長が撃墜

6月30日
VFM-121　F4U-1(02580)　Capt Baron　空戦で喪失、着水、救助　レンドヴァ
VFM-121　F4U-1(02628)　Capt Gordon　空戦で喪失、行方不明　レンドヴァ
VFM-121　F4U-1(02235)　Lt Dailey　空戦で喪失、落下傘降下、救助　レンドヴァ
VFM-121　F4U-1(02453)　Lt Foxworth　空戦で喪失、行方不明(救助?)　レンドヴァ

五八二空　1中隊2小隊1番機　八並信孝一飛曹　未帰還　レンドヴァ
五八二空　2中隊1小隊3番機　笹本孝道二飛曹　未帰還　レンドヴァ
五八二空　2中隊2小隊4番機　藤井信雄上飛　自爆　レンドヴァ
五八二空　搭乗員氏名不明　コロンバンガラ島、不時着大破

VMSB-132　SBD-5(10953)　Lt McDermott　空戦で喪失、救助　ガダルカナル
VMSB-132　SBD-5(10814)　Capt J.H. Stock　陸地の対空砲火で喪失、救助　ガダルカナル
VMSB-132　SBD-5(10822)　1st Lt R.N. McArdle　作戦中に墜落、原因不明、行方不明　ガダルカナル
VMSB-132　SBD-3(06636)　1st Lt S.K. Otterson　作戦中に燃料切れ墜落、救助　ガダルカナル
VMSB-132　SBD-4(06951)　1st Lt R.D. Bachtel　作戦中に燃料切れ墜落、救助　ガダルカナル
VMSB-132　SBD-3(4550)　1st Lt G.B. Herlihy　作戦中に機械故障で墜落、救助　ガダルカナル
VMSB-132　SBD-4(06966)　1st Lt McGuckin　作戦中に機械故障で墜落、救助　ガダルカナル

VC-26 TBF-1(06361) Lt(JG)Leadbetter 陸地の対空砲火で喪失、救助　ソロモン

VMF-221　F4U　Lt　Wood　空戦で20発以上被弾、膝に負傷して帰還　レンドヴァ

VMF-122　F4U-1(02267)　パイロット名不明　空戦で喪失　レンドヴァ
VMF-122　F4U-1(17482)　Capt Gardner　空戦で喪失、行方不明　レンドヴァ
VMF-122　F4U-1(02483)　Maj Reinberg　空戦で喪失、被弾、不時着、全損　レンドヴァ
VMF-122　F4U-1(02524)　Lt Bourgeois　作戦中の事故で墜落、救助　ソロモン
VMF-122　F4U-1(17898)　Lt Brennan　作戦中、エンジン故障で着水、行方不明　ソロモン

VMF-213　F4U-1(02518)　Maj Weissenberger　空戦で喪失、落下傘降下、救助　レンドヴァ
VMF-213　F4U-1(02518)　Lt Thomas　空戦で操縦席後方に7.7ミリ1発被弾　レンドヴァ
VMF-213　F4U-1(02518)　Lt Garison　空戦で操縦席に20ミリ命中、発煙したが帰還　レンドヴァ
VMF-213　F4U-1(02598)　Lt M. Peck　戦闘地域の事故で墜落、戦死　ソロモン

二五一空　1中隊1小隊1番機　向井一郎大尉　自爆　レンドヴァ
二五一空　1中隊1小隊2番機　小西信雄二飛曹　未帰還　レンドヴァ
二五一空　1中隊2小隊2番機　広森春一二飛曹　未帰還　レンドヴァ
二五一空　2中隊1小隊1番機　大野竹好中尉　未帰還　レンドヴァ
二五一空　2中隊1小隊2番機　福井一雄一飛曹　未帰還　レンドヴァ
二五一空　2中隊3小隊1番機　辻岡保一飛曹　不時着水、機体沈没　救助　レンドヴァ
二五一空　2中隊3小隊2番機　吹田譲次上飛　不時着、機体大破　救助　レンドヴァ
二五一空　3中隊3小隊1番機　安藤宇一郎二飛曹　未帰還　レンドヴァ
二五一空　3中隊3小隊2番機　村上幸男二飛曹　未帰還　レンドヴァ
二五一空　4中隊1小隊1番機　橋本光輝中尉　未帰還　レンドヴァ

部隊不明　F4F-4(5147)　パイロット氏名不明　空戦で喪失　ソロモン

VF-21 F4F-4(11862)　パイロット氏名不明　空戦で喪失、行方不明　ソロモン
VF-21 F4F-4(11885)　パイロット氏名不明　空戦で喪失、行方不明　ソロモン
VF-21 F4F-4(11901)　パイロット氏名不明　空戦で喪失、行方不明　ソロモン
VF-21 F4F-4(11947)　パイロット氏名不明　空戦で喪失、行方不明　ソロモン
VF-21 F4F-4(12053) Thrash　戦闘地域の事故で墜落　ソロモン

307th BG B-24 Lt Nathaniel Guiberson　5時5分、レンドヴァの1.2キロほど北方で尾部から発火しつつ着水

7月1日
二〇四空　3小隊1番機　辻野上豊光上飛曹　自爆　レンドヴァ

二五一空　1中隊2小隊1番機　甲斐正一二飛曹　未帰還　レンドヴァ
二五一空　1中隊2小隊2番機　新井藤孝飛長　未帰還　レンドヴァ
二五一空　1中隊3小隊1番機　田宮與三郎一飛曹　自爆　レンドヴァ
二五一空　2中隊2小隊1番機　塚本秀男二飛曹　未帰還　レンドヴァ

44th FS P-40F(41-19644)　Lt Carl Newlander　8時30分、空戦で喪失、行方不明　レンドヴァ
44th FS P-40　Lt James Paker　空戦で喪失、救助　レンドヴァ
44th FS P-40　Lt Magnus Francis　空戦で喪失、救助　レンドヴァ

No.14 SQ　P-40M　2nd LtJohn Burton　9時5分、空戦で喪失、戦死　レンドヴァ
No.14 SQ　P-40M　Lt Brown　空戦で喪失、落下傘降下、救助　レンドヴァ

VF-28　F4F-4 (11839) Lt Woods　空戦で喪失、行方不明　レンドヴァ
VF-28　F4F-4 (02038) Lt J.A.Mahoney　空戦で喪失、戦死　レンドヴァ
VF-28　F4F-4 (11779) Ens Walker　作戦中の事故で喪失、行方不明　レンドヴァ

VMF-121 F4U-1(02495) Lt Rhodes　作戦中、機械故障で喪失、救助　ソロモン

VMF-122 F4U-1(17751) Lt Bourgeois　戦闘地域で燃料切れで喪失、救助　ソロモン

VMF-213 F4U-1(02668) Capt Cloaka　戦闘地域で飛行機以外の物と衝突、救助　ソロモン

7月2日
VMF-121　F4U-1(02394) Capt Trenchard　空戦で被弾不時着、全損　レンドヴァ
VMF-121　F4U-1(02381) Capt Ford　空戦で20ミリの命中で滑油管を切断されて着水、救助　レンドヴァ
VMF-121　F4U-1(02383) Lt Barker　空戦で喪失、行方不明　レンドヴァ
VMF-121　F4U-1 Lt McCartney　空戦で20ミリ数発を被弾　帰還　レンドヴァ
VMF-121　F4U-1 Lt Linde　空戦で20ミリ1発被弾　帰還　レンドヴァ

17PRS F5A(42-12983) 2/Lt Fred Baird　二五一空の零戦が撃墜？　ブイン

7月3日
339th FSP-38G(43-2277)　2nd Lt Richard Baker　11時、空戦中に行方不明　レンドヴァ
339th FSP-38G(42-13500)　2nd Lt Robert Sylvester　空戦中に行方不明　レンドヴァ
339th FSP-38G(43-2267)　2nd Lt Howard Silvers　空戦中に行方不明　レンドヴァ

VMF-121　F4U-1(17485) Lt Dailey　空戦で喪失、救助　レンドヴァ

7月4日
二五一空　1中隊2小隊1番機　山崎市郎平二飛曹機　ムンダ飛行場に不時着、救助　レンドヴァ

1戦隊　一式戦二型　大田剛介大尉　体当たり戦死　レンドヴァ
1戦隊　一式戦二型　操縦者不明　不時着、救助　レンドヴァ
1戦隊　一式戦二型　操縦者不明　不時着、救助　レンドヴァ

No.18SQ　P-40　Maj S.Quill　空戦で被弾、肩に負傷、ルッセル諸島に不時着　レンドヴァ

VF-21　F4F-4(11868)　Lt (J.G)Head　空戦で喪失、行方不明　レンドヴァ

CL-50 SON-1(1148)　パイロット氏名不明(ヘレナ艦載機)　空戦で喪失　ベララベラ
CL-50 SOC-3(1084)　パイロット氏名不明(ヘレナ艦載機)　空戦で喪失　ベララベラ

7月5日
44th FS P-40F Lt Robert Krohn　空戦で喪失、落下傘降下、救助　レンドヴァ
44th FS P-40F Lt Grant Smith　空戦で方向舵を20ミリ機銃の命中で吹き飛ばされ、帰還　レンドヴァ
44th FS P-40F Wheeler　空戦で被弾、帰還　レンドヴァ
44th FS P-40F Lt Head　空戦で主翼付け根に20ミリが命中、帰還　レンドヴァ

7月6日
VB-102 PB4Y-1(31992) Capt Avery Van Horris　零戦の攻撃と対空砲火　日本軍勢力下の島に墜落炎上

VF-11 F4F-4 Lt Jim Swope　空戦で被弾。帰還したが機体は全損　レンドヴァ

370th BS B-24D (42-40230)　Lt Don F. Hathaway　空戦で喪失、行方不明　ブイン攻撃の帰途
370th BS B-24D (41-24093) Lt Joseph R. Littlepage　空戦で喪失、行方不明　ブイン攻撃の帰途

7月7日
二五一空　2小隊2番機　原口徳行二飛曹　未帰還　レンドヴァ

二五三空　大津武男二飛曹　未帰還　レンドヴァ

「龍鳳」2中隊3小隊3番機　大谷貢上飛曹　未帰還　レンドヴァ

VMF-122 F4U(17501) Lt Ewing　空戦で喪失、救助　レンドヴァ

VT-21 TBF-1(06063) Lt(JG) McKinnoy　空戦で喪失、行方不明　ブイン

7月9日
VF-11 F4F-4(11944) Lt Cyrus G.Carey　空戦で喪失、レンドヴァ沖に垂直に墜落、戦死　レンドヴァ
VF-11 F4F-4　Lt Sully Vogel　空戦で主翼に20ミリ3発が命中、帰還　レンドヴァ

7月11日
「龍鳳」2中隊3小隊3番機　岩瀬治助二飛曹　未帰還　レンドヴァ

二五三空　藤井月次郎二飛曹　未帰還　レンドヴァ

五八二空　1中隊2小隊2番機　大沢芳夫二飛曹　未帰還(捕虜生還)　レンドヴァ

VMF-221 F4U-1 (02490) Capt Sweet　空戦で喪失、救助　レンドヴァ
VMF-221 F4U-1 (02510) Lt Sage　空戦で喪失、行方不明　レンドヴァ
VMF-221 F4U-1 (02514) Lt Harold E. Segal　陸攻と零戦の協同撃墜、着水　救助　レンドヴァ
VMF-221 F4U-1 Lt Chapman 空戦で被弾、左かかとを負傷、帰還　レンドヴァ

VMF-213 F4U-1(17675) Lt Treffor　空戦で喪失、行方不明　レンドヴァ
VMF-213 F4U-1(17521) Lt A.R.Borg　空戦で喪失、落下傘降下、救助　レンドヴァ
VMF-213 F4U-1 (17517) Lt T.Thomas　作戦中にエンジン故障で着水、救助　レンドヴァ

68th FS P-39　Lt Edward Whitman　空戦で喪失、落下傘降下、救助　レンドヴァ

7月12日
五八二空　2中隊2小隊1番機　村崎房義二飛曹　未帰還　レンドヴァ
五八二空　2中隊2小隊4番機　大宮路馨二飛曹　未帰還　レンドヴァ

二五一空　2中隊3小隊3番機　辻岡保一飛曹　行方不明(捕虜生還)　レンドヴァ
二五一空　2中隊4小隊3番機　石崎博次一飛曹　行方不明　レンドヴァ

44th FS P-40 2nd Lt William Ehrenmann　空戦で喪失、20ミリで脚に負傷、着水、救助　レンドヴァ

7月13日
VF-28 F4F (12118) Ernest Ingold　空戦で喪失、救助　コロンバンガラ沖

7月15日
「龍鳳」2小隊2番機　鈴木泰二二飛曹　未帰還　レンドヴァ

二五三空　斉藤三郎中尉　未帰還　レンドヴァ
二五三空　永井七郎二飛曹　未帰還　レンドヴァ
二五三空　島田福満二飛曹　未帰還　レンドヴァ

二〇四空　1小隊2番機　山内芳美二飛曹　不調で引き返し行方不明

44th FS P-40　Lt Andrew W.Murray　空戦で喪失、行方不明　レンドヴァ

VMF-213 F4U-1(02599) Lt Votaw　空戦で喪失、行方不明　レンドヴァ

VF-21 F4F-4(12059) Ens Bedinger　空戦で喪失、行方不明　レンドヴァ

7月17日
「龍鳳」1小隊3番機　手塚政治上飛曹　落下傘開傘せずに戦死　ブイン
「龍鳳」2小隊3番機　中囿寿男二飛曹　未帰還　ブイン
「龍鳳」2小隊4番機　山本茂次郎二飛曹　未帰還　ブイン

「隼鷹」1中隊11小隊1番機　藤巻久明中尉　行方不明　ブイン
「隼鷹」1中隊11小隊2番機　森山権治上飛曹　戦死、遺体は第15掃海艇が収容　ブイン
「隼鷹」1中隊11小隊3番機　小島清一飛曹　行方不明　ブイン
「隼鷹」1中隊11小隊4番機　西田良雄二飛曹　行方不明　ブイン
「隼鷹」1中隊13小隊　搭乗員氏名不明　落下傘降下、救助　ブイン
「隼鷹」1中隊13小隊　搭乗員氏名不明　落下傘降下、救助　ブイン

二〇四空　2小隊1番機　越田喜佐久中尉　自爆　ブイン
二〇四空　4小隊3番機　竹澤秀也一飛曹　自爆　ブイン

二五一空　3番機　佐々木政二上飛　未帰還　ブイン

VT-21のTBF-1(06434) Lt Jacobson　空戦で喪失、戦死　ブイン

VMSB-132 SBD-4(10586) Lt J.T.Hughes　空戦で喪失、行方不明　ブイン

VMF-213 F4U-1(02421) Lt Foy Ray Garison 空戦で炎上墜落して行方不明　ブイン

339th FS P-38G James Lt W. Hoyle　空戦で喪失、戦死　ブイン
339th FS P-38G 2nd Lt Benjamin H. King　空戦で喪失、ベララベラ沖に着水、救助

VB-102 PB4Y-1(31952) Lt(JG)Haskett 空戦で喪失、行方不明　ソロモン

7月18日
二〇四空　4小隊4番機　井上末男二飛曹　自爆　ブイン

二〇四空　2小隊2番機　中沢政一二飛曹　未帰還　ブイン

「隼鷹」13小隊1番機　川崎正八二飛曹　未帰還　ブイン

VF-28 F4F-4 (5155) Lt Daltona　空戦で喪失、行方不明　ブイン
VF-28 F4F-4 (11978) Lt Pope　空戦で喪失、行方不明　ブイン
VF-28 F4F-4(11672) 2nd Lt Landis　空戦で喪失、行方不明　ブイン
VF-28 F4F-4(12094) Lt Pierson　空戦で喪失、行方不明　ブイン
VF-28 F4F-4 (11724) 2nd Lt Lewis　空戦で喪失、行方不明　ブイン
VF-28 F4F-4 (03472) Lt James H. Waring　空戦で喪失、行方不明　ブイン

VMF-213 F4U-1　Lt Charles C. Winnia 空戦で喪失、行方不明　ブイン
VMF-213 F4U-1　Lt S.O. Hall 空戦で喪失、チョイセル島の近くに着水、救助　ブイン

VMF-122 F4U-1　Capt Ernest A.Powell 空戦で喪失、行方不明　ブイン
VMF-122 F4U-1　2nd Lt Ray少尉 空戦で喪失、生死不明　ブイン

VMF-121 F4U-1 Lt William C. Rhodes 作戦中、燃料切れでセギ飛行場に着陸、全損　ソロモン

VC-26 TBF-1艦攻(05923) Ens Joe David Mitchel 滑油漏れで着水、行方不明　ショートランド沖

7月21日
二〇一空　2中隊4小隊4番機　福田小三郎上飛　行方不明　レンドヴァ

VF-28 F4F-4(12177)　Ens Morman L. Kukuk　作戦中に機械故障、救助　ソロモン

7月22日
VF-21 F4F-4(11679) Lt Ross E.Torkelson　空戦で喪失、行方不明　ショートランド
VF-21 F4F-4(11678) Hemsley　空戦で喪失、行方不明　ショートランド
VF-21 F4F-4(11975) Vowcrantz　作戦中、空中衝突　行方不明　ショートランド
VF-21 F4F-4(12176) Lt Scol　作戦中、空中衝突？　生死不明　ショートランド

7月24日
No.3SQ　Hudson (NZ2021) Fl G.C.Allison　5名戦死、1名救助　ベララベラ西岸のバガ島沖2キロ

7月25日
二五一空　1中隊2小隊3番機　国広欣爾二飛曹　行方不明

二〇四空　2小隊3番機　仁平哲郎一飛曹　未帰還　レンドヴァ
二〇四空　2小隊3番機　根本兼吉二飛曹　自爆　レンドヴァ

二〇一空　1中隊2小隊3番機　倉永稔二飛曹　未帰還　レンドヴァ
二〇一空　2中隊2小隊4番機　大浦武飛長　自爆　レンドヴァ

339th FS P-38 2/Lt Bernard Fleming　空戦で喪失、落下傘降下　ニュージョージア

VF-21　F4F-4(11876)　Roach　空戦で喪失、行方不明　レンドヴァ
VF-21　F4F-4(11973)　Johnsong　空戦で喪失、行方不明　レンドヴァ
VF-21　F4F-4(12122)　パイロット氏名不明　作戦中の事故で喪失、原因不明、救助　レンドヴァ

VMF-215　F4U-1(02328)　Maj Tomes 作戦中に機械故障で喪失、救助　レンドヴァ

7月26日
VMF-215　F4U-1(02537) Lt Moor　空戦で喪失、戦死　ベララベラ島と、コロンバンガラ島
VMF-215　F4U-1(02545) Capt Pickerel　作戦中に機械故障で喪失、戦死　ベララベラ島

7月28日
二〇四空　1小隊2番機　浅見茂正二飛曹　P-38、B-25との交戦で自爆　レンドヴァ

13th BS B-25C “Johnny Pom Pom / Eager Eagle”（41-12906）Lt. Nichols 空戦で喪失　グロセスター岬

7月30日
VMF-215 F4U-1(02375)　Capt J.A.Nichols 空戦で喪失、行方不明　バラレ

VMF-221 F4U-1 Schneider　空戦で主翼に20ミリ1発を被弾　バラレ

RNZAF P-40　Fo M.T.Vanderpump 空戦で被弾、昇降舵を半分撃ち飛ばされた　バラレ
RNZAF P-40　Fl T.M.de Denne 空戦で被弾、主翼に4発被弾　バラレ

7月31日
No.16SQ P-40M F Sgt　L.W.Williams　空戦で喪失、落下傘降下後、行方不明　レンドヴァ
No.16SQ P-40M Sgt S.G.Sharp　空戦で喪失、落下傘降下、救助　レンドヴァ

神話になる魔力をもっているのは零戦だけ

宮崎駿（映画監督）×梅本弘

宮崎　零戦をアメリカから買って、日本で飛ばしたいと思っていたんですよ。でも日本の税制の障害や、身内の反対もあって「殿ご乱心」って状態になっちゃってね。ロシアで作ったレプリカでもいいやって思ったりもしたけど、滞っているうちに気持ちが冷めちゃって、あきらめました。

梅本　それは残念ですね。飛ぶところが見たかった。

宮崎　動態でないと、飛行機はつまんないよね。ちゃんと飛ぶ状態でないと。飛行機の博物館へ行くと、なんでこんな馬鹿でかいんだろうって思うだけでね。

梅本　日本人のひいき目かも知れないけど、シルエットがこんなにきれいな飛行機ってないですよね。

宮崎　キャノピーがね、ものすごくきれいですよ。工場のそばに住んでたころ、ある朝、まだ枠に塗装していないキャノピーが土間に二つ置いてあったんです。最初は、なんだかわからなくて、ピカピカって全体が光っていたような印象だけが残っていて。

　このガラス。ガラスじゃないんだけど、こいつは磨くと、熱すると、いい香りがするんですよ。だから子供のころは破片をもらって香りをかいでたんです。

梅本　宮崎さんのご実家は軍需工場を経営していて、零戦のパーツを作っていたんですよね。

宮崎　翼端とね、キャノピーの組み立てをやってたんです。未熟練工をたくさん集めて、ワーッと作ってたんです。まァ、翼端なら多少ボロでもいいかっていう……。（工場を経営していた）親父の裏話を聞いていると本当に情けなくなるようなのばかりでね。「いやァ、宮崎さん。どんないっぱい作ったって南方に着くのは5機のうち1機ですよ」って、それを軍人が言ってたっていうから。「今度の戦争負けですよ」とかね。そういう話はずいぶん親父から聞いていたけど、そのくせ親父は増資して工場大きくしたりしてね。負けとわかっていたのに。工場をでかくした途端に戦争が終わって全部パーになった。

　航空評論家の佐貫亦男が、スピットファイアってのは、あの楕円翼でパイロットに魔法をかけたんだって書いてるけど……、子供のころ、ラバウルでこれから離陸しようとする零戦が列になって轟々とエンジンを回してる映像を見た時はしびれたよね。スピンナーやカウリングの形状、何かゾクゾクするものを持ってるんですよ。零戦は。これはいったいなんなんですかね。

それにしても、どうしてラバウルとかで戦争したんでしょうね。ガダルカナルなんて遠いところを決戦場にしないでさっさと逃げてくれれば良かったんですよ。いくら零戦が長距離を飛べるからって言って、毎日そんなところまで行けるかってね。ポートモレスビーだとか、ポートダーウィンまで行って、いったい何をするつもりだったのか、わからない。そもそも貴重な航空部隊を投入する戦場に、なんであんな観光地を選んだのかってことです。

源田実みたいなクルクルパーのもとで組織に埋没して犠牲になった零戦のパイロットはかわいそうですよ。まァ、それを言ったらこの話は終わりになっちゃうんだけど。

梅本 日本軍の損害には「自爆」と「未帰還」っていうのがあるじゃないですか。自爆は撃墜されるのを誰かが目撃した損害だけど、未帰還はなんで帰って来ないかのかわからない。とにかくだだっ広い戦場だから、空戦に夢中で迷子になって航法ミスやエンジン不調とかで帰りに不時着して行方不明になった人もいたと思うんです。

でも日本機は無線が機能してないから帰れない理由を報告できず、救助の要請だってできないまま未帰還になっちゃう。だから空戦の後、どうして帰って来なかったのか、この本でも検証はできなかったんです。

宮崎 そう。そうだったと思いますよ。それも含めて本当にどうかしてるっていうか。海軍の搭乗員たちは魔法にかかってたんですね。零戦は無敵であるっていう。

まだビルマで隼に乗って戦っていた陸軍のパイロットの方が、自分の飛行機はダメなんじゃないかって思っていたから、リアリズムで戦ってましたよね。風防開けて飛ばないとダメだとか、無線もなんとかして使おうと努力してたじゃないですか。

梅本 陸海軍協同でカルカッタに進攻した時、陸軍の兵隊は零戦を見て「海軍の装備はスゴイ」って言ってました。

宮崎 零戦のパイロットは自分たちは魔法の杖を握っているんだっていう錯覚に陥っていたんじゃないかって思いますね。妖刀「村正」を持っていれば、なんでも斬れちゃうみたいな。そういう魔力がこの飛行機の中にあるんですね。だから無線なんていらないって、ポールをノコギリで切っちゃってるでしょ。いくら戦場心理があるからって、戦果の報告が誇大過ぎるしね。

梅本さんがドキドキしながら零戦の撃墜戦果を1機1機調べて、死神の勘定書みたいなことをして、結果が損害151機対205機で、なんとか勝っていたことが証明できてホッとしたって書いてるけど、でも実際、零戦はよく戦ってたんだなってことがわかりましたね。

梅本　「どっちがたくさん撃墜した？　だからどっちが勝った」なんてもう小学生レベルの疑問が動機だけど、まず誰かが、そこからやらないと話が始まらないと思って。

宮崎　そう、日本人の誰かがやるべきことですよ。

まさかと言われるかも知れないけど、零戦がなかったら開戦しなかったんじゃないすか。海軍だって。ハワイに行くと思う？　九六艦戦で。行かないでしょ。源田実はその零戦の採用に反対するでしょ。

梅本　すると源田実がもっと頑張って零戦を海軍に採用させなかったら戦争はなかった。

宮崎　ヒャーッ、それはスゴイ話だ。

そうやって考えてゆくと、堀越二郎の個人の意志とは関係なく、零戦や九六艦戦の果たした役割っていうのはすごく大きかったと思うんですよ。九六艦戦がなかったら九七戦だってできなかったでしょ。できなかったと思いますよ。

もし堀越二郎がいなかったらどうなってただろうかと思うんです。本庄季郎がもうちょっと近代的な戦闘機を作ってたりして……。でもそうなると九六陸攻ができないな、なんて思いますが。同期なんすよね。一緒に三菱に入ってる。そして片方は初めて近代的な爆撃機を作って、もう片方は戦闘機を作った。これに倣ってゾロゾロできてきたんですよね。近代的な軍用機って。

当時は海軍に比べて、陸軍の飛行機はどうにもならんってことになってましたから。あの頃の海軍のパイロット達は、自分たちの次は民間のパイロットで、陸軍はその下だって思ってたみたいだから。

梅本　でも本当に海軍の戦闘機乗りは一騎当千でした。米軍の記録を見ると実戦経験のない部隊が多くて、片や零戦隊には支那事変以来の古参がたくさんいて。プロとアマチュアの戦いですよ。零戦はするりと後ろに回って撃ちまくる。でも米軍機は頑丈だから20ミリが当たってもなかなか落ちない。落ちてもパイロットは救助されて、また向かって来る。零戦は素人が撃ったまぐれ弾でも当たっちゃったら終わり。掛け替えのないベテランが一人また一人と戦死して行く。

せめて搭乗員に防弾板があればと思いました。……でも海軍の搭乗員にはやっぱり魔法がかかっていて、空戦にも絶対的な自信があって、零戦に防弾板が欲しいとは思ってなかったのかも知れないですね。

宮崎　空中戦をやる時に魔法がかかっているっていうのは大切なことなんだと思いますよ。でも防弾板と防弾ガラスは外付けでもいいから付けてあげたかったね。セルフシーリングタンクはできてなかったから付けられなかったけど。（防弾がなかったことで）ずいぶん無駄に死んだかも知れないけど、零戦のパイロットたちはよく戦ったなと思います。

この職場（スタジオジブリ）でね、源田実の悪口言ったって何もならないんですよ。だいたい誰も知りやしないしね。

何かっていうと「ゼロ戦ってかっこいいですね」って言うくらいで。「お前ね、それは俺が小学生だったころのレベルだよ」勘弁してくれよってね。「ゼロ戦描きたい」とかね。「描けっこない。全部、放物線だぞ」ってね。

このキャノピーのラインは描けないですよ。これは堀越二郎の傑作だと思う。この不思議な形状はね。なんかとんでもない思想が一貫してるんですよ。防弾板なんか付けたくなかったでしょうね。みすみす飛行機としての性能を殺すことになるから。ただ飛行機を作るのと、武器を作ることとの境界線はどこにあるんだって、そんなことを問題にしてもしょうがないんですけど……。堀越さんはどんな風に感じていたんだろう。武器を作っているつもりではなかったんじゃないかと思います。

晩年の不機嫌で、頑なおじいさんの姿しか、現実に出会った人は知らないんだろうけど。42歳で頂点に達して、その後、痛烈な挫折をしたんだと思います。ジェットエンジンがあったらジェット機を作ったと思いますけどね。そうすると昭和18年くらいにジェットエンジンができてないといけないんですけど。その頃、実際には零戦の五二型を作ってた訳でしょ。わかってたと思うんですよ。もうこれではダメだってことが。本当に。切ないですね。エンジンには泣かされてきてますからね。栄だって1130馬力のままで。もうちょっとなんとかなんなかったのかと思いますね。

でも18年に「零戦で困らない」って海軍は言ってるんですよ。零戦で十分だって。こういう現場の保守性って、いったいなんなんだろうって思います。零戦はそれだけいい飛行機だったんだろうけど。飛行機としてはとても良かったんだと思うんです。操縦しやすいね。零戦だけですよ。神話になる魔力をもっていたのは。やはり傑出した人だったんでしょう。堀越二郎っていうのはね。

だから、まァ、伝説になっているものを本当はこうだって潰したところで、後は寂寞とした風が吹くだけで、おもしろくもないけれど……、「イフ」戦記で、未だに昔とまったく同じ思考回路で零戦が活躍したって話を書かれてるのを読むと、どうかと思いますね。

梅本　零戦には間違いなく神話や伝説になる魔力があるんだと思います。ただ観念的だったり、一方的だったりする伝説だけではとりとめがなくて……。

歴史や戦史をきちんと研究している人から見ると、零戦の撃墜戦果をいちいち検証するなんて瑣末なことで、手間もかかり過ぎるので、敢えて誰も手をつけなかったんだと思います。今回、虚仮の一念で全部調べてみたら、零戦の実績が決して伝説や、神話をはなはだしく貶めるものではなかったことがわかりました。零戦は虚名ではなく、実力のともなったスターなんだと実感しました。

（2011年7月16日、東京都小金井市「二馬力」にて）

著者紹介

梅本 弘（うめもと ひろし）

1958年茨城県生まれ、武蔵野美術大学卒業。著書「雪中の奇跡」「流血の夏」「ビルマ航空戦」「陸軍戦闘隊撃墜戦記」大日本絵画。「ビルマの虎」「逆襲の虎」カドカワノベルズ。「ベルリン1945-ラストブリッツ」学研。

写真提供　伊沢保穂

ACNOWLEDGMENT

The author would like to express his gratitude to all those who have given him the benefit their knowledge or researched for his book, Steve Blake, Craig Fuller http://www.aviationarchaeology.com.

海軍零戦隊撃墜戦記　1

昭和18年２月-７月、
ガダルカナル撤退とポートダーウィンでの勝利

発行日　2011年10月1日　初版第１刷

発行人　小川光二

発行所　株式会社 大日本絵画
〒101-0054　東京都千代田区神田錦町１丁目７番地
Tel 03-3294-7861（代表）
URL; http://www.kaiga.co.jp

編集人　市村 弘

企画／編集　株式会社アートボックス
〒101-0054　東京都千代田区神田錦町１丁目７番地
錦町一丁目ビル４階
Tel 03-6820-7000（代表）
URL; http://www.modelkasten.com/

印　刷　図書印刷株式会社

製　本　株式会社ブロケード

Publisher/Dainippon Kaiga Co., Ltd.
Kanda Nishiki-cho 1-7, Chiyoda-ku, Tokyo 101-0054 Japan
Phone 03-3294-7861
Dainippon Kaiga URL; http://www.kaiga.co.jp
Editor/Artbox Co., Ltd.
Nishiki-cho 1-chome bldg., 4th Floor, Kanda
Nishiki-cho 1-7, Chiyoda-ku, Tokyo 101-0054 Japan
Phone 03-6820-7000
Artbox URL; http://www.modelkasten.com/

定価はカバーに表示してあります。
ISBN　978-4-499-23062-9